GRUNDLAGEN DER GERMANISTIK

Herausgegeben von Hugo Moser
Mitbegründet von Wolfgang Stammler

6

FORMEN DER „VOLKSPOESIE"

von

Hermann Bausinger

ERICH SCHMIDT VERLAG

© Erich Schmidt Verlag, Berlin 1968
Druck: Deutsche Zentraldruckerei AG., 1 Berlin 61
Printed in Germany. Nachdruck verboten

Vorbemerkung

Der Gegenstand dieses Buches gehört ins Grenzgebiet zwischen Philologie und Volkskunde. Da es sich um eine Darstellung für Germanisten handelt, treten die funktionalen Fragen der sogenannten Erzählbiologie eher zurück, und auch die vergleichenden Untersuchungen über bestimmte Stoffe und Motive werden nicht so, wie es ihre Zahl und Dichte erwarten ließen, herausgestellt. Im Mittelpunkt steht hier die Frage der inneren und äußeren Form — mit anderen Worten: der Versuch einer Gattungstypologie. Da nicht nur die repräsentativen Leitformen wie das Märchen, sondern auch die nur selten diskutierten Erscheinungen der Volksdichtung behandelt werden sollten, ergab sich eine so große Vielfalt, daß oft fast nur die einzelne Struktur skizziert und die Einteilung begründet werden konnte.

Obwohl bei jeder Form ein anderer Zugang gewählt und andere Probleme aufgegriffen wurden, kann eher von einer systematischen als von einer historischen Darstellung gesprochen werden. Die geschichtliche Perspektive ist gegenüber den meisten bisherigen Untersuchungen der Volkspoesie verkürzt — sie ist aber hoffentlich schärfer. In den einleitenden Kapiteln wird die Problemlage entworfen, wird herausgestellt, daß „Volkspoesie" nicht allzu naiv und nicht *als* allzu naiv aufgefaßt werden darf, daß ihre Konzeption vielmehr in bestimmten geistesgeschichtlichen Zusammenhängen steht. Dann folgt der Überblick über die verschiedenen Formeln und Formen, wobei auch dem Volksschauspiel und dem Volkslied je ein kurzer Aufriß gewidmet ist.

Die Anmerkungen wurden auf Wunsch des Herausgebers eingeschränkt; sie bringen im wesentlichen den Nachweis von Zitaten. Sie operieren mit Kurztiteln, wenn eine Arbeit häufiger zitiert wird oder im bibliographischen Hinweis aufgeführt ist. Auch diese Literaturhinweise — am Ende jeden Kapitels in alphabetischer Reihenfolge — sind knapp gehalten. Handbücher und Gesamtdarstellungen, die sich auf mehrere Kapitel beziehen, sind im allgemeinen nur einmal erwähnt; und die Vielfalt der Gegenstände erlaubte keine Vollständigkeit. Doch dürfte die Auswahl dem Zweck genügen, den hoffentlich auch die ganze Darstellung erfüllt: einen Grund zu legen, auf dem in den verschiedensten Richtungen und mit den verschiedensten Methoden weitergebaut werden kann.

Inhalt

I. Zur Problemgeschichte

1. Die Erfindung der „Volkspoesie"

Wer mit dem Tenor der geläufigen Literatur- und Geistesgeschichte vertraut ist, wird in dieser Kapitelüberschrift Widerspruch erkennen. Was als Ältestes und Ursprünglichstes in der ganzen Dichtung gilt, wird hier als spätes Faktum, als Erfindung bezeichnet, und der Begriff der Volkspoesie, dem man im allgemeinen ehrwürdige Realität beimißt, wird durch die Anführungszeichen beinahe ins Gebiet des Schimärischen gedrängt. Dies ist nicht etwa der Ausdruck einer nur koketten Verfremdung, sondern soll hinweisen auf wesentliche Einsichten, die freilich mit der Einseitigkeit einer *Gegen*these vorgetragen werden.

Die *These* ist bekannt: Volkspoesie führt uns in die glücklichen Zeiten der deutschen Vergangenheit; sie lebt ihr stilles, sicheres, pflanzenhaftes Dasein, vermittelt ihre Kraftströme der hohen Literatur, die sich diesem mütterlichen Bereich weit öffnet — die mittelalterliche Epik ebenso wie Minnesang und Meistersang, die so gewissermaßen nur Metamorphosen des lebendig schaffenden Geistes der Volksdichtung sind. Erst die barocke Bildungsdichtung und die volksfremde Geistelei der Aufklärer entfernt sich von diesem Quell, der aber im Durchbruch der ‚Deutschen Bewegung' wiederentdeckt wird — alt und doch ewig jung, und fortan ein Jungbrunnen aller echten Dichtung und Empfindung. Dies mag ein wenig polemisch zugespitzt sein — in der Sache ist es nicht übertrieben, charakterisiert es vielmehr ein Grundschema deutscher Literaturgeschichtsschreibung.

Die Gegenthese wäre ungefähr folgendermaßen zu formulieren: Gewiß ist die mündliche Überlieferung älter als die Literatur, und auch in unserem Sprach- und Kulturbereich gab es sicherlich Werke ‚hoher' Dichtung schon in schriftloser Zeit. Gewiß hat es auch zu allen Zeiten poetische Kurzformeln, einfache Formen des Erzählens, des Singens und Spielens gegeben. Wir wissen darüber aber sehr wenig — unter anderem deshalb, weil der Einfluß auf die geschriebene Dichtung gar nicht immer so groß gewesen zu sein scheint. In der Oberschicht hat sich ein wirklich durchschlagendes Interesse für diese Grundformen erst herausgebildet, als die zunehmende soziale Orientierung und die Verfeinerung der poetischen Stilmittel diesen Ausgriff nahelegten — im weiteren Bereich der Aufklärung also. Das Ergebnis war eine Erfindung, eine Konstruktion: die „Volkspoesie", von Anfang an ein Mischprodukt aus dem objektiven Fundament der Volksüberlieferungen und aus genialisch-produktivem Interesse. Ohne dieses Durchgangsstadium ist Volksdichtung in der Folge weder zu fassen noch zu verstehen. So ist es nicht nur Wissenschaftsgeschichte, wenn wir uns zunächst diesem Ausgangsstadium zuwenden; es gehört unmittelbar zur Quellenkritik, zur Beschreibung, zur Analyse.

Der Beweis kann hier nur eben angedeutet werden. Konkret geht es um das, was sich zwischen 1760 und 1780 abspielt — in der Zeit, in der zum erstenmal Begriffe wie Volkspoesie, Volksdichtung, Volkslied, Volkssage auftauchen. Nicht immer läßt sich Wortgeschichte unmittelbar als Sachgeschichte interpretieren; aber dieses massierte Aufkommen neuer Begriffe stützt doch die Vermutung, daß damals nicht nur Altes wiederentdeckt, sondern Neues geschaffen wurde, daß nicht etwa die namenlose Vielfalt der mündlichen Überlieferung lediglich benannt, sondern daß sie auf eine andere Ebene transponiert und damit verwandelt wurde.

Am deutlichsten tritt dies in England zutage, dessen ‚ballad revival' der deutschen Wiederbelebung der Volkspoesie vorausgeht. Das allbekannte Stichwort heißt *Ossian* — und hier haben wir es ganz offenkundig mit einer gewissen Erfindung zu tun. Der schottische Dichter JAMES MACPHERSON (1736—1796) griff Motive und Formen der gälischen Überlieferung auf, bildete sie poetisch um und veröffentlichte sie so 1760 als „Fragments of Ancient Poetry, collected in the Highlands of Scotland and translated from the Gaelic or Erse Language"; dabei gab er die Texte als Dichtungen eines blinden gälischen Barden Ossian aus dem 3. Jahrhundert aus. In Wirklichkeit waren nicht nur die zugrundeliegenden Gesänge wesentlich jünger; sie wurden von MACPHERSON auch ganz der Gefühlswelt seiner Zeit angepaßt — es ist charakteristisch, daß im gleichen Jahr EDWARD YOUNGS „Conjectures on Original Composition" erschienen. Die alten Motive wurden von MACPHERSON mit neuer Empfindung angereichert — oder umgekehrt: empfindsame Lyrik wurde mit alten Motiven aufgeputzt; und es war wohl gerade diese Verbindung alter Sagenwelt und moderner Empfindsamkeit, welche die unerhörte Wirkung der Gesänge hervorbrachte.

Diese Wirkung war auf dem Festland womöglich noch größer als in England, wo MACPHERSONS Veröffentlichung auch weit weniger umwerfend war, da die Ballade schon vorher, mindestens im ganzen 18. Jahr-

hundert, eine wichtige Rolle gespielt hatte. Als künstlerisches Ferment
war die alte Ballade in neue Werke eingegangen; das berühmte Beispiel
ist JOHN GAYS Bettleroper von 1728, in die Formelemente und ganze
Partien des Bänkelsangs montiert sind, und welche die Gattung der
ballad-opera einleitet. Aber auch das gelehrte antiquarische Interesse
galt den alten Gesängen; schon 1751 schrieb SAMUEL JOHNSON eine Satire
auf die Balladensammler. Neu waren die distanzlose Bewunderung des
Alten und die Gefühlsidentifikation, die für MACPHERSON ebenso
bestimmend war wie danach für PERCY; beide publizierten ihre Werke
wohl gewiß nicht primär mit der Absicht arglistiger Täuschung.

Der englische Pfarrer THOMAS PERCY (1729—1811) veröffentlichte im
Jahr 1765 eine dreibändige Sammlung von 180 Balladen unter dem
Titel „Reliques of Ancient English Poetry: Consisting of Old Heroic
Ballads, Songs and other Pieces of our earlier Poets (chiefly of the
lyric kind). Together with some few of later Date." Zugrunde lag eine
Manuskriptsammlung des 16. Jahrhunderts; aber auch hier war eine
Adaption vorausgegangen, waren die Fragmente ergänzt, erweitert und
verändert worden. Der Streit um die Echtheit, der sehr schnell ent-
brannte und sich jahrzehntelang fortsetzte, bewies die Unauflöslichkeit
der Legierung. Noch AUGUST WILHELM SCHLEGEL (1767—1845) glaubte
zwar „eine etwas empfindsamere Einmischung" zu spüren; aber er maß
BÜRGERS vergröbernde Übertragungen aus dem Englischen dann doch
gerade an dem zarten Ton des „Volksgesanges", der in Wirklichkeit
PERCYS Zutat war.[1] Dies zeigt nicht nur PERCYS poetisches Geschick,
sondern macht auch deutlich, daß die Anpassung und Veränderung
gewissermaßen in den Begriff der Volksdichtung eingegangen war.

Die Stationen der deutschen Begeisterung für Volkspoesie — „Von
Percy zum Wunderhorn" — lassen sich am besten in HEINRICH LOHRES
so betiteltem Buch verfolgen; sie können hier nur andeutend skizziert
werden. Im Mittelpunkt steht das Interesse für das Volkslied; der
stärkste und nachhaltigste Einfluß ging von JOHANN GOTTFRIED HERDER
(1744—1803) aus, der seinerseits stark unter dem Einfluß JOHANN
GEORG HAMANNS (1730—1788) stand. PERCYS Anregungen fielen bei
HERDER auf fruchtbaren Boden. Schon 1764 hatte er ein estnisches Lied
in die Zeitung eingerückt als „Beitrag zu unbekannten anakreontischen
Gesängen noch roher Völker".[2] Die etwas merkwürdig anmutende
Charakterisierung ‚anakreontisch' könnte dabei zurückgehen auf MICHEL

---

[1] A. W. SCHLEGEL: Bürger. In: G. A. Bürgers sämtl. Werke, 1. Bd. Berlin o. J.,
S. 62—108; hier S. 73.
[2] H. LOHRE: Percy, S. 9.

DE MONTAIGNE (1533—1592), der im ersten Buch seiner „Essais" den Anfang eines brasilianischen Liebesliedes mitteilte und darüber schrieb, „que non seulement il n'y a rien de barbarie en cette imagination, mais qu'elle est tout à fait Anacreontique".[3] Bei MONTAIGNE begegnet auch der französische Begriff „poésie populaire" fast zwei Jahrhunderte vor unserer „Volksdichtung", und zwar mit einer Würdigung, die HERDER später unmittelbar übernimmt: „La poësie populaire et purement naturelle a des naivetez et graces par où elle se compare à la principale beauté de la poësie parfaicte selon l'art; comme il se void ès villanelles de Gascongne et aux chansons qu'on nous rapporte des nations qui n'ont congnoissance d'aucune science, ny mesme d'escriture."[4]

Bald nach der Veröffentlichung der englischen „Reliques" begann HERDER seinerseits zur Sammlung aufzurufen[5], auch wenn er später, 1788, die Absicht in Abrede stellte, „ein deutscher Percy zu werden".[6] 1767 forderte er dazu auf, „alte Nationallieder" zusammenzutragen. 1771 schrieb er „Über Ossian und die Lieder alter Völker"; diesen ‚Auszug' rückte er 1773 in die Blätter „Von deutscher Art und Kunst" ein. Hier skizzierte er eine Poetik des Volkslieds, das er durch seine vom Gefühl getragene Unmittelbarkeit, seine „Sprünge und Würfe", seine einfache Szene charakterisierte. 1774 stellte er seine Sammlung „Alte Volkslieder" zusammen, deren zweite Fassung er 1778 und 1779 unter dem Titel „Volkslieder" zum Druck brachte. Die Einleitungen der einzelnen Teile der noch ungedruckten Sammlung verarbeitete HERDER 1777 in dem Aufsatz „Von Ähnlichkeit der mittleren englischen und deutschen Dichtkunst nebst verschiedenem was daraus folgt", einem weitgespannten Vergleich, der in einen nationalen Appell mündet.

In HERDERS Schriften tauchen die Begriffe *Volksdichtung, Volkspoesie, Volkslied* zum erstenmal auf, und HERDER gibt ihnen auch bereits die Prägnanz, die ihnen bis heute anhaftet: sie sind fruchtbar und vage zugleich. Das Wort Volk zielt auf die ethnischen Besonderungen — schon vor dem Ossian-Aufsatz erwähnt HERDER in einem Brief neben den estnischen Liedern aus seiner Kindheit „arabische von Eseltreibern, italienische von Fischern, amerikanische aus der Schneejagd, item lappländische, grönländische und lettische";[7] und es war nur konsequent, daß HERDERS Volksliedsammlung in der zweiten Auflage, nach seinem Tode,

---

[3] I, Cap. 31.
[4] I, Cap. 54.
[5] H. LOHRE: Percy, S. 9.
[6] Ebd. S. 21; vgl. R. SCHMITZ: Herder, S. 84.
[7] H. LOHRE: Percy, S. 10.

den berühmten Titel „Stimmen der Völker in Liedern" erhielt. Volk meinte und meint aber auch die unteren Schichten; und HERDER verstand unter Volk darüber hinaus das Ursprüngliche als eine dauernde Möglichkeit, das er in eine späte Zeit hinüberzuretten sucht. Der Hinweis auf die Volksdichtung war für HERDER vor allem auch ein Beitrag zur Poetik — man könnte auch sagen zu einer Anti-Poetik, da HERDER der Dichtung „Phantasie und Leidenschaft" zurückgewinnen wollte.[8] Wie stark diese Auffassung auf die jungen Stürmer und Dränger wirkte, ist bekannt. GOETHE schlug sich in der freundschaftlichen Begegnung mit HERDER zu der Überzeugung durch, daß Dichtung nicht länger „das Privaterbteil einiger feinen, gebildeten Männer" sein sollte.[9] HERDER fühlte in den Volksliedern „ersten Ton der Poesie"[10], und GOETHE suchte seine Dichtung auf diese Stufe zurückzuführen. Es war nur natürlich, daß HERDER auch Verse von GOETHE und anderen Dichtern in seine Sammlung aufnahm. Volksdichtung war und blieb eben nicht nur die mündliche Überlieferung, deren historische Schichten man hätte bestimmen können, sondern sie war für ihn ein zeitloses Agens, das alle wahre Poesie durchdringt.

Eine solche andeutende Charakteristik deckt gewiß nicht alle Intentionen und Überlegungen, die HERDER mit dem Bereich der Volksdichtung verband; in seinen quellenden Sprachbildern und seinen geballten Formulierungen stecken Ansätze zu vielerlei und sehr verschiedenartigen Auffassungen der Volkspoesie. Eben dadurch wirkten seine Entwürfe so lange und nachhaltig. Fürs erste allerdings war wohl die Wirkung GOTTFRIED AUGUST BÜRGERS (1747—1794) breiter. Man hat BÜRGER vorgeworfen, er habe die „Idee der Volkspoesie" von HERDER „einseitig im Sinne von Populärpoesie mißverstanden"[11]; und tatsächlich steht er in mancher Hinsicht nicht allzu fern von JOHANN WILHELM LUDWIG GLEIM (1719—1803), der 1772 eine Sammlung seiner Gedichte unter dem bezeichnenden Titel „Lieder für das Volk" herausbrachte. Aber jener Vorwurf orientiert sich doch wohl einseitig an BÜRGERS poetischer Produktion und ihrer Wirkung und verkennt seine theoretischen Vorstellungen; BÜRGER selber hat sich bereits beklagt, daß er in dieser Weise mißverstanden werde. Sein theoretisches Konzept, wie es vor allem im „Herzensausguß über Volks-Poesie" von 1776 sichtbar wird, wirkt zwar dürftig, wenn man es mit der drängenden Sprache von HERDERS Entwür-

[8] R. SCHMITZ: Herder, S. 55.
[9] Dichtung und Wahrheit, 10. Buch.
[10] R. SCHMITZ: Herder, S. 27.
[11] Ebd. S. 24.

fen vergleicht, aber es ist nicht eigentlich enger. Zunächst beschwört er
die Musen, sie sollten „die Natur der Menschen anziehen", empfiehlt er
den Dichtern den „Natur-Katechismus", das „so selten gelesene Buch
der Natur".[12] ERNST ROBERT CURTIUS hat gezeigt, wie die ursprünglich
theologische Metapher vom liber naturae, das Gott aufgeschlagen hat,
zwar schon im ausgehenden Mittelalter gelegentlich ‚laizisiert' wurde,
aber erst auf dem Wege über ROUSSEAU, die englische Vorromantik und
die Sturm-und-Drang-Poetik wurde ‚das Buch der Natur' säkularisiert
und als eigentliches, den Büchern überlegenes Studienobjekt hingestellt.[13]
Dabei handelt es sich um einen idealen Topos; das Buch der Natur
ist keineswegs primär das, was die sogenannten naturnahen Stände
überliefern. BÜRGER weist zwar auf die Bedeutung der mündlichen
Tradition hin und ruft nach einem „Deutschen Percy"; aber er betont
auch, daß die mündliche Überlieferung die Stimme der Natur zu
verfälschen vermag. Die Berufung auf die Natur verweist eben nicht
nur auf die natürlichen Äußerungen der Leute aus dem Volk und auf
die natürlichen ethnischen Gegebenheiten, sondern in erster Linie auf
Fantasie und Empfindung der Poesie, während „das Reich des Verstandes
und Witzes" spöttisch „der Versmacherkunst" zugeteilt wird. Stärker
als bei HERDER ist der nationale Akzent. BÜRGER wendet sich gegen
„fremde Mummerei"; er ruft die „deutsche Muse" an — und fast müßte
es ‚teutsche Muße' heißen, denn unter der Fiktion, daß er aus alten
Schriften, „aus Daniel Wunderlichs Buch" berichtet, operiert BÜRGER
mit manchen Archaismen.

All dies macht deutlich, daß „Volkspoesie" hier nicht etwa ein Faktum
der mündlichen Überlieferung ist, sondern eine schöpferische Fiktion,
die Volk und Kunst zusammenführt. AUGUST WILHELM SCHLEGEL schrieb
in seiner Würdigung BÜRGERS von 1800, dieser sei „als der Erfinder oder
Wiederbeleber echter Volkspoesie ohne Widerrede anerkannt" worden.[14]
Gewiß lagen im Sprachgebrauch der damaligen Zeit *Erfindung* und
Entdeckung noch sehr nahe beieinander; aber wir können das Wort
Erfindung doch wohl auch im heutigen Sinne nehmen: BÜRGER hat eben
nicht nur Altes, Vergessenes, Mißachtetes entdeckt; er hat es zugleich
konstruktiv umgebogen und in mancher Hinsicht verstellt. Die Anfänge
der Kunstballade und die ‚Erfindung der Volkspoesie' liegen nicht nur
nahe beieinander, sie sind in vieler Hinsicht identisch.

---

[12] Sämtl. Werke, 6. Bd. Berlin o. J., S. 5—10.
[13] Europäische Literatur und lateinisches Mittelalter. Bern ²1954, S. 323—329.
[14] A. W. SCHLEGEL: Bürger, S. 63.

Die Position BÜRGERS läßt sich klarer abstecken, wenn wir die bissige Parodie zu Hilfe nehmen, die FRIEDRICH NICOLAI (1733—1811) bald nach dem Erscheinen des Herzensergusses herausbrachte unter dem Titel: „Eyn feyner kleyner Almanach Vol schönerr echterr ljblicherr Volcks-ljder, lustigerr Reyen vnndt kleglicherr Mordgeschichten, gesungen von Gabryel Wunderlich weyl. Benkelsengernn tzu Dessaw, heraußgegebenn von Danyel Seuberlich, Schusternn tzu Ritzmück ann der Elbe." Schon dieser Titel mit seiner auffällig übertriebenen Altertümelei und mit der Anspielung in den Namen macht deutlich, daß sich NICOLAI in erster Linie gegen BÜRGER wendet — zumindest in den Vorreden zu beiden Jahrgängen des Almanachs, der 1777 und 1778 erschien. Er spricht in diesen Vorreden als ehrbarer Schuster, der etwas vom Handwerk versteht und sich deshalb von den Theoretikern der Sprünge und Würfe nicht ins Bockshorn jagen läßt. Er kritisiert das mit viel Sentimentalität verbundene Streben nach Volkstümlichkeit und entlarvt die Originalität zweiter Hand; für ihn ist die neugebackene Volkspoesie, mag sie sich auch im Stil alter Volkslieder gerieren, ein „almodisch Zwitter-Gemengsel", weder „Volckslyd noch gelarte Poeterey", und so niemand zunutze. Dies ist eine radikale Kritik: was angeblich unmittelbar der Natur entstammt und schlechthin antimodisch ist, wird hier als Ausdruck einer Zeitmode, als à la mode charakterisiert. Die Bemühung um die kulturellen Güter des Volkes wird als bloßes Rollenspiel verstanden; das fehlende soziale Engagement wird kritisiert:

> Oho! meyn Fentchen, so geets nicht. Wer eyns haben wyll, musz's andere auch nicht verschmehen, dz deme antwortet. Wollt' eyner hoch fligen, sam eyn Vogeleyn in der Luft, must er auch konnen, Wurmer vnndt Spinnen essen, sam eyn Vogeleyn, vnndt ynn eynen engen Ritz krichen furm Wetter; ist jm aber feystes Ryndfleysch tzur Narung not, so bleyb' er uff Gottes Erdboden. Hebt sich so eyner aber doch, meynt er wolle fligen, wird er gar unsanft uff d' Nase fallen. — Esz musz traun gantz getan seyn, oder musz gar bleyben. Wolan, jr Genyes, wollt jr teutzscher alter Volckspoeterei aufhelfen, laszt alle Cultur, Uppigkeit vnndt gelartes Wesen, werdet erliche Handwerckslewtt, Schuster, Weber, Schreyner, Gerber, Schmide, arbeitet vil Wochenlang mit Macht, bisz eyn Tag kommt, dz jr den Drang fulet, Volckslider z'dichten. Da wird denn Tatkraft ynne sein, die werdenn d' Sele fullen, werden's Volck wie'n Fiber erschuttern, werden, eym freszenden Krebsz gleich, vm sich greifen, werdenn aller boesen Cultur, die ewren Schnitten vnndt Wurfen hynderlich ist, rein schababe machen. Sollt's euch aber, meyne Genyes, doch nicht gelyngen, aus teutzschen Vaterlande, d'leydige Ordnung vnndt eyszkalte Vernunft gantz weg zu syngen, vnndt dafuer eynzufuren, den eynfeltigen

Kyndessynn vnndt erlichen Koler-Glauben, der euch Volckssengern wol fuget; wyrd doch teutzschem Vaterlande ewer Handarbeyt, mer Frommen bringen, als ewer putzige wyndschife gelerte Volckslider, womit jr eytel Spilwerck treybt, vnndt di's Volck nymmer syngen mochtt.[15] Gewiß verfehlt diese Kritik möglicherweise den vollen Ernst des neuen dichterischen Bewußtseins, für das Originalität und Popularität eben keine Frage der Anpassung oder Kostümierung, sondern der inneren Verwandlung war. Aber auf der anderen Seite macht die Kritik deutlich, was die Etikettierungen der Geistesgeschichte nur zu leicht verdecken: daß die Sturm- und Drangpoesie der Schäferdichtung des Rokoko nicht nur zeitlich benachbart ist, und daß zumal in den Volksbegriff ‚escapistische‘ Motive eingeschmolzen wurden.

NICOLAI wendet sich gegen die Überschätzung des „Volkes" im Sinn eines notwendigen naturhaften Substrats aller künstlerischen Äußerungen, gegen die Devise: „wer nicht syngt wy dz Volck, der ist verdammt!" Er wendet sich aber auch gegen die Unterschätzung der oft respektablen Leistungen im Bereich der eigentlichen Volksdichtung, wo er gute und schlechte Poesie findet — wie bei den gelahrten Poeten. Vielleicht ist dies NICOLAI erst bei der Vorbereitung seiner Almanache aufgegangen; LESSING, den NICOLAI wie auch andere um Beiträge gebeten hatte, schrieb ihm im September 1777 von seinen Nöten: ein Teil der Lieder, die er in alten Handschriften fand, schien ihm einfach zu gut und damit ungeeignet für den satirischen Zweck NICOLAIS; den anderen aber wollte er den Namen Volkslieder gar nicht zuerkennen, vielmehr meinte er, daß man sie „mit ihrem rechten Namen Pöbelslieder nennen sollte".[16] Vielleicht aber gehörte der Zweifrontenkrieg: gegen die Überschätzung und gegen die Unterschätzung des Volkes auch zu NICOLAIS Programm; jedenfalls schrieb er MÖSER, daß er mit seiner Sammlung auch den Zweck verfolge, „solche Volkslieder aus der Dunkelheit zu ziehen, die wahre Naivität haben."[17]

Man hat diese Seite lange übersehen; HERDER und BÜRGER empfanden nur die Invektive, und die späteren volkskundlich-germanistischen Betrachtungen haben NICOLAI nur allzu schnell Destruktion und Flachheit bescheinigt. Heute wird man anders urteilen. NICOLAI hat nicht nur die Begeisterung für die Volkspoesie sehr konkret und korrekt auf ihre Grenzen verwiesen; durch die Kritik hindurch ist bei aller Kargheit doch auch seine eigene Faszination spürbar. Sein Almanach genügt trotz

---

[15] Faksimile-Neudruck der Reichsdruckerei, ed. 1918 JOHANNES BOLTE.
[16] Brief v. 20. Sept. 1777. Ges. Werke, 10. Bd. Leipzig 1857, S. 252.
[17] H. LOHRE: Percy, S. 72 f.

der parodistischen Absicht den Anforderungen an eine wirkliche Volksliedsammlung eher als etwa das weitgespannte Sammelwerk HERDERS,
und zielte er damit auch auf die gelehrten Popularpoeten, so glaubte
er doch, daß „beym gemeinen Haufen ... eyn kleynes Funckleyn
unverderbter Natur, sam vnter eyner Asche" liege, und er sprach sich für
Sammlungen aus, die freilich nicht der Kunst der gelehrten Versmacher,
sondern den Handwerksburschen, Spinnstuben und Bänkelsängern zugute
kommen sollten. Wie die Kritik NICOLAIS mehr als nur BÜRGERS kleine
Postille trifft, so weisen auch diese positiven Ansätze voraus in die
Romantik.

Literatur:

ALBERT B. FRIEDMAN: The Ballad Revival. Studies in the Influence of Popular
on Sophisticated Poetry. The University of Chicago Press 1961.

ERWIN KIRCHER: Volkslied und Volkspoesie in der Sturm- und Drang-
zeit. Ein begriffsgeschichtlicher Versuch. In: Zs. f. deutsche Wortforschung,
4. Bd. 1903, S. 1—57.

HEINRICH LOHRE: Von Percy zum Wunderhorn. Beiträge zur Geschichte der
Volksliedforschung in Deutschland (= Palaestra XXII). Berlin 1902.

HUGO MOSER: Volk, Volksgeist, Volkskultur. Die Auffassungen J. G. Herders
in heutiger Sicht. In: Zs. f. Volkskunde, 53. Jg. 1956/57, S. 127—140.

RETA SCHMITZ: Das Problem ‚Volkstum und Dichtung' bei Herder (= Neue
Forschung 31). Berlin 1937.

2. Der Begriff der Naturpoesie bei den Brüdern Grimm

Wollte man das Ziel der Angriffe NICOLAIS in einem Punkt zusammenfassen, so könnte man sagen: er kritisiert die rousseauistische Fiktion von
Natur und Natürlichkeit, die sich im deutschen Sturm und Drang halb
muskulös, halb tränenschwer gibt; er ist nicht bereit, die unteren
Schichten der Gesellschaft mit Natur zu identifizieren, und er glaubt
vor allem nicht daran, daß sich das möglicherweise in diesen Schichten
vorhandene Natürliche destillieren und als Elixier für die oberen
Schichten verwenden lasse. Gerade diese vage Idee von Natürlichkeit
gewinnt aber an Gewicht; der Doppelaspekt von Natur, die auf der
einen Seite ins Absolute gesteigert, auf der anderen aber als Mittel
verfügbar gemacht wird, drückt sich aus im romantischen Begriff der
„Naturpoesie".

Das Wort geht auf HERDER zurück, der in seiner Abhandlung „Vom
Geist der hebräischen Poesie" die Lieder und Gesänge der Morgenländer
als echte Naturpoesie bezeichnete. Nach der Jahrhundertwende wurde

es von den Romantikern so häufig, vielfältig und vielsinnig verwendet, daß eine Definition schwer fällt. Man hat viel Scharfsinn aufgewandt, um zu zeigen, was HERDER von den Romantikern trennt[1]; aber all diese Bemühungen zeigen doch zuerst, wie unmittelbar die Auffassungen ineinander übergehen. HERDER ist auch hier der Anreger; was von ihm im Keim angelegt wird, entfaltet sich im Bereich der Romantik, verästelt sich und verwirrt sich auch. Sie bezieht nicht einheitlich Stellung; und es ist hier nicht möglich, den ganzen Umkreis der oft recht verschiedenen Anschauungen auszuschreiten. In den Mittelpunkt sollen vielmehr die Auffassungen der Brüder GRIMM rücken, weil sie nicht allein die späteren Theorien zur Volksdichtung maßgeblich beeinflußten, sondern für ungefähr ein Jahrhundert auch dort im Hintergrund stehen, wo scheinbar positivistischer Sammlerfleiß regiert: die Hunderte von Sammlungen — handle es sich um Lieder, Märchen, Sprüche, Sagen oder anderes — wären nicht zusammengetragen worden, wenn man sie nicht als Beiträge zur Naturpoesie im Sinn der Brüder GRIMM verstanden hätte.

Freilich: auch ‚*die* Brüder GRIMM‘ ist bereits eine Vereinfachung. Wir bewegen uns damit gewissermaßen schon im Denkkreis der Naturpoesie, in dem das Individuelle verschleiert wird. Es ist charakteristisch, daß die Brüder GRIMM sowohl die Kinder- und Hausmärchen wie die Deutschen Sagen nicht nur ausdrücklich als ihr gemeinsames Werk erklärten, obwohl der Anteil WILHELMS überwog, sondern daß sie diese Bände auch — im Gegensatz zu anderen, wissenschaftlichen Publikationen wie dem Deutschen Wörterbuch — mit der Sammelbezeichnung „von den Brüdern Grimm" herausbrachten. Mit dieser familiären Zweiheit sollte gewissermaßen das Natürliche des Entstehungsprozesses betont, sollte ein Schritt zur Anonymität hin getan werden; es handelt sich also wohl nicht allein um eine Demonstration der innigen Zusammenarbeit, sondern das Brüderliche fungiert hier als Indiz der Naturpoesie. Sucht man die Naturpoesie in kurzen Zügen zu charakterisieren, so ist als wesentlichstes Merkmal die nichtindividuelle Entstehung hervorzuheben. Ich formuliere dies absichtlich negativ und spreche nicht etwa positiv von kollektiver Schöpfung, denn der Schöpfungsprozeß wird bezeichnenderweise nirgends beschrieben. Immer wieder findet sich in den Schriften über die Naturpoesie die Wendung, daß diese Dichtung „von selbst" entstanden sei. Sie müsse sich, schreibt JACOB GRIMM (1785—1863) in seiner Abhandlung „Ueber den altdeutschen Meister-

---

1 Vgl. E. LICHTENSTEIN: Idee der Naturpoesie; O. WALZEL: Jenaer und Heidelberger Romantik.

gesang" von 1811, „von selber an und fortgesungen haben", und er fährt fort: „Ueber der Art, wie das zugegangen, liegt der Schleier eines Geheimnisses gedeckt, an das man Glauben haben soll".[2] Er spricht von der „tiefsinnigen Unschuld der Volkspoesie"[3]; und auch bei WILHELM GRIMM (1786—1859) ist das Epitheton „unschuldig", in dem die kraftvoll-zarte Idee der Partenogenese zusammenrinnt, die vielleicht häufigste Charakteristik der Volksdichtung. WILHELM drückt sich in seinen Bemerkungen zur Entstehung der Volkspoesie drastischer und scheinbar eindeutiger aus, wenn er etwa davon spricht, daß „ein Volkslied sich selbst dichtet und anpaßt"[4]; aber indem er das Volkslied zum handelnden Subjekt erhebt, löst er das Geheimnis nicht auf. Auch er zieht sich zurück auf „die Unschuld und Bewußtlosigkeit, in welcher das Ganze sich gedichtet hat"[5]; auch für ihn charakterisiert es ein „echtes Volksgedicht", daß es „von selbst entstanden und überall bekannt" ist.[6]

Die Zitate des letzten Satzes stammen aus der Abhandlung „Über die Entstehung der altdeutschen Poesie und ihr Verhältnis zu der nordischen" von 1808; sie beziehen sich auf das Nibelungenlied und das spätmittelalterliche Lalenbuch, die älteste Fassung der Schildbürgergeschichten. In beiden Fällen hat man zwar über den Verfasser höchstens Vermutungen; beide Dichtungen sind aber doch individuell durchgeformt und stilistisch einheitlich geprägt, so daß mit starken Persönlichkeiten gerechnet werden muß, welche diese Werke wenn nicht verfaßten, so doch entscheidend formten. Zur Zeit der Brüder GRIMM jedoch standen die Überlegungen zur Entstehung der altdeutschen Dichtung im Banne der Fragmententheorie der klassischen Philologie, in der sich gegen Ende des 18. Jahrhunderts die Meinung herausgebildet hatte, daß die großen homerischen Dichtungen auf sehr viele Einzelgesänge und Fragmente zurückgehen. Aber diese Theorie war wohl nur zum kleinen Teil dafür verantwortlich, daß WILHELM GRIMM die Frage nach den Verfassern abschnitt. Diese Frage war für ihn von vornherein illegitim, und auch seinen Bruder JACOB beherrschte „ungemessener Respekt vor der Unerfindung und Unerfindlichkeit der Sagen".[7] In den Bereich der „Sage" in diesem weiteren Sinn wird aber alles gerückt, was zur gemeinsamen nationalen Überlieferung gehört, also auch das mittelhochdeutsche Epos, zumindest

---

[2] Göttingen 1811, S. 5 f.
[3] Ebd. S. 170 Anm.
[4] Kleinere Schriften, 1. Bd. S. 141.
[5] Ebd. S. 100.
[6] Ebd. S. 112.
[7] K.-E. GASS: Idee der Volksdichtung, S. 25.

das lange Zeit so benannte „Volksepos". Es entsteht die Gleichung Volkspoesie = Naturpoesie = Nationalpoesie; die Begriffe werden vielfach promiscue verwendet. Den Begriff der *Nationalpoesie* rechtfertigt und charakterisiert der Gedanke, daß das Ganze des Volkes an der Naturpoesie beteiligt ist.

Hier wird nun auch ein Unterschied gegenüber HERDER sichtbar. Zwar hatte auch er Dichter, sogar Dichter seiner Zeit, in den Bezirk der Volkspoesie hinübergespielt; er hatte Lieder GOETHES in seine Volksliedersammlung aufgenommen, und er hatte auch bei der Charakterisierung anderer Völker die lyrischen Gesänge großer Individualdichter einbezogen; aber prinzipiell ist für HERDER die Volkspoesie doch eher eine Stufe, die Stufe der Vorbereitung der Kunstpoesie. Die großen Epen der Weltliteratur, auch Ilias und Odyssee, schrieb er der Kunstpoesie zu, und lediglich die Lyrik in ihrer stärkeren Ursprünglichkeit wurde von ihm noch der Naturpoesie zugerechnet.[8] Die Brüder GRIMM legen sich hier weniger fest, und für sie ist Naturpoesie zudem ein so ausgeprägter Wertbegriff, daß sie schon dadurch gezwungen sind, ihn weit über die Poesie und die Literaturgeschichte zu spannen. Dabei bezahlen und retten sie diese Ausweitung durch einen Trick, der bei der Gleichung Naturpoesie = Nationalpoesie ansetzt.

Nationalpoesie ist nicht nur die Dichtung, die aus der Anonymität des Volkes hervorgegangen ist, sondern auch und vor allem jede Dichtung, die den Geist der Nation verkörpert, die in Inhalt und Form national gültig und verbindlich ist. In diesem Sinne heißt es in WILHELM GRIMMS Vorlesung über das Gudrunepos: „Das Gedicht von Gudrun ist unmittelbar aus dem Wesen eines ganzen deutschen Volkes hervorgegangen, dessen lebensvolles Bild es uns in reinem Spiegel zeigt. Den längst in den Strom der Zeit versenkten Geist eines Volkes wieder zu erkennen und anschaulich zu machen ist die Aufgabe der Alterthumswissenschaft, und dazu ist die Philologie nur ein Mittel".[9] Dieser weitere Entwurf der Nationalpoesie verschließt sich auch gegen größere und jüngere Dichtungen nicht; in einer Stufenfolge der Betrachtung fügt WILHELM GRIMM sie dem weiteren Rahmen ein. Die erste Stufe ist der unschuldige Prozeß der Selbstentstehung, der für kleinere Reliktformen und für die ältere Dichtung angenommen wird: „Das Volkslied dichtet sich selbst und springt als Blüthe aus der That hervor".[10] Auf einer zweiten Stufe erscheint der Dichter als Mund, durch den die Poesie spricht, als

---

[8] O. WALZEL: Jenaer und Heidelberger Romantik, S. 346.

[9] Kl. Schr. 4. Bd. S. 526.

[10] Ebd. 2. Bd. S. 10.

Sprachrohr der überindividuellen Macht nationaler und natürlicher Poesie. Auf dieser Stufe bleiben Kunstpoesie und Naturpoesie auch terminologisch in der Schwebe; „echte" Kunstpoesie erscheint als entwickelte Naturpoesie: „Kunstpoesie, das heißt die mit Bewußtsein und Absicht gedichtete, ist in ihren Ideen eben so vortrefflich, als Natur- oder Nationalpoesie, denn wenn sie echt ist, setzt sie diese nur fort, das heißt, wo diese untergeht und sich nicht mehr neu erzeugt, da bildet sie z. B. durch Belesenheit erworbenen Stoff in den Geist der Nation mit all dem, was ihr eigenthümlich ist, um, damit es einheimisch werden kann. Hans Sachs ist in diesem Sinn Kunstdichter und Nationaldichter zugleich. Es gehört dazu ein klares Umfassen und Beherrschen des Stoffes, und die Individualität des Dichters verliert sich gänzlich in derjenigen der Nation, oder vielmehr sie wird noch mehr geläutert und steht wiederum rein in dieser."[11] So wird Naturpoesie zum Qualitätsmerkmal, und dies erlaubt auf einer dritten, für WILHELM GRIMM charakteristischen Stufe den Versuch, auch große zeitgenössische Dichter in den Bereich der Naturpoesie zu holen, und zwar nicht nur die Romantikerfreunde, die alte Stoffe der Volkspoesie bearbeiten, sondern auch etwa GOETHE mit seinem gesamten Werk. WILHELM GRIMM weist darauf hin, daß GOETHE große nationale Stoffe geformt habe; darüber hinaus aber operiert er mit dem Gedanken, wenn GOETHE nicht der Mund des Volkes sei, so liege die Schuld beim Volk, bei der Nation; dieser faktischen zeitgenössischen Nation stellt GRIMM gewissermaßen die ‚eigentliche' Nation als Integral gegenüber: „Nur einmal sein ganzes Volk, wir meinen all das Herrliche, das in diesem liegt und noch blühend aufsteigen wird, kann über ihn sprechen".[12]

Die pflanzenhaften Metaphern in solchen Zitaten sind nicht zufällig; *wachsen, blühen, gedeihen, werden, keimen, entspringen* — dies sind die geläufigen Bilder, mit denen die Entstehung der Volkspoesie umschrieben wird. Sie charakterisieren, was die Naturwissenschaftler damals die „universelle Generation" nannten[13], das Fehlen einer individuellen Zeugung und die vegetative Entstehung. Diese Metaphern charakterisieren aber auch die Unschuld und gleichzeitig die Unvermeidlichkeit und Notwendigkeit der Naturpoesie, die zwar — wie Pflanzen — verkümmern oder verwildern kann, deren Entstehung und Wachstum aber so zwangsläufig ist wie bei einer Pflanze. Schließlich macht diese Ausdrucksweise auch deutlich, daß die Stufen, auf denen sich das

---

[11] Ebd. 1. Bd. S. 114.
[12] Ebd. S. 279.
[13] HEINRICH STEFFENS: Anthropologie. 2. Bd. Breslau 1822, S. 25 f. passim.

pflanzliche Leben der Naturpoesie bewegt, gleichgültig — wir können auch sagen: gleich gültig sind, weil die einzelne Stufe nicht als Selbstzweck erscheint. Poesie stellt sich den Brüdern GRIMM nicht so sehr als einzelnes Werk vor; sie wird mehr oder weniger aufgelöst in Überlieferung; Dichtung wird übergeführt in „Sage", in den „nie stillstehenden Fluß", der von der fernsten Vergangenheit bis in die Gegenwart reicht.[14]

In diesen Gedanken pflanzenhafter Notwendigkeit wird auch ein gewisser religiöser Gehalt hereingenommen. KLAUS ZIEGLER hat für JACOB GRIMM die Dialektik christlicher und pantheistischer Gedanken nachgewiesen.[15] Ähnliches gilt auch für WILHELM GRIMM, der weitgehend Gott mit der Natur identifiziert. Wenn überhaupt nach dem Schöpfer der Naturpoesie gefragt wird, so ist die — konsequente, nicht primär ausweichende — Antwort: Gott. Die Nationalpoesie jedenfalls bleibt nicht nur im Dunkel eines anonym-menschlichen Herstellungsprozesses, sondern ihre Schöpfung wird religiös überhöht: „Nur die Nationaldichtung ist vollkommen, weil sie ebensowohl, wie die Gesetze auf dem Sinai, von Gott selber geschrieben ist; sie hat keine Stücke wie ein Menschenwerk", schreibt WILHELM in einem Brief an BRENTANO.[16] ACHIM VON ARNIM nimmt diese Definition auf, um an ihr die Unmöglichkeit von reiner Naturpoesie zu beweisen: „weil es keinen Moment ohne Geschichte gibt als den absolut ersten der Schöpfung, so ist keine absolute Naturpoesie vorhanden".[17] Für die GRIMMS aber ist Gottes Schöpfungstat nicht vergangen, sie wirkt fort: immer wieder beschwören sie das Vertrauen in „den guten Geist dieser Zeit"[18] — das Geschaffene, Gewordene ist eo ipso richtig.

Geschichte ist den Brüdern GRIMM der Strom, der von den Ursprüngen herkommt; es liegt ein Moment der Determination, der bestimmten Notwendigkeit in diesem Strom — anders gesagt: die Geschichte ist eine Spielart der Natur, nicht Ausdruck ruheloser, menschlichen Impulsen entspringender Veränderung, sondern Funktion des immer Dauernden, des letzlich Unveränderlichen, dessen ständige Wiedergeburt im

---

[14] JACOB GRIMM: Deutsche Mythologie. 1. Bd. Tübingen 1953, Vorrede S. IX. Vgl. MATHILDE HAIN: „Der nie stillstehende Fluß lebendiger Sitte und Sage". In: Zs. f. Vk. 59. Jg. 1963, S. 177—191.

[15] Die weltanschaulichen Grundlagen.

[16] K.-E. GASS: Idee der Volksdichtung, S. 18.

[17] Ebd. S. 22.

[18] Brief an Savigny v. 1. Nov. 1815; Briefe der Brüder Grimm an Savigny, S. 211.

Geiste von den Brüdern verfolgt wird. ERNST LICHTENSTEIN hat darauf hingewiesen, daß die Brüder GRIMM „nicht eine geschichtliche Interpretation der Sage, sondern eine sagenhafte der Geschichte" suchen[19], und daß ihnen das „Altertum" nicht ein weit entfernter objektiver Bereich ist, sondern das „dauernd Lebensbestimmende", der Quellgrund und Ursprung des Stroms, der bis in die Gegenwart hereinreicht.[20] Diese Auffassung ist mit dem Etikett Restauration ungenügend, ja falsch charakterisiert: die Brüder GRIMM wollten nichts restaurieren, wollten nicht etwa das Mittelalter in ihre Gegenwart verpflanzen; aber sie glaubten, daß die älteren Zeiten dem „Ursprunge" näher waren, und von diesem Ursprung sprachen sie mit religiöser Innigkeit. Dies begründete ihren Konservatismus, ihre Ignoranz gegenüber den sozialen Umwandlungen des beginnenden Industriezeitalters und gegenüber geistigen Konzeptionen, welche das Geschichtliche, das Wechselnde am Menschen stärker betonten.

Daß diese Haltung gerade auch für den Bereich der Volkspoesie im engeren Sinne, für die Aufnahme und Formung von Märchen, Sagen u. ä., außerordentlich wichtig und folgenschwer war, zeigt ein Blick auf die Bearbeitung der *Kinder- und Hausmärchen* (KHM), die im wesentlichen auf WILHELM GRIMM zurückging. Ebenso falsch wie verbreitet ist die Vorstellung, daß die Brüder GRIMM die Märchen in ihre Sammlung direkt aus dem Volksmund übernommen haben, und daß sich daraus dieser köstliche Stil der Naturpoesie, ein nur an uralter mündlicher Tradition sich orientierender unverbildeter Stil, erkläre. Die Bemerkungen WILHELMS zu der Sammlung scheinen diese Auffassung zu stützen. BETTINA VON ARNIM widmet er „diese unschuldigen Blüthen"[21]; und in der Vorrede zum ersten (1812) und zweiten Band (1815) finden sich die betonten Wendungen vom „bloßen Dasein" der Märchen, die ihre „Notwendigkeit in sich" tragen, weil sie „aus jener ewigen Quelle" kommen, „die alles Leben bethaut"[22]; „die Natur selber, welche gerad diese Blumen und Blätter in dieser Farbe und Gestalt hat wachsen lassen", rechtfertigt ihre Anstößigkeiten[23]; sie haben sich „in dem Fortgange der Zeit beständig neu erzeugt"[24], aber sie sind letztlich „unerfindlich".

[19] Idee der Naturpoesie, S. 524.
[20] Ebd. S. 544.
[21] Kl. Schr. 1. Bd. S. 319.
[22] Ebd. S. 321 f.
[23] Ebd. S. 331.
[24] Ebd. S. 324.

In Wirklichkeit hat WILHELM GRIMM, indem er all diese Ideen in den konkreten Überlieferungsprozeß hineintrug, die Märchen im Sinne seiner Auffassung der Naturpoesie stilisiert. Die ursprünglichen Aufzeichnungen, die JACOB 1810 BRENTANO übersandte, und die sich in dessen Nachlaß fanden[25], sind im Vergleich mit den späteren Fassungen äußerst karg, manchmal andeutend und stichwörtlich, oft in stockender Präsensform. Die Buchausgabe rundet ab, bringt die Märchen in Fluß, präsentiert sie zwar „ohne Schnüre und Goldborten"[26], bringt aber doch Zusätze — etwa die typisierenden Beiwörter, welche die Märchen aus dem Bereich des Charakteristischen entfernen, und überhaupt Wendungen, welche die Selbstverständlichkeit, die pflanzenhafte Notwendigkeit des Geschehens betonen: der naive Ton wurde bewußt gesteigert, wurde also sentimentalisch betont. In den gleichen Zusammenhang gehört auch die Reduktion auf eine ‚natürliche' Gesellschaftsform: „Der ganze Umkreis dieser Welt ist bestimmt abgeschlossen: Könige, Prinzen, treue Diener und ehrliche Handwerker, vor allen Fischer, Müller, Köhler und Hirten, die der Natur am nächsten geblieben, erscheinen darin; das andere ist ihr fremd und unbekannt".[27] Der Bruch, der sich in dieser Aufzählung zwischen höfischen und naturnahen Berufen auftut, schließt sich, wenn man bedenkt, daß sich auch das Königtum dem ‚natürlichen' Gesellschaftsaufbau patriarchalisch-ständischen Zuschnitts einfügt. Tatsächlich reduzierte WILHELM GRIMM so aber die größere soziale Breite und Wirklichkeitsoffenheit des Märchens; und diese Fixierung bestimmte fortan ebenso wie die kunstvolle Naivität zweiter Hand das Bild des Volksmärchens.

Noch einmal soll jedoch betont werden, daß mit diesen Hinweisen nicht etwa die Stellung *der* Romantik skizziert ist. Schon JACOB GRIMM läßt sich nicht mit allen hier vorgetragenen Äußerungen identifizieren. Forschung und Dichtung bleiben für ihn eindeutig getrennt. Gleich in den ersten Jahren ihrer literarischen Tätigkeit entzündete sich zwischen den Brüdern ein Streit über die Frage der Erneuerung der alten Poesie, wie sie von ACHIM VON ARNIM (1781—1831), CLEMENS BRENTANO (1778—1842) und FRIEDRICH DE LA MOTTE FOUQUE (1777—1843) beabsichtigt war. Während WILHELM GRIMM diese Bearbeitungen begrüßte und im Dienste der „naturgemäßen Entwickelung unsrer Eigenthümlichkeit"

---

[25] Märchen der Brüder Grimm. Urfassung nach der Originalhandschrift der Abtei Ölenberg im Elsaß, ed. JOSEF LEFFTZ. Heidelberg 1927.
[26] Brief v. W. GRIMM an Görres v. 3. Sept. 1812.
[27] Vorrede z. 1. Bd. der KHM. Kl. Schr. 1. Bd. S. 322 f. Vgl. auch: Über das Wesen der Märchen. Ebd. S. 334.

sah[28], hielt JACOB solche Versuche „ganz für untunlich".[29] Von ARNIM und BRENTANO sagte er: „sie lassen das Alte nicht als Altes stehen, sondern wollen es durchaus in unsere Zeit verpflanzen, wohin es an sich nicht mehr gehört"[30]; ihm ginge es um die „nicht ohne Opfer errungene Sicherheit unserer Geschichte"[31], um eine präzise Absicherung wissenschaftlicher Forschungsergebnisse.

Trotz solchen Unterschieden aber hat es guten Grund, wenn die bisher genannten Romantiker zusammengefaßt werden unter dem Begriff der *Heidelberger Romantik,* der nicht nur das geographische Zentrum angibt, sondern doch auch eine gewisse Einheitlichkeit der Auffassungen bezeichnet. Gemeinsam ist ihnen die Überzeugung vom religiösen Grundcharakter der Sage und aller Volkspoesie; dabei orientierten sie sich an der Mythenphilosophie von JOHANN JOSEPH GÖRRES (1776 bis 1848). Gemeinsam ist ihnen auch der Glaube an die schicksalhafte Notwendigkeit der Entwicklung, die ,Naturalisierung' der Geschichte, das heißt die Annäherung der Geschichte an die Natur. Der philosophische Wegbereiter ist dabei FRIEDRICH WILHELM SCHELLING (1775—1854), für den Geist und Natur zwei Seiten des identischen Seins waren, und der sich nach einem Wort HEINRICH VON SRBIKS[32] nicht mit dem Armenteil abfand, auf das sein Lehrer FICHTE die Natur als das Nicht-Ich gesetzt hatte.

Damit ist auch schon die Gegenposition angedeutet, von der sich die Stellung der Heidelberger Romantik abhebt: die an JOHANN GOTTLIEB FICHTE (1762—1814) orientierte *Jenenser Romantik,* von der in unserem Zusammenhang NOVALIS (1772—1801), LUDWIG TIECK (1773—1853) und vor allem die Brüder AUGUST WILHELM SCHLEGEL (1767—1845) und FRIEDRICH SCHLEGEL (1772—1829) genannt werden sollen. Auch diese *„Frühromantik"* war jedoch nicht einheitlich, und die der Heidelberger Romantik entgegenstehenden Auffassungen über Volkspoesie bildeten sich teilweise erst in der Opposition heraus. AUGUST WILHELM SCHLEGEL beispielsweise hatte mit seinen Äußerungen über den „ahndungsvollen Unzusammenhang" alter Romanzen, die „im scheinbar Kindischen oft unergründlich tief und göttlich edel" seien[33], geradezu den Ton der

---

[28] Kl. Schr. 3. Bd. S. 83.
[29] Brief an Savigny v. 22. März 1811; Briefe der Brüder Grimm an Savigny, S. 97.
[30] Brief an Wilhelm v. 17. Mai 1809; Briefwechsel aus der Jugendzeit, S. 98.
[31] K. ZIEGLER: Die weltanschaulichen Grundlagen, S. 250.
[32] Geist und Geschichte vom deutschen Humanismus bis zur Gegenwart. 1. Bd. München—Salzburg 1950, S. 179.
[33] A. W. SCHLEGEL: Bürger, S. 72.

Heidelberger Romantik angeschlagen, und er vertrat zum Teil auch eine ähnliche Entstehungstheorie: „Die ursprünglichsten Volksgesänge hat... das Volk gewissermaßen selbst gedichtet; wo der Dichter als Person hervortritt, da ist schon die Grenze der künstlichen Poesie."[34] Schon in seinen Berliner Vorlesungen aber wies er nach, daß die meisten Volkslieder äußerstens ins 16. oder 15. Jahrhundert zu datieren sind, und auf dieser Basis übte er dann auch vernichtende Kritik an den von den Brüdern GRIMM herausgegebenen „Altdeutschen Wäldern". Er wirft den GRIMMS vor, daß sie „die ganze Rumpelkammer wohlmeinender Albernheit" ausräumten „und für jeden Trödel im Namen der ‚uralten Sage' Ehrerbietung" begehrten[35] — dies ist der Ansatz für das später berühmte Wort von der „Andacht zum Unbedeutenden", das SULPIZ BOISSERÉE verwendet, als er GOETHE über die Rezension berichtet.[36] Vor allem glaubt A. W. SCHLEGEL nicht mehr an die GRIMMsche Theorie der Volkspoesie: „Was man an Zeitaltern und Völkern rühmt, löst sich immer bei näherer Betrachtung in die Eigenschaften und Handlungen einzelner Menschen auf."[37]

Damit ist die Position der Jenenser Romantik angedeutet. In manchem übernimmt sie die aufklärerische Kritik, und man wird der Frage der Querverbindungen zwischen Aufklärung und Romantik um die Jahrhundertwende noch nachgehen müssen; eine Schlüsselgestalt ist hier der Halberstädter JOHANN KONRAD CHRISTOPH NACHTIGAL (1753—1819), der alle Natürlichkeits-Ideologien energisch kritisierte, der aber von den GRIMMS hochgeschätzte Sagensammlungen veröffentlichte. Für ihn wie für die Angehörigen der Jenenser Romantik war die Volkspoesie nicht so sehr Naturprodukt als historisches Zeugnis. Doch entfernte sich die Frühromantik darin von der Aufklärung, daß sie die Gehalte der Überlieferung nicht der nüchternen Kritik überließ, sondern an ihnen in radikaler Ironie die eigene Freiheit übte und aus ihnen utopische Entwürfe schuf. Diese „indirekte Mythologie" — FRIEDRICH SCHLEGEL verwendet diesen Ausdruck in seinem „Gespräch über die Poesie" von 1800[38] — ist in der Problemgeschichte der Volksdichtung zunächst nur

[34] Ebd. S. 89.

[35] A. W. SCHLEGEL's sämmtl. Werke, 12. Bd. Leipzig 1847, S. 391.

[36] Brief aus Heidelberg v. 27. Okt. 1815. Vgl. HANS WIDMANN: Zitate und ihre Schicksale. In: „das werck der bucher". Festschr. f. Horst Kliemann z. 60. Geburtstag. Freiburg 1956, S. 76 f. sowie: Unbekannte Briefe der Brüder Grimm. Bonn 1960, S. 16.

[37] Werke, 12. Bd. S. 385. Vgl. W. GRIMMS Antikritik in: Kl. Schr. 2. S. 157.

[38] Kritische Schriften. München 1956, S. 311.

ein Reflex der direkten Bemühungen um die alten Traditionen. Ihre
Auswirkung auf das Interesse an der Volkspoesie darf aber nicht unterschätzt werden. Die ‚Kunstmärchen', Gedichte, Dramen und Erzählungen mit Stoffen aus dem Bereich der Naturpoesie formten — ob ihre
ironische Brechung nun begriffen oder naiv übersehen wurde — doch
einen intellektuell-poetischen Überbau, dessen Glanz fortan auch auf die
harmlosesten Bemühungen um die Volksüberlieferung fiel.

Literatur:

SIEGFRIED ASCHNER: Die deutschen Sagen der Brüder Grimm. Diss. Berlin 1910.

HERMANN BAUSINGER: Natur und Geschichte bei Wilhelm Grimm. In: Zs. f.
Volkskunde, 60. Jg. 1964, S. 54—69.

KARL-EUGEN GASS: Die Idee der Volksdichtung und die Geschichtsphilosophie
der Romantik. Wien 1940.

ERNST LICHTENSTEIN: Die Idee der Naturpoesie bei den Brüdern Grimm und
ihr Verhältnis zu Herder. In: Dt. Vjschr. f. Litwiss. u. Geistesgesch., 6. Jg.
1918, S. 513—547.

HUGO MOSER: Sage und Märchen in der deutschen Romantik. In: Die deutsche
Romantik, hg. v. Hans Steffen. Göttingen 1967, S. 253—276.

WILHELM SCHOOF: Zur Entstehungsgeschichte der Grimmschen Märchen. Hamburg 1959.

OSKAR WALZEL: Jenaer und Heidelberger Romantik über Natur- und Kunstpoesie. In: Dt. Vjschr. f. Litwiss. u. Geistesgesch., 14. Jg. 1936, S. 325—360.

KLAUS ZIEGLER: Die weltanschaulichen Grundlagen der Wissenschaft Jacob
Grimms. In: Euphorion, 46. Bd. 1952, S. 241—260.

3. Erbe — Wandergut — Elementargedanke

Akzeptiert man einmal die dunkle Vorstellung, daß Volksdichtung sich
von selbst gemacht habe, so erledigt sich damit zwar die Frage nach
der Art des Entstehungsprozesses, nicht aber die nach Zeit und Ort der
Entstehung und nach den Wegen der *Verbreitung,* für die das Bild des
Stromes allzu allgemein und richtungslos erscheint. Die Antworten auf
diese Frage, die verschiedenen theoretischen Entwürfe, welche die
vageren Vermutungen ablösten, sollen hier am Beispiel des Märchens
dargestellt werden, an dem sie zuerst entwickelt wurden; sie sind aber
auf die anderen Teile der Volkspoesie, auf Erzählungen, Lieder, Sprüche
Rätsel usw. leicht zu übertragen.

Dabei muß betont werden, daß sich die Ansätze — und zwar die
Ansätze *aller* wesentlichen Theorien — bereits bei den Brüdern GRIMM
finden; ihr Rückzug auf die oft dunklen Metaphern, mit denen sie das
Werden der Volkspoesie andeuteten, war gewiß nicht so sehr wissen-

schaftliche Kapitulation vor unantastbaren Glaubensinhalten als vielmehr eine Folge des Versuchs, die weit auseinanderlaufenden wissenschaftlichen Beobachtungen auf einen Nenner zu bringen. Wie vielfältig die Beobachtungen waren, geht besonders aus WILHELM GRIMMS Abhandlung hervor, mit der er die späteren Ausgaben der Kinder- und Hausmärchen (KHM) — von 1850 und 1856 — ergänzte.

Im Mittelpunkt steht der Gedanke, daß sich die Märchen auf ein gemeinsames Erbe zurückführen lassen. „Gemeinsam allen Märchen sind die Überreste eines in die älteste Zeit hinauf reichenden Glaubens, der sich in bildlicher Auffassung übersinnlicher Dinge ausspricht. Dies Mythische gleicht kleinen Stückchen eines zersprungenen Edelsteins, die auf dem von Gras und Blumen überwachsenen Boden zerstreut liegen und nur von dem schärfer blickenden Auge entdeckt werden."[1] Dieses Bild von den Trümmern des Edelsteins kehrt, nicht nur bei den GRIMMS, sondern auch bei den vielen Sammlern auf ihren Spuren, ebenso häufig wieder wie das andere von dem „Brunnen, dessen Tiefe man nicht kennt" und dem „alten Strom", dem „nie stillstehenden Fluß". Diese Bilder werden aber konkretisiert: das Märchen enthält die Reste eines umfassenden Mythos; das Mythische „scheint den einzigen Inhalt der ältesten Dichtung ausgemacht zu haben".[2] Dornröschen ist danach ein später Nachklang der Mythe von Brunhild, die durch Odin geweckt wird, und solche mythologischen Spuren decken die Brüder GRIMM in vielen Märchen auf. Indem sie nach den „äußeren Grenzen des Gemeinsamen bei den Märchen" fragen, stellt sich ihnen die Märchenüberlieferung als indoeuropäisches Erbe dar: „Die Grenze wird bezeichnet durch den großen Volksstamm, den man den indogermanischen zu benennen pflegt, und die Verwandtschaft zieht sich in immer engeren Ringen um die Wohnsitze der Deutschen, etwa in demselben Verhältnis, in welchem wir in den Sprachen der einzelnen, dazu gehörigen Völker Gemeinsames und Besonderes entdecken".[3]

WILHELM GRIMM räumt aber — unter dem Eindruck afrikanischer Märchen — ein, es ergebe „sich vielleicht, wenn noch andere Quellen sich aufthun, die Notwendigkeit einer Erweiterung"[4]; und er leugnet „nicht die Möglichkeit, in einzelnen Fällen nicht die Wahrscheinlichkeit des Übergangs eines Märchens von einem Volk zum andern"[5] — als

[1] KHM. 3. Bd. Leipzig o. J., S. 432.
[2] Ebd.
[3] Ebd. S. 434 f.
[4] Ebd. S. 435.
[5] Ebd. S. 428.

Beispiel erwähnt er den Übergang des Siegfriedsliedes in den hohen Norden. Neben die beherrschende Auffassung vom indogermanischen Erbe tritt also zumindest die Möglichkeit der Wanderung, die freilich vor allem innerhalb des indogermanischen Bereichs vermutet wird, die aber, einmal in ihr Recht gesetzt, doch wohl mehr oder weniger zwangsläufig diesen Rahmen sprengen mußte.

Dies gilt auch für den dritten Ansatz, für den Versuch, die Gemeinsamkeiten der Erzählungen verschiedener Landschaften und Völker aus der Gemeinsamkeit des Denkens, Fühlens und Handelns zu erklären. „Es gibt aber Zustände, die so einfach und natürlich sind, daß sie überall wiederkehren, wie es Gedanken giebt, die sich wie von selbst einfinden, es konnten sich daher in den verschiedensten Ländern dieselben oder doch sehr ähnliche Märchen unabhängig voneinander erzeugen: sie sind den einzelnen Wörtern vergleichbar, welche auch nicht verwandte Sprachen durch Nachahmung der Naturlaute mit geringer Abweichung oder auch ganz übereinstimmend hervorbringen."[6] Und nicht nur eine elementare Ausdrucksfunktion, sondern auch eine elementare soziale Funktion wird den einfachen Erzählungen zugeschrieben: „Wie die Haustiere, das Getreide, Acker-, Küchen- und Stubengerät, die Waffen, überhaupt die Dinge, ohne welche das Zusammenleben der Menschen nicht möglich scheint, so zeigen sich auch Sage und Märchen, der befeuchtende Thau der Poesie, so weit der Blick reicht, in jener auffallenden und zugleich unabhängigen Übereinstimmung."[7]

So sind also hier schon die drei Möglichkeiten für die Verbreitung und Verteilung der Volkspoesie skizziert, die im wesentlichen auch später die Theorie bestimmen: das Märchen als Erbe aus dem gemeinsamen geistigen Besitz eines ursprünglich einheitlichen „Volksstammes", wobei dieser Begriff nicht eng gefaßt werden darf; das Märchen als Wandergut; und das Märchen als eine Gemeinsamkeit, die aus den übereinstimmenden Grundlagen und Eigenschaften des menschlichen Lebens herauswächst. Die bei den GRIMMS am stärksten akzentuierte *Erbtheorie* wurde fast ein Jahrhundert später noch einmal nachdrücklich vertreten von dem schwedischen Forscher CARL WILHELM VON SYDOW (1878—1952). Auch für ihn handelt es sich nicht um eine ausschließliche Erklärung; aber für eine Hauptgruppe der Märchen, die er — was dem geläufigeren Begriff Zaubermärchen entspricht — als „Schimäremärchen" bezeichnet[8], rechnet

---

[6] Ebd. S. 427.
[7] Ebd. S. 428.
[8] Kategorien der Prosa-Volksdichtung. In: Volkskundliche Gaben. John Meier z. 70. Geburtstag dargebracht. Berlin u. Leipzig 1934, S. 253—268; hier S. 258.

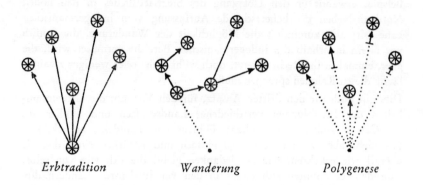

Erbtradition   Wanderung   Polygenese

er doch mit indogermanischer Herkunft. Wie die Grimms zieht er eine Parallele zur sprachlichen Entwicklung. Konsequenterweise unterscheidet er geradezu Satem- und Kentummärchen, die sich aus dem gemeinsamen Erbe herausgebildet und dann weiter verzweigt haben; die unterschiedlichen Formungen, die sich auf Grund der Isolation des Erbgutes in verschiedenen Kulturgebieten entwickelten, nennt er „Oekotypen".[9] Tatsächlich hat er damit eine Frage angeschnitten, die unabhängig vom Verbreitungsvorgang gestellt werden kann: die Frage nach den verschiedenen kulturellen Ausprägungen eines Erzähltypus, nach dem nationalen Kostüm und der landschaftlichen Sonderart, die sich in Form und Inhalt manifestieren kann. Bei Sydow ist diese Frage noch verknüpft mit der Erbtheorie, obwohl er daneben auch die „Entlehnung" von Erzählungen kennt: schon die Beobachtungen in seiner skandinavischen Heimat machten ihm deutlich, daß Erzählungen etwa vom germanischen Sprachbereich in den finno-ugrischen hineingetragen wurden. Betrachtet er dies auch als Ausnahme, und blieben seine Beobachtungen auch im wesentlichen im indoeuropäischen Bereich, so mußte er doch neben der beherrschenden Erbtheorie der *Wandertheorie* ihr relatives Recht lassen.

Diese hatte noch zu Lebzeiten der Brüder Grimm ihren entschiedensten Verfechter gefunden in dem Orientalisten Theodor Benfey (1809—1881). Er brachte 1859 eine deutsche Übersetzung und Kommentierung des „Pañcatantra" heraus, von dessen Sanskritoriginal schon 1848 eine deutsche Teilausgabe erschienen war. Das Pantschatantra, eine umfassende Erziehungslehre aus einem der ersten nachchristlichen Jahrhunderte,

[9] Geography and Folk-Tale Oicotypes. In: Selected Papers on Folklore. Copenhagen 1948, S. 44—59.

enthält eine große Zahl von fabelähnlichen Beispielerzählungen, deren buddhistischer Gehalt unverkennbar ist, die aber doch auch an europäische Märchen erinnern. BENFEY folgerte, daß Indien *das* Märchenland sei, und daß von hier aus die Märchen in alle Welt gewandert seien. Die Originalität und Vielseitigkeit seiner Argumentation tat ihre Wirkung. Wenn JACOB GRIMM die Aufnahme BENFEYS als korrespondierendes Mitglied der Berliner Akademie anstrebte, so bezeugte dies wohl nicht nur wissenschaftliche Toleranz, sondern seine Achtung vor BENFEYS These.

Mit der Annahme von Wanderungen des Erzählgutes stellte sich auch die Frage nach der besonderen Art dieser Wanderungen. Zwei entgegengesetzte Auffassungen bildeten sich heraus, die man als *Strahlentheorie* und *Wellentheorie* bezeichnen kann; beide Theorien finden bis heute Anhänger, die sie zwar nicht ausschließlich, aber doch mit dem Anspruch eindeutigen Vorrangs vertreten. So wies ALBERT WESSELSKI (1871—1939) immer wieder auf die entscheidende Bedeutung der Literatur für die Ausbreitung von Erzählungen hin; gerade durch die Rolle des Pantschatantra oder auch der KHM glaubte er sich berechtigt, ziemlich allgemein die strahlenförmige Ausbreitung von einem ganz bestimmten Ausgangspunkt anzunehmen, im allgemeinen nämlich eben von einem *Buch,* auf das alle Varianten zurückgeführt werden können.[10] Demgegenüber betonte etwa WALTER ANDERSON (1885—1962) die Rolle der mündlichen Überlieferung, der wellenförmigen Ausbreitung des Erzählguts.[11] Beide konnten sich auf Erfahrungen stützen: WESSELSKI auf seine vielen, oft überraschenden Entdeckungen volkstümlicher Erzählstoffe in der Literatur des Mittelalters, etwa in lateinischen Sammlungen; ANDERSON auf die reiche und lebendige Weitergabe von Erzählungen in der mündlichen Überlieferung seiner baltischen Heimat. Ausschließliche Geltung kann keine der beiden Theorien beanspruchen; die Akzente liegen in verschiedenen Zeiten und Kulturräumen verschieden.

Ungefähr gleichzeitig mit BENFEYS Thesen erschienen zwei umfassende Untersuchungen, die geeignet waren, den dritten GRIMMschen Ansatz auszubauen: die Annahme ursprünglicher, weltweiter menschlicher Gemeinsamkeiten. 1858 begann ein Werk des Philosophen THEODOR WAITZ (1821—1864) zu erscheinen mit dem Titel: „Die Anthropologie der

---

[10] Versuch einer Theorie. Vgl. Die Formen des volkstümlichen Erzählguts. In: Die Deutsche Volkskunde, ed. A. Spamer, 1. Bd. Leipzig 1934, S. 216—248.
[11] Zu Albert Wesselski's Angriffen auf die finnische folkloristische Forschungsmethode (= Acta et Commentationes Universitatis Tartuensis [Dorpatensis]. Humaniora XXXVIII). Tartu 1935.

Naturvölker. Über die Einheit des Menschengeschlechtes und den Naturzustand des Menschen". WAITZ wendet sich darin gegen den Versuch, rassische Unterschiede als etwas Ursprüngliches hinzunehmen; gegen GOBINEAU vertritt er den Gedanken der ursprünglichen Einheit des Menschengeschlechts und seiner allmählichen Evolution. In der gleichen Richtung argumentierte der dilettierende und praktizierende Ethnograph ADOLF BASTIAN (1826—1905) in seinem Werk „Der Mensch in der Geschichte. Zur Begründung einer psychologischen Weltanschauung", das 1860 erschien. BASTIAN führte das Stichwort *„Elementargedanke"* ein: der Fundus der Möglichkeiten ist klein; die psychischen und geistigen Anlagen aller Menschen sind verwandt; kulturelle Ähnlichkeiten sind im allgemeinen nicht das Ergebnis einer Übertragung, sondern können autonom entstehen aus der allen gemeinsamen Veranlagung. Ihre größte Wirkung übten diese Annahmen in der Ethnologie aus, wo sich spezifische Theorien daraus entwickelten; aber der Gedanke einer *generatio aequivoca* war doch auch für die Betrachtung der Volkspoesie von Bedeutung.

Die Sammler von Zeugnissen der Volksdichtung hatten von Anfang an über enge nationale Grenzen hinausgeschaut. Im Blick auf MONTAIGNE formulierte ALFRED GÖTZE (1876—1946): „vom Urwald her ist der Anteil am Volkslied zuerst geweckt worden".[12] HERDER ging weit über die Kulturnationen im damaligen Sinn hinaus, und er verfolgte dabei nicht nur das differenzierende Ziel, die verschiedenen Stimmen der Völker zu Gehör zu bringen, sondern er wollte auch den Gleichklang und Zusammenhang beweisen. WILHELM GRIMM schrieb in seiner Abhandlung über die altdänischen Heldenlieder: „Das Göttliche, der Geist der Poesie ist bei allen Völkern derselbe und kennt nur eine Quelle; darum zeigt sich überall ein Gleiches, eine innerliche Übereinstimmung, eine geheime Verwandtschaft, deren Stammbaum verloren gegangen, die aber auf ein gemeinsames Haupt hindeutet; endlich eine analoge Entwickelung..."[13] Was hier noch im Dunkel eines letztlich religiösen Geheimnisses blieb, schien nun durch die neuen Forschungen, durch die systematische Aufdeckung ethnographischer Parallelen, psychologischer Durchdringung zugänglich zu werden.

Doch hat sich inzwischen erwiesen, daß das Prinzip der „Elementargedanken" zwar bei der Untersuchung der Volksdichtung nicht zu umgehen ist, daß aber auch Gefahren damit verbunden sind: es ist ein

---

[12] Das deutsche Volkslied. Leipzig 1929, S. 6.
[13] Kl. Schr. 1. Bd. S. 201.

formales Prinzip, das sehr leicht einseitig material fixiert werden kann; es bezeichnet einen unreduzierbaren Sachverhalt und lockt doch zu weiteren Erklärungen; und es verwischt nicht nur fälschlich vermutete, sondern auch tatsächliche Horizonte und Grenzen. Ein rascher Blick auf drei verschiedene polygenetisch ausgerichtete Betrachtungen der Volkspoesie kann dies zeigen.

Im Umkreis des Germanisten WILHELM MANNHARDT (1831—1880) entwickelte sich eine vergleichende mythologische Betrachtung, welche sich an antiken Traditionen ebenso orientierte wie an Aufzeichnungen über die sogenannten Naturvölker. Verstand man bis dahin die volkstümlichen Überlieferungen einschließlich der verschiedenen Formen der Volkspoesie oft fast nur als Hinweis auf germanisches Mythengut, so setzte man nun die germanische Mythologie mit anderen Mythenwelten in Beziehung und endeckte in der Volksüberlieferung auch ältere mythische Stufen. Daß dies zu einer einseitigen und falschen Auffassung der Volksdichtung führte, läßt sich am schnellsten am Wandel des Begriffes Naturpoesie zeigen. ‚Naturpoesie‘ war in diesem Umkreis nicht mehr ein Sammelbegriff für die überwiegend mündlich tradierte und nicht künstlich geformte Dichtung; der Begriff wurde nun sehr viel unmittelbarer auf die Natur bezogen.[14] Man sah darin den Nachklang alter Naturmythen. Himmelskörper und Naturerscheinungen machte man für Märchen und Sagen verantwortlich; Sonne, Mond und Sterne, Nebel, Sturm und Gewitter sah man als eigentlichen Gegenstand, ja als eigentliche Ursache der Volksdichtung. Damit aber wurden Vorstellungsbereiche synchronisiert, die in Wirklichkeit sehr verschiedenen Entwicklungsstufen angehörten.

Gegen Ende des 19. Jahrhunderts vertrat der Franzose JOSEPH BEDIER (1864—1937) die Auffassung, daß die Tatsache der Polygenese und des begrenzten und einheitlichen menschlichen Überlieferungsfundus die Untersuchung von Varianten illusorisch mache: jede Variante, wo und wann immer sie auftauche, enthalte die „forme irréductible", den gleichen nicht mehr reduzierbaren Bestand, die gleiche Substanz, die nur durch zu vernachlässigende Akzidentien verändert werde. Mit dieser Auffassung verriet BEDIER nicht nur das Ganze einer Erzählung an die einzelnen Motive — denn höchstens diese sind nicht mehr reduzierbar —; er schnitt auch, obwohl er selber ein hervorragender Kenner französischer

---

[14] Vgl. den Brief v. W. MANNHARDT an Müllenhoff v. 7. Mai 1876 in der Vorrede zu: Mythologische Forschungen aus dem Nachlasse von Wilhelm Mannhardt. Straßburg 1884, S. XXV; andererseits aber auch Mannhardts kritische Äußerungen in: Wald- und Feldkulte. 2. Bd. ²1905, Vorwort S. XVI—XVIII.

Volksüberlieferung war, die Frage nach der Entwicklung und Verbreitung von Motiven und Erzählungen ab. ANDERSON hat in diesem Sinn geradezu von einer „agnostischen Theorie" BEDIERS gesprochen.[15] In unserem Jahrhundert entwickelte sich eine moderne Variante der ‚anthropologischen' Thesen BASTIANS im Bereich der Psychoanalyse und mehr noch der Tiefenpsychologie. Sowohl die Schule SIGMUND FREUDS wie die CARL GUSTAV JUNGS hat ihren Beitrag zur Märchenforschung geliefert. Für den Psychoanalytiker spiegeln die Märchen den individuellen Reifungsprozeß; der Tiefenpsychologe erklärt ihre „archetypische" Bilderwelt aus dem kollektiven Unbewußten. Es wäre nicht schwierig, hier seitenlang Entgleisungen dieser Symbolforschung aufzuführen; in einer 1908 veröffentlichten Studie FRANZ RIKLINS wird jede Mahlzeit und jedes Hungergefühl im Märchen im Sinn von FREUDS „Verlegung nach oben" sexuell interpretiert[16]; für HEDWIG VON BEIT ist das in einem Märchen vorkommende Faß „als Hohlraum ein Muttersymbol", die Asche im Aschenputtelmärchen hat als „Restbestand des im Feuer aufgelösten Stoffes ... den Charakter des Mütterlichen"[17] — und so fort. Man wird sich durch solche Beispiele nicht abhalten lassen dürfen, die Ansätze ernst zu nehmen; ganz zweifellos kann eine Vertiefung der Psychologie auch zu einer Vertiefung des Märchenverständnisses beitragen. Aber in diesen Beispielen zeigen sich doch sehr deutlich die Gefahren einer Interpretation, die allzu schnell auf das Elementare zusteuert: sie zielt gar nicht auf das einzelne Märchen, sondern verwendet dieses nur für die Erhärtung eines vorgegebenen Systems; und sie löst die Motive aus der umfassenderen Form und dem gehaltlichen Zusammenhang. Die Methode der „Amplifizierung", die unvermeidlich ist, wo ein anthropologischer Generalnenner angestrebt wird, geht über die einer Erzählung gesetzten Grenzen mit Eifer weg: Dutzende von ‚Parallelen' aus ganz verschiedenen Epochen und ganz verschiedenartiger Literatur sollen den Symbolgehalt der Motive und Bilder erklären und drängen diese damit aus den Zusammenhängen, in denen sie allein sinnvoll sind — den Zusammenhängen nämlich der einzelnen Erzählung und des Kulturbereichs, in dem diese Erzählung jeweils ihren Platz und ihre Ausformung findet.

[15] WALTER ANDERSON: Agnostische Theorie Bédiers. In: Handwörterbuch des deutschen Märchens, ed. Lutz Mackensen (HDM), 1. Bd. S. 22—24.
[16] Wuncherfüllung und Symbolik im Märchen. Wien u. Leipzig 1908, S. 69.
[17] Symbolik des Märchens. 3 Bde. Bern 1952—1957 (²1960—1965). S. beispielsweise 1. Bd. 1952, S. 729. Vgl. H. BAUSINGER: Aschenputtel. Zum Problem der Märchensymbolik. In: Zs. f. Vk. 52. Jg. 1955, S. 144—155.

Nur eine Konzentration auf einzelne Erzählungen konnte klären, welches Gewicht der Erbtheorie, der Wandertheorie und der Elementartheorie beizumessen ist, die offenbar alle eine relative Berechtigung haben. Diese *monographische, geographisch-historische* Methode[18] ist verknüpft mit dem Begriff der *„Finnischen Schule"*, der freilich weder ganz präzis zu fassen noch exakt zu begrenzen ist: Die Methode wurde und wird keineswegs allein von finnischen Forschern praktiziert; und die „Finnische Schule" beschränkt sich andererseits nicht auf diese Methode. Aber sie wurde an den besonderen Problemen der finnischen Volksdichtung entwickelt.

Bis vor 150 Jahren gab es praktisch keine finnische Literatur in finnischer Sprache; finnische Schriftsteller verfaßten bis dahin ihre Werke in schwedischer Sprache. Erst zu Beginn des 19. Jahrhunderts entwickelten sich im Zuge der nationalfinnischen Bewegung auch die Anfänge einer finnischen Literatur. Zwei Impulse, die fast im ganzen übrigen Europa getrennt waren, wirkten hier, also zusammen: die Aufnahme der Volkssprache in die Literatur, wie sie sich in Deutschland schon im Mittelalter vollzogen hatte, und die romantische Nationalbegeisterung. Sie entzündete sich vor allem an der bestehenden finnischen Dichtung — an der mündlich überlieferten Volkspoesie, deren Inhalt zu einem großen Teil zum Sagenkreis des *Kalevala* gehörte. Es geht darin um den Gegensatz zwischen dem Land des Kaleva und dem unwirtlichen Nordland, historisch gesprochen um die Auseinandersetzung zwischen Finnen und Lappen; doch spielen neben historischen auch mythische Reminiszenzen eine wichtige Rolle. Die Geschichten dieses Zyklus waren in Hunderten von Liedern verbreitet. Aus ihnen stellte ELIAS LÖNNROT ein vollständiges Epos her, das er erstmals 1835 veröffentlichte, und dann erneut 1849 in einer Fassung von über 22 000 Versen. Diese Fassung galt fortan als das verbindliche finnische Nationalepos.

Die Kalevalaforschung war damit aber keineswegs abgeschlossen; vielmehr erprobte JULIUS KROHN an den Kalevalaliedern zuerst die geographisch-historische Methode, indem er die Wanderung einzelner Lieder und ihre Veränderung bei dieser Wanderung verfolgte, um so rückwärtsgehend die Heimat und die Urform jedes Liedes zu ermitteln. Auch in der Märchenforschung, in die der Sohn KAARLE KROHN (1863 bis 1933) die Methode übertrug[19], stand die Frage nach der *Urform* oder *Normalform* im Hintergrund; zunächst aber sammelte und sichtete

[18] Vgl. W. ANDERSON: Geographisch-historische Methode.
[19] Übersicht über einige Resultate.

KROHN sämtliche erreichbaren Varianten eines bestimmten Tiermärchentyps, an dem er seine Methode zuerst entwickelte. Der Gedanke der Normalform drohte von Anfang an die tatsächlichen Verhältnisse zu verbiegen; in der Erzählüberlieferung — zumindest in der ‚wellenförmigen‘ — ist es keineswegs allgemeine und ausschließliche Regel, daß eine einmal geschaffene Form verschlechtert, verbessert, erweitert oder verkürzt wird, vielmehr schließen sich oft auch Motive in verschiedener Weise an andere Motive und Motivketten, und manche Varianten haben ihr eigenes Recht und sind nur gewaltsam imaginären Normalformen zuzuordnen. Diese Korrektur lag aber in der Methode selber begründet, da die Normalform — im Gegensatz zu BEDIERS „forme irréductible“ — erst auf dem Weg über die Fülle der Varianten erreicht werden sollte.

Jedenfalls bot die ‚finnische Methode‘ die Möglichkeit, die verschiedenen Verbreitungstheorien zu überprüfen. Dabei erwies sich — und dies rehabilitierte ein wenig die romantischen Auffassungen —, daß an *jeder* dieser Theorien etwas Richtiges ist. Mit kulturtypischem Erbe muß ebenso gerechnet werden wie mit einer elementaren Prädisposition oder doch wenigstens mit „parallel development“[20] auf vergleichbaren sozialen Stufen. Der Akzent freilich verschob sich gerade durch die Forschungen der Finnischen Schule auf die *Wandertheorie,* weil immer wieder erstaunlich weiträumige Querverbindungen entdeckt und erklärt wurden. Ein konkretes Beispiel: Ende des letzten Jahrhunderts wurden bei Angehörigen eines madegassischen Stammes die Abenteuer eines Mädchens Sandroy aufgeschrieben, die man für autochthone Überlieferung hielt. Sandroy aber erlebt, was in Europa das Aschenputtel erlebt; es handelt sich um eine Nachbildung von Cendrillon, und lange vor der französischen Besitzergeifung auf Madagaskar muß diese Geschichte aus Frankreich Eingang gefunden haben. Diese Variante behandelt die schwedische Forscherin ANNA BIRGITTA ROOTH in ihrer Untersuchung der Aschenputtelmärchen[21] — neben Hunderten von anderen Varianten.

Die der Finnischen Schule verpflichteten Forschungen haben für jedes einzelne Märchen eine enorme Fülle von Material erschlossen und verarbeitet. Sie haben aber auch die Wege geebnet, die zunächst unüber-

---

[20] Dieser Begriff wird von H. MUNRO CHADWICK u. N. KERSHAW CHADWICK verwendet (The Growth of Literature. 1. Bd. Cambridge 1932, Preface) und von VIKTOR SCHIRMUNSKI diskutiert (Vergleichende Epenforschung I. Berlin 1961, S. 15).
[21] The Cinderella Cycle. Lund 1951, S. 61.

sehbare Menge der Märchen untereinander in eine gewisse Ordnung zu bringen. War auch der Gedanke einer exakten „Normalform" allzu starr, so entwickelten sich daraus andererseits brauchbare und fruchtbare Pläne zur *Klassifizierung*. Das Typensystem, das der finnische Märchenforscher ANTTI AARNE (1867—1925) zunächst 1910 veröffentlichte, bildete die Grundlage zu den heute gebräuchlichen Typenverzeichnissen, die der Amerikaner STITH THOMPSON vorlegte. THOMPSON hat darüber hinaus auch einen Motivindex der Volkspoesie bereitgestellt, und wenn solche Verzeichnisse unter Fachleuten auch gelegentlich zu einer problematischen Geheimsprache führen, so sind sie doch für eine umfassendere Ordnung und ein umfassenderes Verständnis unerläßlich. Sie werden deshalb, nachdem sich die bisherigen Verzeichnisse weitgehend auf das Märchen konzentrierten, nunmehr auch für andere Bereiche der Volkspoesie ins Auge gefaßt.

Überhaupt gelten die Probleme, die hier am Beispiel der Märchenforschung entwickelt wurden, mutatis mutandis auch für andere Erzählformen und für die anderen Teile der Volksdichtung. Und die Auseinandersetzung mit diesen Fragen hat wiederum nicht nur wissenschaftsgeschichtlichen Charakter, sondern betrifft das Objekt selbst: das scheinbar fest umrissene und objektive Datum einer Erzählung verändert die Gestalt, je nachdem, ob ich in der Erzählung die Variante einer ‚Normalform', eine Erweiterung der ‚forme irréductible' oder einen bestimmten Typus sehe; je nachdem auch, ob ich darin eine autochthone Leistung, ein nationales Erbe oder eine menschliche Elementarform erblicke; und je nachdem schließlich, wie ich die Genese verstehe, wohin ich die Herkunftslinien verfolge, und welche Rolle ich der schriftlichen und der mündlichen Überlieferung zuerkenne.

Literatur:

ANTTI AARNE: Leitfaden der vergleichenden Märchenforschung (= FFC. 13). Hamina 1913.

ANTTI AARNE und STITH THOMPSON: The Types of the Folktale (= FFC. 184). Helsinki [3]1961.

WALTER ANDERSON: Geographisch-historische Methode. In: Hwb. des deutschen Märchens, 2. Bd. Berlin 1934/40, S. 508—522.

KAARLE KROHN: Übersicht über einige Resultate der Märchenforschung. (= FFC. 96). Helsinki 1931.

STITH THOMPSON: Motif-Index of Folk-Literature. 6 Bde. Kopenhagen [2]1955 bis 1958.

ALBERT WESSELSKI: Versuch einer Theorie des Märchens. Reichenberg 1931.

4. Folklore und gesunkenes Kulturgut

Die meisten Untersuchungen aus dem weiteren Umkreis der Finnischen Schule sind gedruckt in der seit 1910 erscheinenden, inzwischen auf rund 200 Nummern angewachsenen Reihe der Folklore Fellows' Communications (FFC), dem Organ der im Jahre 1907 von skandinavischen und deutschen Forschern gegründeten Vereinigung der Folklore Fellows. Auch *in* den Untersuchungen taucht ebenso oft wie die Einzelbezeichnungen Märchen, Schwank, Rätsel, Ballade etc. das Wort *Folklore* auf, das als Sammelbegriff für all diese Formen der mündlichen Überlieferung fungiert. Die Herkunft dieses Wortes läßt sich genau bestimmen, da es sich um ein Kunstwort handelt: am 22. August 1846 verwendete es WILLIAM JOHN THOMS — er schrieb unter dem Pseudonym AMBROSE MERTON — als Überschrift eines Artikels in der englischen Zeitschrift „The Athenaeum", in dem er JACOB GRIMMS „Deutscher Mythologie" hohes Lob zollte. Er spricht davon, daß es sich bei dem, was in England als „Popular Antiquities" oder „Popular Literature" bezeichnet wird, eigentlich gar nicht um Literatur handelt: „By the bye it is more a Lore than a Literature, and would be most aptly designed by a good Saxon compound, Folk-Lore — the Lore of the People". Schon im Sommer 1847 drückt die Redaktion ihre Befriedigung über die rasche Aufnahme dieses Begriffes aus: „In less than twelve months it has almost attained to the dignity of a household word" — in weniger als einem Jahr war das Wort zum gängigen Begriff geworden.[1] Das Wort hat aber nicht nur diesen zeitlichen, sondern auch einen räumlichen Rekord aufzuweisen: im Verlauf weniger Jahre oder doch Jahrzehnte fand es Eingang in den verschiedensten Sprachen und Sprachbereichen, was vielleicht gerade deshalb möglich war, weil es sich um ein künstlich geschaffenes Wort handelte. Es verbreitete sich nicht nur in der angelsächsischen Welt, sondern auch in einem Teil der Romania, in Skandinavien, im slawischen Bereich und auch in außereuropäischen Kontinenten. Daneben halten sich freilich andere Begriffe — so ist in Frankreich etwa „traditions populaires" geläufig —, und der Umfang des Begriffes ist nicht überall gleich. Im Englischen bezeichnet *folk* das Volk, die Leute — mit einem gewissen sozialen Akzent auf den wenig gebildeten Schichten, aber im Gegensatz zu people und erst recht zum deutschen Wort Volk ohne nationalen Gehalt; *lore* ist das Wissen, die Erfahrung, die Lehre, die Überlieferung. Gelegentlich versteht man unter Folklore den Gesamtbereich der Volkskultur — also alle Gegenstände der Volkskunde vom Bauernhaus bis zum Volkslied,

[1] G. KOSSINNA: Folklore.

vom Votivbild bis zur Tracht. Im allgemeinen beschränkt sich der Begriff Folklore aber auf die geistige oder sprachliche Überlieferung, und vielfach wird der ganze Bereich der materiellen Kultur einer anderen Wissenschaft zugewiesen; so gibt es in slawischen Ländern einerseits die Folkloristik, andererseits die (regionale) Ethnographie.

In Deutschland ist der Begriff Folklore nicht heimisch geworden; es stellt eine Insel dar, in welcher das Wort zumindest in seiner vollen Bedeutung kaum verwendet wird. Dabei spielt die wichtigste Rolle eine prinzipielle, teilweise geradezu ideologische Abwehr. Als sich der Begriff Folklore gegen Ende des letzten Jahrhunderts in den benachbarten Ländern einbürgerte, wandte man sich in Deutschland gegen das modische Fremdwort. Man stellte fest, daß die deutsche Entsprechung „Volksüberlieferungen" völlig genüge;[2] aber dahinter stand sehr deutlich die Sorge, daß mit dem Wort Folklore der nationale Gehalt der Volkskunde verlorengehen könnte — die Chance, ein wenig von der Mehrdeutigkeit des Volksbegriffes abzurücken, wurde nicht wahrgenommen.

Andererseits mag auch ein faktischer Unterschied dazu beigetragen haben, daß sich das Wort im deutschen Sprachgebiet nicht ausbreitete. Bis zu einem gewissen Grad hängt oder hing an dem Wort Folklore die Vorstellung, daß es sich dabei um einen schlechthin *außer*literarischen Bereich handle, um eine Überlieferung, die sich weitgehend oder völlig unabhängig vom Geschriebenen und Gedruckten entwickelt. Dieser Eigenbereich des oder der Folklore (das Wort war zuerst nicht Femininum) ist sicherlich keine reine Fiktion. Die erwähnte finnische Kalevalaüberlieferung ist ein Beispiel dafür.[3] Noch 50 Jahre nach LÖNNROTS Aufzeichnungen konnte KAARLE KROHN drei volle Tage lang die Geschichten eines Märchenerzählers aufschreiben, der sich für Taglohn angeboten hatte.[4] Der russsiche Forscher MARK ASADOWSKIJ (1888—1954) zeichnete aus dem Mund einer des Lesens und Schreibens unkundigen Erzählerin während des Weltkriegs die schönsten sibirischen Märchen auf.[5] LINDA DEGH fand in den fünfziger Jahren in der alten Frau Palkó aus Kakasd eine hervorragende Erzählerin, die — Analphabetin auch sie — beim größten Teil ihrer Märchen genau angeben konnte, von wem sie diese zum erstenmal gehört hatte.[6] Die Beispiele ließen sich

[2] Ebd.

[3] KAARLE KROHN: Kalevalastudien (=FFC 53). Helsinki 1924.

[4] K. KROHN: Übersicht über einige Resultate, S. 4.

[5] Eine sibirische Märchenerzählerin (= FFC 68). Helsinki 1926.

[6] Märchen, Erzähler und Erzählgemeinschaft. Berlin 1962, S. 186—222.

leicht vermehren, und gewiß gibt es auch Belege für den erstaunlichen Umfang der mündlichen Tradition in der *deutsch*sprachigen Überlieferung. Mir liegt hier das Beispiel des Ungarndeutschen Anton Krukenfelner nahe, den ich nach der Umsiedlung in einem kleinen schwäbischen Dorf entdeckte, der im Frühjahr 1955 meinem Bruder und mir stundenlang erzählte, und den später GOTTFRIED HENSSEN auf Grund meiner Hinweise in den Mittelpunkt einer ungarndeutschen Sammlung stellte.[7] Krukenfelner erzählte aber neben Märchen auch etwa von „Gregor am Stein" und von Rinaldo Rinaldini, wobei er — ohne Zwischenträger — von literarischen Vorlagen ausging: gegenüber der Annahme einer ganz ungebrochenen mündlichen Tradition scheint also zumindest Vorsicht geboten.

Ganz allgemein lag in Deutschland der Gedanke völlig unabhängiger und selbständiger Folklore verhältnismäßig fern. Die Romantiker hatten mit ihrer Auffassung der Naturpoesie, die auch Literarisches einschloß, programmatisch die Grenzen verwischt. Im Laufe des 19. Jahrhunderts bestätigten zumal die KHM das Ineinander von literarischer und mündlicher Tradition; manche landschaftliche Märchensammlung bezeugt nicht nur die Anregung der Brüder GRIMM auf die Sammler, sondern auch ihren Einfluß auf die Erzähler. Aber auch dort, wo ein solch unmittelbarer Zusammenhang nicht gegeben war, stellte sich doch immer wieder die Frage nach weiträumigeren Verbindungslinien zur Literatur; Kenner des Mittelalters wie JOHANNES BOLTE (1858—1937) konnten oft ebenso komplizierte wie überzeugende literarische Deszendenzen der Volksüberlieferung aufspüren. Diese Herkunftsforschungen bedienen sich zwar weitgehend der finnischen Methode; aber sie hatten so viel mit literarischen Varianten zu operieren, daß die Konzeption originärer und selbständiger Folklore kaum eine Chance hatte.

In der deutschsprachigen Volkskunde entstanden vielmehr konträre Entwürfe. Der Schweizer EDUARD HOFFMANN-KRAYER (1864—1937) formulierte 1903: „Die Volksseele produziert nicht, sie reproduziert."[8] Damit knüpfte er an die Forschungen seines damaligen Basler Kollegen JOHN MEIER (1864—1953) an, die dieser 1906 unter dem programmatischen Titel „Kunstlieder im Volksmunde" zusammenfaßte. Danach hat auch jedes Volkslied einen individuellen Verfasser, und viele Volkslieder sind in einem manchmal raschen, manchmal auch langwierigen Prozeß aus der Kunstdichtung in den Bereich der Volkspoesie einge-

---

[7] Ungardeutsche Volksüberlieferungen. Erzählungen und Lieder. Marburg 1959.
[8] Naturgesetz im Volksleben? In: Hess. Bl. f. Vk. 2. Jg. 1903, S. 57—64; Neudruck bei GERHARD LUTZ: Volkskunde. Berlin 1958, S. 67—72; hier S. 70.

drungen. Gegen diese Rezeptionstheorie erhoben vor allem österreichische Volksliedforscher — an ihrer Spitze JOSEF POMMER — Einspruch; sie orientierten sich am alpinen Volksgesang mit seinen autonomen Improvisationen, bei denen Variation und Neuschöpfung unmerklich ineinander übergingen. Für den Hauptbestand volkstümlichen Liedguts aber waren JOHN MEIERS Feststellungen unantastbar; und in dem von ihm 1914 in Freiburg gegründeten Deutschen Volksliedarchiv häuften sich bald die Unterlagen für die Erschließung weiterer Abstammungsreihen, die fast immer zu literarischen Ahnen hinführten.

Das eigentliche Schlagwort für die neu entdeckten Zusammenhänge zwischen Hochkultur und Volkskultur lieferte unmittelbar nach dem ersten Weltkrieg HANS NAUMANN (1886—1951): er sprach vom *„gesunkenen Kulturgut“*, das die Volksüberlieferung charakterisiere: „Zu glauben, daß aus der Gemeinschaft der Fortschritt komme, ist Romantik. Sie zieht herab oder ebnet mindestens ein. Volkstracht, Volksbuch, Volkslied, Volksschauspiel, Bauernmöbel usw. sind gesunkene Kulturgüter bis in die kleinsten Einzelheiten hinein, und sie sind es nur langsam, in fast zu errechnendem zeitlichem Abstand geworden. Mit anderen Worten: Volksgut wird in der Oberschicht gemacht.“[9] Gleichzeitig skizzierte NAUMANN aber auch die gegenläufigen Kräfte: „Die Kultur der gebildeten Oberschicht ist in allen ihren materiellen wie ideellen Erscheinungen immer nur eine besondere Blüte auf dem Wurzelstock der primitiven Gemeinschaft“[10]; und an anderer Stelle: „Das Persönliche macht das Wesen der höheren Kultur aus, aber deren Wurzeln liegen, dessen möge man sich bewußt sein, in der primitiven Gemeinschaft, die ihr ewiger, tiefer und starker Mutterboden ist.“[11] Solche Sätze sind nicht ohne raunende Tiefe und ideologischen Anspruch; allerdings tritt das Nationale, das wir darin mithören, für NAUMANN zurück. „Primitive Gemeinschaftskultur“ ist für ihn nicht etwa eine im Rassischen begründete und im ,Völkischen‘ wurzelnde Sonderform; sie steht vielmehr der Welt der Elementargedanken nahe und ist überall gleich oder ähnlich; ihre Domäne sind die Nahtstellen, an denen die rein biologische, fast animalische menschliche Existenz in kulturelle Formen übergeht, und jegliche Kultur gründet nach seiner Auffassung letztlich in diesem Boden. Was uns aber als Volkskultur vor Augen steht, ist im allgemeinen nicht etwa die Blüte, die unmittelbar aus diesem Boden herauswächst, sondern ist das Ergebnis eines Kreislaufs: ausgeprägte Individualkultur

[9] Grundzüge, S. 5.
[10] Ebd. S. 4.
[11] Ebd. S. 6.

zieht ihre Kräfte aus dem „Mutterboden" und vermittelt ihre Güter dann an die unteren Schichten.

Hinter dieser verallgemeinernden und gefährlich ‚organischen' Metaphorik stehen bei NAUMANN aber sorgfältig differenzierende Einzelbeobachtungen zur Geschichte und zum Leben der einzelnen kulturellen Güter. Beim Märchen unterscheidet er beispielsweise Märchen und Märchenmotiv — dieses betrachtet er als primitives Gemeinschaftsgut, jenes als „eine kunstvoll und planmäßig erzählende Novelle, eine absichtsvoll festgefügte Erzählung, aus dem Kopfe eines Individuums an bestimmtem Orte und zu bestimmter Zeit entsprungen, der Wanderung fähig, aber auch des Zersprechens fähig, wie das Volkslied des Zersingens, das Volksschauspiel des Zerspielens."[12] Unverkennbar handelt es sich für NAUMANN auch im wertenden Sinne um eine absteigende Bewegung, die freilich wieder aufgefangen wird durch die befruchtende Kraft des ‚Primitiven', das ja nicht nur die Endstation des Absinkprozesses ist, sondern auch der Anfang, der fruchtbare Boden höherer Kultur.

Es entspricht aber doch einigermaßen der Akzentverteilung in NAUMANNS Studien, wenn im allgemeinen nicht das mehr oder weniger systematische Ganze seiner Kulturtheorie im Bewußtsein ist, sondern vor allem die These vom gesunkenen Kulturgut. Dies mag auch damit zusammenhängen, daß diese These, die für NAUMANN einen allgemeinen kulturellen Prozeß bezeichnete, ihre besondere Bedeutung und ihre besondere Problematik hat für die jüngste Vergangenheit, in der die Industrialisierung mit all ihren sozialen Konsequenzen eine besonders intensive Durchdringung der Volkskultur mit Gütern der Hochkultur hervorgebracht hat, in der also — um den Blick auf das engere Thema zurückzulenken — Druckerzeugnisse aller Art den Markt überschwemmen, eine ausgeprägte literarische Kultur praktisch allen Schichten wenigstens prinzipiell zugänglich ist, und die erweiterte Bildung die Tore der sicherlich einmal geschlossener, wenn auch nicht geschlossen gewesenen Welt der Folklore weit aufstößt. Es wird zu überprüfen sein, ob sich Konzept und Begriff der Folklore in diesem in quirlige Bewegung geratenen kulturellen Feld noch halten lassen.

Dabei dürfen freilich die Bestrebungen nicht übergangen werden, welche den Begriff Folklore aus einer überwiegend genetischen Bestimmung zu lösen suchten, die also das für die Folklore Charakteristische nicht in der Herkunft der Güter, sondern in den durch die Art der Tradierung

---

[12] Ebd. S. 142.

bewirkten Formprinzipien sehen. In der deutschen Forschung gibt es hierzu mannigfache Ansätze, wenn auch der Begriff Folklore dabei nicht auftaucht. JOHN MEIER etwa bezeichnete das *„Herrenverhältnis"* des Volkes zu dem von ihm übernommenen Liedgut als charakteristisches Moment der Volksdichtung; dies entspricht in etwa der Auffassung, die zur gleichen Zeit FRANCIS B. GUMMERE über „communal composition" vertrat.[13] HANS NAUMANN schrieb über das Volkslied: „Die ungestörte Volksläufigkeit äußert sich in einer fortschreitenden Anpassung an die primitive Gemeinschaftspsyche. Wir nennen diesen Prozeß ‚Zersingen'."[14] Einzeluntersuchungen dieses Anpassungsprozesses stellten nicht nur den negativen Aspekt des Vorgangs, sondern auch die positiven Möglichkeiten der Vereinfachung und der „Selbstberichtigung" heraus, die WALTER ANDERSON als regelrechtes „Gesetz" der Volksdichtung ansah.[15] ANDERSON steht damit wiederum der skandinavischen Forschung nahe, die sich verschiedentlich um die „epischen Gesetze" der Volkspoesie bemühte; als Autoren sind neben den schon erwähnten Forschern vor allem noch AXEL OLRIK und MOLTKE MOE zu nennen.

Weniger bekannt als diese skandinavischen Studien sind im allgemeinen die umfangreichen *russischen* Untersuchungen der Folklore. An den Bylinen, den großrussischen Heldenliedern, entzündete sich ebenso wie an den Märchen die Frage nach dem Wesen und den Grenzen der Volksdichtung. Die Diskussion dieser Frage ist keineswegs abgeschlossen; sie hat verschiedentlich fast spektakuläre Formen angenommen, etwa durch LENINS Briefe über das russische poetische Volksschaffen, durch das Eingreifen MAXIM GORKIS oder auch durch die Auswirkung von STALINS Briefen über die Sprachwissenschaft, und sie entwickelte sich naturgemäß nicht ganz unabhängig von zeitweiligen nationalen oder internationalen Strömungen. Angelpunkt der Diskussion aber blieben die Merkmale der ‚Kollektivität', der ‚Abschleifung' im Prozeß des mündlichen Umlaufs, und der Variantenbildung. Dies erinnert unmittelbar an manche Feststellungen JOHN MEIERS oder HANS NAUMANNS; doch wird man gerechterweise sagen müssen, daß man sich bei uns fast ausschließlich um eine kulturgeschichtliche Herleitung der Stoffe und Formen kümmerte, während sich die sowjetische Forschung entschiedener und detaillierter bemühte, Folklore *als Folklore* zu verstehen.

---

[13] The Popular Ballad. Boston & New York 1907.

[14] Grundzüge, S. 118.

[15] Kaiser und Abt. Die Geschichte eines Schwanks (= FFC 42). Helsinki 1923, S. 397—403.

Geistreich und präzise zogen der sowjetische Folklorist PETR GRIGORE-
VICH BOGATYREV und der Sprachwissenschaftler ROMAN JAKOBSON 1929
die Summe aus den vorausgegangenen Beobachtungen und Theorien. Sie
weisen die genetischen Probleme zurück; die Frage nach den Quellen
der Folklore liegt für sie wesensgemäß „außerhalb der Folkloristik".[16]
Statt dessen wenden sie sich der Tradierung und Realisierung der
Folklore zu, und anhand der Beschreibung dieser Prozesse gelingt ihnen
eine prinzipielle Abgrenzung der mündlichen Dichtung oder Folklore
von der Literatur. Genetisch sind diese beiden Bereiche auswechselbar;
es kommt nicht darauf an, wo ein Werk letztlich herstammt. Der Unterschied liegt vor allem darin, daß sich ein Werk der Folklore nur als
sozialer Akt verwirklicht, daß es im allgemeinen anderen mitgeteilt —
mit anderen geteilt wird. Diese fast banale Feststellung hat ihre Weite-
rungen: Weil Folklore diese soziale Funktion hat, orientiert sie sich
an den kollektiven Überzeugungen, an dem herrschenden Geschmack
der jeweiligen Gruppe. Sie ist so im allgemeinen nicht gerade avant-
gardistisch; sie unterliegt der „Präventivzensur der Gemeinschaft".[17]
Die beiden Verfasser erläutern den Sachverhalt an einem Vergleich
aus der Sprachwissenschaft. Man unterscheidet dort langue und parole;
dabei ist *langue* die Sprache als übergeordnetes und vorgegebenes
objektives Gebilde, *parole* die in der langue begründete jeweilige Verwirklichung der Rede. In gleicher Weise ist auch die jeweilige Verwirklichung von Folklore gebunden an ein traditionelles, außerpersönliches
System; was vom „Milieu" nicht akzeptiert wird, „existiert als Tatsache
der Folklore einfach nicht, es wird außer Gebrauch gesetzt und stirbt
ab".[18]

Es fragt sich, ob der Vergleich glücklich ist: gerade von hier aus ließe
sich der Unterschied gegenüber der Literatur relativieren, die ja ihrerseits als sprachliches Gebilde der jeweiligen langue verbunden ist. Doch
ist die prinzipielle Unterscheidung, die von den beiden Forschern
anvisiert wird, deutlich: im Gegensatz zur Folklore hat Literatur ihre
je individuelle Existenz; sie lebt aus der Privatheit des Dichters und des
Lesers — darüber können auch Hilfsbegriffe wie ‚Lesergemeinde' nicht
hinwegtäuschen. Sie ist im Prinzip unabhängig von der Überlieferung,
da sie in fester Form niedergelegt ist. Folklore dagegen existiert *nur*
in ihrer Funktion, in der jeweiligen Aktualisierung, als Teil der Überlieferung. Man müßte vielleicht korrekterweise hinzufügen: und in der

[16] Die Folklore, S. 907.
[17] Ebd. S. 903.
[18] Ebd. S. 902.

Erinnerung; aber diese Erinnerung bildet nur dort eine tragfähige Brücke, wo sie nach nicht allzu langer Zeit wieder aktualisiert, wieder in Überlieferung transponiert wird. Dieser Existenzweise der Folklore entspricht die äußere Form: nicht die feste Gestalt, sondern die *Variabilität* ist ihr wesensgemäß. Für die Literatur dagegen ist die Einmaligkeit und Verbindlichkeit, die Authentizität des Textes charakteristisch — und wo etwa bei Editionen die Authentizität umstritten ist, beweist gerade die editorische Bemühung, daß der einmalige, fixierte Text die literarische Erscheinungsform von Dichtung ist.

Solche Überlegungen bedeuteten — BOGATYREV und JAKOBSON stellten dies selber fest — eine gewisse „Rehabilitierung der romantischen Konzeption"[19], freilich nicht im Blick auf die Entstehung der Volkspoesie, wohl aber insofern, als für die Folklore ein *Eigenbereich kollektiver Prägung* postuliert wurde. Nicht die „Rezeption" und damit der oft komplizierte und verästelte Vorgang des Absinkens stand im Vordergrund, sondern das „kollektive Schaffen", das erst diesseits der Grenze zum Literarischen einsetzt, die Umformung im Bereich der mündlichen Überlieferung, die ‚Folklorisierung'. Ganz in diesem Sinn hat beispielsweise WOLFGANG STEINITZ (1905—1967) seine Unterscheidung zwischen „Arbeiterlied" und „Arbeitervolkslied" getroffen, wobei er dieses auch als „folkloristisches Arbeiterlied" bezeichnet. Während das Arbeitervolkslied sich in „verschiedenen, jeweils von verschiedenen Gemeinschaften gesungenen und damit anerkannten Varianten" verwirklicht, haben die Arbeiterlieder ihre genormte Gestalt; charakteristisch für sie ist „in textlicher Beziehung ein programmatischer, agitatorischer Inhalt und ein hymnenartiger, pathetisch-gehobener Stil".[20] Ein Beispiel vermag den Unterschied zu klären. Die kommunistische Internationale wird zwar, zumal in den östlichen Ländern, häufig gesungen; dabei steht aber stets die authentische Gestalt im Hintergrund — wenn eine Abweichung in Text oder Melodie vorkommt, so ist dies keine Variante, sondern ein Fehler, der sich an der gedruckten Fassung leicht korrigieren läßt.

Als Gegenbeispiel hat STEINITZ das sogenannte *Leunalied* herausgestellt[21], ein Kampflied aus der Arbeiterbewegung nach dem ersten Weltkrieg,

[19] Ebd. S. 906.
[20] Arbeiterlied und Arbeiterkultur. In: Beiträge z. Musikwiss. 6. Jg. 1964, S. 279 bis 288; hier S. 280.
[21] Das Leunalied. In: Dt. Jb. f. Vk. 4. Bd. 1958, S. 3—52; Deutsche Volkslieder demokratischen Charakters aus sechs Jahrhunderten. 2. Bd. Berlin 1962, S. 423 bis 472.

das sich auf die verlustreichen Kämpfe der Arbeiter im mitteldeutschen Industriegebiet im März 1921 bezieht. Das Lied beginnt oft mit dem Vers „Bei Leuna sind viele gefallen"; aber es beginnt keineswegs *immer* so, denn schon die erste Zeile ist der Weiterbildung, der Umformung, der Variation — eben der ‚Folklorisierung' ausgesetzt, und unter den 50 aufgezeichneten Fassungen gibt es zwar eindeutige Verwandtschaftsbeziehungen, aber keine Identität. Die Herkunft des Liedes ist für seine Zuweisung zum „Arbeitervolkslied" nicht erheblich; doch sei sie hier angeführt, weil so das Prinzip der Folklorisierung gewissermaßen potenziert wird. Das Leunalied geht nämlich auf ein Soldatenlied zurück, das offenbar 1914 entstanden ist, aber nicht in den immer wieder abgedruckten Kanon der Soldatenlieder einging, sondern seinerseits praktisch ausschließlich mündlich tradiert wurde, dementsprechend zahlreichen Umformungen unterworfen war und viele Varianten bildete. STEINITZ zeigt, wie der sentimentale Ton des Soldatenlieds im revolutionären Arbeiterlied zwar nicht ganz beseitigt wird, aber doch einen aggressiven Akzent erhält. Dies zeigt die Gegenüberstellung zweier Strophen:

Eine Kugel, die kam nun geflogen,	Da kam eine feindliche Kugel,
Sie durchbohrte dem einen das Herz.	Die durchbohrte dem einen das Herz,
Das war für die Eltern ein Kummer,	Für die Eltern, da war es ein Kummer,
Für sein Liebchen	Für den „Stahlhelm"
da war es ein Schmerz.	da war es ein Scherz.

Ganz entsprechend leuchten in der letzten Strophe dieser Fassung des Soldatenlieds Mond und Sternlein „in den Friedhof hinein", während das Arbeiterlied mit einem Racheschwur gegen den ‚Stahlhelm' endet.

In solchen Beispielen ist also Folklorisierung nicht etwa nur negativ zu bestimmen als zwangsläufige Folge des Fehlens einer verbindlichen (literarischen) Norm, sondern positiv als *aneignende Variation,* die für eine definierbare Gruppe, für eine „Gemeinschaft" gilt. Der Gedanke liegt nahe, daß dieser Prozeß in unserer Zeit eine auffällige Ausnahme darstellt, daß er sich nur in extremen Situationen einstellt, in denen die vorübergehende Entfernung vom literarischen Angebot und das starke Engagement der Gruppe die Ausbildung mündlicher Traditionen fördern. STEINITZ' Untersuchung des Arbeiterliedes bestätigt also auf der einen Seite die Feststellung von BOGATYREV und JAKOBSON, „auch einer vom Individualismus durchsetzten Kultur" sei „das kollektive Schaffen durchaus nicht fremd"[22]; auf der anderen Seite stempelt sie heutige Folklore

[22] Die Folklore, S. 909.

doch eher zur Ausnahme, versteht unter Folklore eine im wesentlichen historische Erscheinung. Viele Folkloristen glauben, daß das Ende der spezifischen Überlieferungsform Folklore gekommen ist, und tatsächlich lassen sich Beispiele einer zunehmenden ,*Literarisierung*' auch der volkstümlichen Kultur anführen, welche diese Annahme wahrscheinlich machen.

Im Bereich des Volksliedes etwa zeigt es sich, daß — ganz im Gegensatz zu jenem Vorgang freier und variierender Tradition — im allgemeinen die Omnipräsenz der Vollform jegliche Veränderung unterbindet; wir sind gewissermaßen umstellt von Liederbüchern und Notenblättern; Schallplatten halten die ,richtige' Form jederzeit bereit, und die Dirigenten der Gesangvereine orientieren sich ebenso wie die Lehrer in den Schulen an der allgegenwärtigen fixierten und genormten Fassung der Lieder. Entsprechendes gilt für das Märchen. Wo überhaupt Märchen erzählt und nicht vorgelesen werden, steht doch im allgemeinen die ausgeführte Fassung der Kinder- und Hausmärchen gebietend im Hintergrund. Ein sicherer Beweis für das Ende der Folklore scheint auch das Auftreten von „Märchenerzählerinnen" zu sein, die in Einzelfällen sogar von dieser Tätigkeit leben wie einst die Erzähler einer im wesentlichen unliterarischen Kultur, die jedoch ihre Stücke eben *nicht* der mündlichen Tradition verdanken, sondern dem umfassenden weltliterarischen Angebot des Buchmarktes, und die sich im allgemeinen auch ganz an die gedruckten Fassungen halten und diese auswendig sprechen. Ihre Wirksamkeit beschränkt sich aber im wesentlichen auf Schulstunden und auf Abendvorträge vor einem gehobenen, literarisch interessierten Publikum; verschoben hat sich also nicht nur die Überlieferungsform, sondern vor allem auch die soziale Funktion.

Dies mahnt zur Vorsicht gegenüber der pauschalen Behauptung vom Ende der Folklore im alten Sinne; möglicherweise ist diese Behauptung die Folge davon, daß sich unser Blick beim Stichwort Folklore oder auch Volksdichtung einseitig auf bestimmte Gegenstände konzentriert, bei denen von freier Variation wirklich kaum mehr gesprochen werden kann. Dies gilt für das Märchen; es gilt auch für das, was heute im allgemeinen mit starrer Wertung als Volkslied verstanden wird. Dagegen scheint sich die Folklorisierung in weniger auffälligen — vielleicht auch: weniger „schönen" — Gattungen gehalten zu haben; man denke nur an Kinderlieder, in erster Linie an die Spiellieder, aber auch an Schlager, die zurechtgesungen und parodiert werden, an Fußballerlieder, die in keinem Buch erscheinen, an lustige oder schreckliche Geschichten, die von Mund zu Mund gehen — und so fort.

Auch eine zweite Überlegung spricht dagegen, einen absoluten Unterschied zwischen den heutigen und den einstigen Verbreitungsformen zu sehen. Variation, das charakteristische Merkmal der Folklore, ist ja doch nicht beziehungslose Vielgestaltigkeit, sondern immer Variation eines Themas, einer Form und Gestalt. Auch wenn wir von der Mystifikation einer ‚Urform' absehen, gibt es doch in der mündlichen Überlieferung Fixpunkte der Orientierung, an denen sich jede neue Aktualisierung vorwärtsbewegt. HERMANN STROBACH hat gezeigt, daß in Zonen dichter Überlieferung die Liedvarianten „fest frieren" zu einheitlichen landschaftlichen „Versionen".[23] Diese Vereinheitlichung ist nicht nur eine quantitative Konsequenz; sie zeigt vielmehr, daß es auch und gerade in der Folklore den Anspruch auf Richtigkeit und Treue gibt. WALTER ANDERSON hat im Zusammenhang mit seiner These von der „Selbstberichtigung" darauf hingewiesen, daß jeder Erzähler, ehe er eine Geschichte in sein Repertoire aufnimmt, sie im allgemeinen mehrfach hört; gerade diese Mehrgleisigkeit der Überlieferung trägt also paradoxerweise nicht nur zur Variabilität, sondern auch zur Begrenzung der sich stets um ein „Oszillationszentrum" bewegenden Variationen bei. Denkt man vollends an weniger komplizierte Formen, die im allgemeinen durchaus zum Bereich der Volkspoesie gerechnet werden, wie Rätsel oder Sprichwörter, so schrumpft die Variationsbreite auf ein Minimum zusammen. Wenn etwa ein Sprichwort variiert wird, so ist im allgemeinen gleichzeitig die „richtige" Form gegenwärtig; und nicht selten wird die Variante gar nicht mehr als solche verstanden, sondern entweder als absichtliche Ironisierung, oder aber als Fehler — wie die Abweichung eines wenig geübten Gesangvereins von der textlichen und musikalischen Vorlage. Das bedeutet doch wohl, daß die Variation offenbar nur ein sekundäres Merkmal ist, das freilich unmittelbar mit dem primären zusammenhängt: mit der *Gängigkeit* und mit der *Aneignung*. Dieses primäre Merkmal aber scheidet auch für literarisch fixierte, ja genormte Güter nicht automatisch aus; und damit werden auch von diesen Gütern eine ganze Reihe von Fragen herausgefordert, die parallel zu den spezifisch ‚folkloristischen' Fragen laufen: auch an das Gesangvereinslied können etwa Fragen der Verbreitung, der Beliebtheit, des Stils der Verwirklichung, der sozialen Funktion usw. herangetragen werden.

Solche Fragen und Untersuchungen lassen sich systematisch der Literatursoziologie oder der Musiksoziologie zuordnen. Allerdings ist es wohl

[23] Bauernklagen. Untersuchungen zum sozialkritischen deutschen Volkslied. Berlin 1964, S. 390.

kein Zufall, daß sie weitgehend der Volkskunde überlassen werden. Fehlt auch die besondere folkloristische Verbreitungsform, das Nur-Mündliche der Tradierung, so handelt es sich doch um den der Volkskunde vertrauten Geschmacksbereich und um das vertraute — wenn auch fixierte — Material. Zugespitzt formuliert: ist Folklore auch in einen unfolkloristischen Zustand mutiert, so ist diese Mutation doch nicht ohne umfassenderes Verständnis der Ausgangsbasis zu analysieren.

Ein letztes Argument gegen die Annahme restloser Verdrängung der Folklore muß in einen weiteren Zusammenhang gestellt werden, kann aber unmittelbar an BOGATYREV und JAKOBSON anknüpfen, die in ihrem Aufsatz auf den Grenzfall der mittelalterlichen Literaturtradition hinweisen: der Abschreiber habe damals das Werk „als ein der Umbildung unterliegendes Material"[24] behandelt; bis zu einem gewissen Grad galten also Prinzipien der Folklore in der schriftlichen Überlieferung. Nunmehr scheinen wir am anderen Ende angelangt zu sein: in den mündlichen Überlieferungsbereich haben in so starkem Maße Erscheinungen und Prinzipien der Literatur Eingang gefunden, daß man zunächst mit Recht das Zusammenschrumpfen des selbständigen Folklore-Feldes konstatiert. Aber es handelt sich nicht um einen ganz einseitigen Prozeß; Gesetzlichkeiten der Folklore werden durch die intensive Berührung an die Literatur vermittelt. Die Literarisierung der Folklore wird ergänzt in einer Gegenbewegung, die man beinahe als Folklorisierung der Literatur bezeichnen könnte — nicht in dem Sinne, daß Literatur in die mündliche Überlieferung übergeht, wohl aber insofern, als bestimmte folkloristische Grundsätze der Tradierung mehr und mehr auch den Bereich der Literatur bestimmen.

Zumindest für den immer größer werdenden Anteil der *Konsumliteratur* gelten die im Gegensatz zur Folklore stehenden Überlieferungsprinzipien nur sehr bedingt. Die Fixierung ist hier äußerer Zustand, nicht innere Notwendigkeit; es handelt sich gewissermaßen um eine statistische, nicht um eine individuelle Einmaligkeit. Die meisten Heftreihen der Trivialliteratur sind nicht nur Variationen um die immer gleichen Themen, sondern auch die Varianten ganz bestimmter Muster. Die häufigen Urheberrechtsprozesse zwischen Schlagertextern und -komponisten bezeugen, daß das Copyright in diesem Bezirk vielfach nur eine — freilich höchst lukrative — Fiktion ist; und bei literarischen Kleinstformen wie den in Hunderten von Zeitungen und Illustrierten abgedruckten Witzen entfällt der Urheberrechtsanspruch tatsächlich.

[24] Die Folklore, S. 912.

Für denjenigen, der sich mit solchen Formen befaßt, treten die prinzipiellen Unterschiede der Überlieferung fast völlig zurück. Es ist eine Frage der Definition, ob auch die Erörterung solcher schriftlich fixierter Formen als „folkloristische" Untersuchung bezeichnet wird, oder ob man von der Forderung ausgeht, daß die folkloristischen Fragestellungen hier durch zeitungswissenschaftliche, literatursoziologische u. ä. ergänzt werden — sie sind jedenfalls bei der Untersuchung nicht zu trennen. Das Diktat des realen Forschungsgegenstandes verwischt die systematischen Grenzen wissenschaftlicher Optik: Folklore und Literatur rücken zusammen.

Dieses Zusammenrücken erweist sich auch darin, daß die früher für die Folklore typischen Stoffe und Formen heute vielfach Gattungen der Literatur darstellen. Volkslieder sind heute primär Bestandteil von Liederbüchern und Singheften. Märchen sind in Sammlungen gebannt. Witze werden nicht nur weitererzählt, sondern, wie eben schon erwähnt, auch im Druck verbreitet. Selbst die Sage, die ihrem Namen nach unmittelbar zur mündlichen Überlieferung gehört, hat ihre literarische Form gefunden, und manche Sagengeschichte hat — von den poetischen Bearbeitungen der Romantik bis zu den Schullesebüchern unserer Gegenwart — mehr literarische als mündliche Variationen gefunden.

Es bedarf keines Beweises dafür, daß diese Sagen einen anderen Stil und eine andere Aufgabe haben als das mündliche Erzählgut, daß ganz allgemein die Funktion der Güter hier eine andere ist als im vorliterarischen Überlieferungsprozeß. Solche Geschichten, Märchen und Lieder gelten dem naiven Konsumenten als alt, schön und ehrwürdig; die Kritik an ihnen hingegen entlarvt sie nicht selten als sentimentale Entstellungen, als Volkskultur zweiter Hand. Es muß erwähnt werden, daß diese Kritik in den geläufigen deutschen Begriff Folklore bis zu einem gewissen Grad eingegangen ist: Folklore ist hier nur für einige wenige international orientierte Wissenschaftler vorliterarisches, volkstümliches Überlieferungsgut; im allgemeinen versteht man darunter die pittoresken Darbietungen, die zwar oft lautstark als ursprüngliches Volksgut proklamiert werden, die aber in Wirklichkeit weitgehend kommerziell bedingt sind — das show-business heimatlicher Prägung also, das HANS MOSER als *„Folklorismus"* kritisiert hat.[25] Diese klare Abwertung des Begriffes Folklore scheint es nur im deutschen Sprach-

---

[25] Vom Folklorismus in unserer Zeit. In: Zs. f. Vk. 58. Jg. 1962, S. 177—209; Der Folklorismus als Forschungsproblem der Volkskunde. In: Hess. Bl. f. Vk. 55. Jg. 1964, S. 9—57. Vgl. auch H. BAUSINGER: Zur Kritik der Folklorismuskritik. In: Populus Revisus (= Volksleben Bd. 14). Tübingen 1966, S. 61—75.

gebiet zu geben, dem der Begriff vorher ohnedies relativ fremd geblieben war. Sie ist einerseits zu bedauern, da sie die Verständigung erschwert, und da sie der Volkskunde unmöglich macht, was vor einem halben Jahrhundert wohl noch möglich gewesen wäre: den Ersatz des unscharfen und ideologieschwangeren Volksbegriffes[26] durch ein neutrales und präziseres Wort. Auf der anderen Seite aber hat diese terminologische Bedingung wahrscheinlich dazu beigetragen, daß hier *Folklore erster und zweiter Hand* allmählich kritisch — manchmal fast schon zu kritisch! — unterschieden werden, während in vielen anderen Ländern der sachliche Unterschied in ähnlicher Weise gegeben, aber noch sehr wenig erkannt ist.

Literatur:

PETR GRIGOREVITCH BOGATYREV — ROMAN JAKOBSON: Die Folklore als eine besondere Form des Schaffens. In: Donum Natalicium Schrijnen. Nijmegen-Utrecht 1929, S. 900—913.

GUSTAV KOSSINNA: Folklore. In: Zs. f. Volkskunde, 6. Jg. 1896, S. 188—192.

JOHN MEIER: Kunstlieder im Volksmunde. Halle 1906.

GUSTAV MEYER: Folklore. In: Essays und Studien zur Sprachgeschichte und Volkskunde. Straßburg 1885, S. 145—162.

HANS NAUMANN: Grundzüge der deutschen Volkskunde. Leipzig 1922.

FRITZ WILLY SCHULZE: Folklore. Zur Ableitung der Vorgeschichte einer Wissenschaftsbezeichnung (= Hallische Monographien Nr. 10). Halle 1949.

5. Das Problem der einfachen Formen

Im gleichen Jahr wie der Aufsatz von BOGATYREV und JAKOBSON erschien das Buch des niederländischen, damals schon in Deutschland wirkenden Literaturwissenschaftlers ANDRÉ JOLLES (1874—1946) mit dem Titel: „Einfache Formen". Der Untertitel bezeichnet die in dem Werk charakterisierten Formen: „Legende / Sage / Mythe / Rätsel / Spruch / Kasus / Memorabile / Märchen / Witz". Bleibt man im Bereich der Volksdichtung, so erscheint das Buch — trotz einzelnen vorausgegangenen Bemühungen um Erzählformen und Stilcharakteristik — verhältnismäßig isoliert; doch gehört es in den Umkreis der Ende der zwanziger Jahre zahlreicher werdenden literaturwissenschaftlichen Versuche, die ‚Gestalt' von Dichtungen zu bestimmen.

Die Zusammenhänge lassen sich hier lediglich — und wohl nicht ganz ohne Verbiegungen — andeuten. WILHELM DILTHEY hatte Dichtung als „Organ des Weltverständnisses" begriffen, das vordergründig Normative

[26] Vgl. H. BAUSINGER: Volksideologie und Volksforschung. Zur nationalsozialistischen Volkskunde. In: Zs f. Vk. 61. Jg. 1965, S. 177—204.

literaturwissenschaftlicher Betrachtungen abgestoßen und die eigentümliche, wirklichkeitsschaffende Potenz künstlerischer Gestaltung hervorgehoben[1]; die Gestaltung selber aber blieb undiskutierte Durchgangsstation zwischen dichterischem Erlebnis und dichterischer Wirkung. Erst im Gefolge des Kunsthistorikers HEINRICH WÖLFFLIN, der den Wandlungen des Sehens nachging, wurde der konsequente Versuch gemacht, den Gestaltwandel der Dichtung in den einzelnen Epochen zu verfolgen und zu bestimmen; hier sind in erster Linie die Arbeiten von OSKAR WALZEL zu nennen, deren wichtigste unter dem Titel „Gehalt und Gestalt" erschien. Während aber in der Romanistik die Priorität des Geschichtlichen vor aller Systematik der Formen, wohl nicht zuletzt dank BENEDETTO CROCES Ästhetik, unangefochten blieb, suchten Germanisten den historischen Wandel immer wieder in einem vorgegebenen Gattungssystem, einem ‚natürlichen‘ Formenkatalog aufzufangen. In vielen Fällen konnte dabei die Einheit der Formen nur in willkürlicher Metabasis, die Gestaltkontinuität nur durch die ungeprüfte Behauptung von ‚Unterströmungen‘ gerettet werden. Der Versuch von JOLLES aber war ungemein fruchtbar und erfolgreich — einmal, weil er geschichtliche Sorgfalt nicht über Bord warf, und zum andern, weil es ihm im wesentlichen um eine Typologie vorliterarischer Formen ging, weil er sich auf *„einfache Formen"* konzentrierte.

Was er darunter verstand, läßt sich am sichersten erklären, indem wir mit ihm auf GOETHES „Gestalt"-Begriff zurückgehen: „Der Deutsche hat für den Komplex des Daseins eines wirklichen Wesens das Wort Gestalt. Er abstrahiert bei diesem Ausdruck von dem Beweglichen, er nimmt an, daß ein Zusammengehöriges festgestellt, abgeschlossen und in seinem Charakter fixiert sei."[2] JOLLES sieht in den ‚einfachen Formen‘ nicht etwa Muster, nach denen bewußt geformt wird im Sinne einer normativen Poetik, sondern Gestalten, die im Prinzip vorgegeben sind und zwangsläufig entstehen. Sie gehören zur ordnenden Auseinandersetzung des Menschen mit der Welt. JOLLES bedient sich eines Vergleichs aus dem Märchen: wie dort das Mädchen aus einem wüsten Haufen allerhand Samen aussortieren muß, so schafft auch der Mensch aus Chaos Kosmos: „Der Mensch greift ein in das Wirrsal der Welt; vertiefend, verringernd, vereinigend faßt er das Zusammengehörige zusammen, trennt, teilt, zerlegt und sammelt auf die Häuflein das Wesentliche."[3]

---

[1] Ges. Schriften, 4. Bd. S. 116. Vgl. P. BÖCKMANN: Formgeschichte der deutschen Dichtung. 1. Bd. Hamburg 1949, S. 19.
[2] Einfache Formen, S. 6.
[3] Ebd. S. 21.

Aber das Geschiedene besitzt — im Gegensatz zu den Samen — nicht schon vorher eigene Form, es nimmt sie erst an, „während es in der Zerlegung sich zusammenfindet".[4] Diesem Vorgang der Formordnung wendet Jolles die Aufmerksamkeit zu: „Gleiches gesellt sich zu Gleichem, aber es bildet hier keinen Haufen von Einzelheiten, sondern eine Mannigfaltigkeit, deren Teile ineinander eindringen, sich vereinigen, verinnigen, und so eine Gestalt, eine Form ergeben — eine Form, die als solche gegenständlich erfaßt werden kann, die, wie wir sagen, eigene Gültigkeit, eigene Bündigkeit besitzt".[5] Das Subjekt dieser Auseinandersetzung mit der Welt und damit der Kategorisierung in die genannten Formen aber ist für Jolles die *Sprache*[6]; Aufgabe seiner morphologischen Betrachtung ist es, den Weg von der Sprache zu den einfachen Formen und schließlich zur Literatur zu verfolgen. Man kann seine Fragestellung folgendermaßen zusammenfassen: Wie wächst aus der Rede plötzlich, zwangsläufig, unvermeidlich eine bestimmte Gestalt; wie kommt es zu Gebilden, zu Formen, die zwar ‚einfach' sind, aber eben doch geschlossen und autonom, zu Formen mit eigenen Gesetzen?

Diese Fragestellung greift auf die romantische Konzeption der Naturpoesie zurück — ähnlich wie die Überlegung von Bogatyrev und Jakobson. Während sie aber den funktionellen Weg verfolgten, in erster Linie also den konkreten Überlieferungs*prozeß* beschrieben, rückten für Jolles die *Produkte* der Überlieferung in den Mittelpunkt: die einfachen Formen, die von der Sprache erzeugt werden. Jolles knüpft selber an die romantischen Entwürfe und ihre Grundlagen an. Er zitiert Hamanns Wort: „Poesie ist die Muttersprache des menschlichen Geschlechts"[7], und er nimmt es ganz ernst, indem er nachzuweisen sucht, daß in den poetischen Formen ein unmittelbarer Bezug zur Sprache — oder umgekehrt: daß in der Sprache eine unmittelbare Ausrichtung auf poetische Gestalten vorhanden ist. Im gleichen Sinne geht er auch ausführlich auf den Briefwechsel zwischen Arnim und Jacob Grimm ein, in dem dieser seinen „Lieblingsunterschied" zwischen Naturpoesie und Kunstpoesie gegenüber Arnim verteidigt; Kunstpoesie ist ihm eine „Zubereitung", Naturpoesie dagegen „ein Sichvonselbstmachen".[8] Ganz entsprechend unterscheidet Jolles *Kunstformen* und *Einfache Formen*.

[4] Ebd. S. 22.

[5] Ebd.

[6] Ebd. S. 8—10.

[7] Aesthetica in nuce. In: Hauptschriften, ed. Otto Mann. Leipzig 1937, S. 381.

[8] Einfache Formen, S. 221 f.

Der wesentliche Unterschied gegenüber der Romantik besteht darin, daß JOLLES sich nicht auf einen Sammelbegriff beschränkt, sondern daß er sich den einzelnen Formen zuwendet und von ihnen aus dann auch den jeweiligen Entstehungsprozeß verständlich zu machen sucht. Insofern läßt sich JOLLES' Entwurf auch am sichersten an einer einzelnen Einfachen Form verdeutlichen. Ich greife die *Legende* heraus, die JOLLES an den Anfang seiner Untersuchung stellt, und an der er seine Gesamtkonzeption zu entwickeln versucht: „Es ist ein Vorteil, wenn wir eine Form an einer Stelle greifen können, an der sie wirklich zu sich gekommen, wirklich sie selbst ist, das heißt in unserem Fall, wenn wir die Legende in dem Kreise und in der Zeit untersuchen, wo sie mit einer gewissen Ausschließlichkeit gelesen wurde, wo ihre Geltung nicht hinwegzudenken ist, wo sie eine der Himmelsrichtungen ist, in die man sah, ja vielleicht sogar die einzige, nach der man sich bewegen konnte.“[9] Diese Metapher von der unausweichlichen Himmelsrichtung führt vielleicht am schnellsten und am eindringlichsten auf das hin, was JOLLES unter der Entstehung aus der Sprache heraus versteht. An anderer Stelle wählt er andere Begriffe für die sprachliche Ausrichtung, die notwendig zu einer Einfachen Form hinführt; er spricht von einer bestimmten „Lebenshaltung“, von einem „Gedankengang“, von einer „*Geistesbeschäftigung*“[10] — zumal diesen letzten Ausdruck setzt er in unmittelbare Beziehung zur Entstehung der jeweiligen Einfachen Form.

Im Fall der Legende ist JOLLES in der Lage, die spezifische „Geistesbeschäftigung“ in einem Begriff zu konkretisieren: der „imitatio“ nämlich[11], der Nachfolge im mittelalterlichen Sinn. Die Geistesbeschäftigung der imitatio führt dazu, daß die Legende mit Pathos, mit Leiden und Martern erfüllt wird, daß heroische Taten angehäuft werden, und daß im Geiste der Nachfolge Tugenden summiert werden. Die Geistesbeschäftigung der imitatio drückt sich aus in bestimmten „*Sprachgebärden*“.[12] JOLLES erläutert diesen Begriff, mit dem er dann weiterhin operiert, am Beispiel der Georgslegende: was sich in der Realität, in der Abfolge der wirklichen Geschichte, im Zuge der Christenverfolgung ereignet hat, schießt hier in ein einzelnes Sprachbild zusammen, wenn davon die Rede ist, daß Georg gemartert wurde durch „ein Rad mit scharfen Klingen“.[13] Dieses Rad ist als reales Gebilde nicht ohne weiteres

---

[9] Ebd. S. 23.
[10] Ebd. S. 34.
[11] Ebd. S. 36.
[12] Ebd. S. 45.
[13] Ebd. S. 43.

vorstellbar und nicht sehr wahrscheinlich; als sprachliches Gebilde aber, als „Sprachgebärde", ist es der eindrucksvolle Generalnenner für die Qualen der Verfolgung insgesamt. Ganz entsprechend verhält es sich mit den anderen Sprachgebärden: wenn etwa die Legende berichtet, daß beim Eintreten Georgs in den Tempel die Götzenbilder zersprangen, so verdichtet sich in diesem Bild der in Wirklichkeit nur langsame Prozeß der Ablösung der alten Religionen durch die neue.

So zeigt JOLLES für die Legende und dann auch für die anderen Formen, wie eine bestimmte Geistesbeschäftigung, die sich in Sprachgebärden ausdrückt, zu Einfachen Formen hinführt: „unter der Herrschaft einer bestimmten Geistesbeschäftigung verdichten sich aus der Mannigfaltigkeit des Seins und des Geschehens gleichartige Erscheinungen; sie werden von der Sprache zusammengewirbelt, zusammengerissen, zusammengepreßt und als Gestalt umgriffen; sie liegen in der Sprache vor uns als nicht weiter teilbare, von der Geistesbeschäftigung geschwängerte, mit der Geistesbeschäftigung geladene Einheiten, die wir die *Einzelgebärden der Sprache,* der Kürze wegen *Sprachgebärden,* genannt haben. — Es ist allen Einfachen Formen gemeinsam, daß sie sich durch diese Einzelgebärden in der Sprache verwirklichen — es sind andererseits diese Einzelgebärden, die es uns als mit der Macht einer Geistesbeschäftigung geladene und dadurch morphologisch erkennbare sprachliche Einheiten ermöglichen, die Einfachen Formen voneinander zu trennen, sie zu unterscheiden."[14]

Die Arbeit von ANDRE JOLLES ist nicht nur als Ganzes immer wieder diskutiert worden; auch die einzelnen von ihm geprägten Begriffe wurden oft entlehnt und manchmal in ganz andere Zusammenhänge gestellt. Deshalb empfiehlt es sich, wenigstens die drei zentralen Begriffe seines Entwurfs noch einmal möglichst genau zu bestimmen:

Geistesbeschäftigung ist eine grundsätzliche Einstellung des Menschen; spezieller als Geistes*haltung* drückt sie eine definierbare Richtung aus und zielt auf eine bestimmte Form. Die Geistesbeschäftigung ist zwar selektiv, sie wählt aus; aber dieser Auswahlprozeß geschieht nicht bewußt. Geistesbeschäftigung ist nicht das Ergebnis abwägenden Urteils, sondern eine unwillkürliche, zwangsläufige Einstellung, die zwar an gewisse Realitäten gebunden bleiben kann, die aber doch sehr elementar ist: es ist die jeweils einzige Himmelsrichtung, die offen ist. Dies darf nicht — was das Beispiel der mittelalterlichen Legende nahelegen könnte — so mißverstanden werden, als ob eine Epoche nur *eine*

[14] Ebd. S. 265.

Geistesbeschäftigung kennte. Es wird richtig sein, für die übergreifende Ausrichtung einer Epoche den Ausdruck *Geisteshaltung* zu wählen. Innerhalb einer bestimmten Geisteshaltung werden verschiedene Geistesbeschäftigungen wirksam. Stoff und Formung bedingen sich dabei gegenseitig. JOLLES betont einerseits die Autonomie der Formung — ähnlich wie VICTOR SCHKLOVSKIJ und andere russische Formalisten davon sprechen, daß das „Sujet" die „Fabel", das vorgegebene Material, völlig umforme[15]; andererseits wird das Prinzip der Formung, wird die jeweilige Geistesbeschäftigung eben doch provoziert von dem vorgegebenen Material, von den Daten der Wirklichkeit. Die Vorgänge der Christenverfolgung rufen eben nicht nach Verrätselung, naiver Moral oder Komik, sondern nach Imitatio; und diese schafft aus dem Material die neue Wirklichkeit in ihren Sprachgebärden.

Sprachgebärde erinnert zunächst an *Motiv,* und die angeführten Beispiele scheinen diese Gleichsetzung zu erlauben. Aber der Begriff Motiv wird von JOLLES sicher absichtlich vermieden — nicht nur, weil er in sehr verschiedenem Sinn verwendet wird, sondern vor allem auch, weil dieser Ausdruck noch zu neutral ist. Wo JOLLES von Sprachgebärde redet, ist das Motiv ja bereits durch die jeweilige Geistesbeschäftigung in eine bestimmte Richtung gebracht, ist in ganz bestimmter Weise aufgeladen. Schon FRIEDRICH RANKE (1882—1950) hat in seinem Habilitationsvortrag von 1910 gezeigt, wie ein einzelnes Motiv innerhalb verschiedener Erzählformen ganz verschieden ausgerichtet wird. Seine Darlegung[16] sei kurz skizziert.

In der Bibel (Richter 11, 29—40) gelobt *Jephtha,* der israelitische Führer, vor dem Kampf gegen die Ammoniter seinem Gott: „Gibst Du die Kinder Ammon in meine Hand; was zu meiner Haustür heraus mir entgegen geht; wenn ich mit Frieden wiederkomme von den Kindern Ammon, das soll des Herrn sein, und ich will's zum Brandopfer opfern." Er siegt; bei der Rückkehr „geht seine Tochter heraus ihm entgegen mit Pauken und Reigen" — er muß auf Grund seines Gelübdes das einzige Kind opfern. Diese schmerzliche und vorbildhafte Wendung nimmt das Motiv im legendären Rahmen des Alten Testaments. In der Sage ist es nicht mehr die Treue zum religiösen Gelübde, die das Opfer bewirkt, sondern die Wachsamkeit der Dämonen. Ein Fischer verspricht beispielsweise einem Wassermännlein als Gegenleistung für guten Fang,

---

[15] Vgl. VSEVOLOD SETSCHKAREFF: Zwei Tendenzen in der neuen russischen Literaturtheorie. In: Jb. f. Aesthetik u. allg. Kunstwiss., 3. Bd. Stuttgart 1955 bis 1957, S. 94—107; hier S. 102.
[16] Volkssagenforschung. Breslau 1935, S. 20 f.

was er „zu Hause nicht kennt". Als er heimkommt, hat seine Frau eben ein Kind geboren. Der Fischer klagt und betet, um das Geschick abzuwenden; aber als das Kind fast schon herangewachsen ist und an einer Quelle trinkt, wird es hinabgezogen. Im GRIMMschen Märchen „Die Nixe im Teich" (KHM 181) ist die Situation zunächst ähnlich; unbedacht verkauft der Müller seinen eben geborenen Sohn, und als dieser schon verheiratet ist, holt ihn die Nixe zu sich in ihren Teich. Aber seine Frau rettet ihn mit zauberischen Mitteln. Noch bezeichnender für das Märchen ist die Wendung in der Geschichte vom singenden, springenden Löweneckerchen (KHM 88). Ein Mann liefert unbedacht seine Tochter einem Löwen aus; aber dieser ist ein verzauberter Königssohn, der von dem Mädchen erlöst wird: an die Stelle des Unheimlichen tritt hier das Glück des Wunderbaren.

Vielleicht ist das von RANKE behandelte Motiv zu komplex, als daß man unmittelbar von Sprachgebärden reden könnte; so viel aber wird aus seinen Beispielen deutlich, daß das gleiche Motiv unter der Herrschaft verschiedener Geistesbeschäftigungen verschieden gefärbt und in verschiedene Richtungen gelenkt wird, daß es in verschiedener Lagerung auftreten kann. Man könnte die Gleichung aufstellen: Sprachgebärde ist ein *induziertes Motiv*.

Dies führt hinüber zum Begriff der *Einfachen Form*. JOLLES schreibt: „Was wir Legende genannt haben, ist zunächst nichts anderes als die bestimmte Lagerung der Gebärden in einem Felde."[17] Was JOLLES hier nur andeutet, kann ausgeweitet werden zur Erklärung der Einfachen Form, die durch den Begriff des *Feldes* verdeutlicht wird. Gewiß ist „Feld" ein wissenschaftliches Modewort geworden; aber in diesem Fall scheint die Parallele nützlich; dabei kann sowohl an den biologischen wie an den elektrischen Feldbegriff gedacht werden. Die Einfache Form ist ein Feld, in dem sich die Motive als Sprachgebärde ausrichten, und zwar gelenkt oder geladen von der Geistesbeschäftigung; oder umgekehrt: die Geistesbeschäftigung mit ihrer spezifischen Ausrichtung der Sprachgebärden erzeugt ein Feld — die Einfache Form. Dieses Feld ist dauernd vorhanden; aber es realisiert sich erst in der sprachlichen Vergegenwärtigung — genau wie ein elektrisches Feld immer vorhanden ist, aber erst durch eine Probeladung nachgewiesen werden kann. Der Vergleich bewährt sich auch im Hinblick auf das Kausalitätsverhältnis von Gebärde und Form: im elektrischen Feld werden die Ladungen entweder als Gebilde neben dem Feld oder als ‚Ausgeburten' des Feldes betrachtet; genau so können die Sprachgebärden entweder

---

17 Einfache Formen, S. 46.

als von außen hereingetragene Gebilde oder als unmittelbarer Bestandteil und Ausdruck der Einfachen Form verstanden werden.

Jedenfalls werden Einfache Formen nicht bewußt selektiv erzeugt, sondern es handelt sich um die zwangsläufigen Produkte bestimmter Geistesbeschäftigungen, hervorgebracht mit Hilfe bestimmter Sprachgebärden. Die Geistesbeschäftigung aber ist nicht etwa eine schlechthin subjektive Eigenschaft oder Orientierung, sondern, wie es JOLLES' Herausgeber ALFRED SCHOSSIG ausdrückt, „objektiv wirkende Kraft im Hegelschen Sinne".[18] In einer anderen Arbeit spricht JOLLES einmal von der ‚occupatio' des Menschen durch den Geist einer bestimmten Zeit; dementsprechend kann der Mensch auch vom Geist der Legende, des Märchens usw. ergriffen werden.[19] Das Subjekt dieses Vorgangs ist bei JOLLES die Sprache; die Sprache „als umordnende Arbeit" führt hin zur Dichtung; die Formen „ereignen" sich in der Sprache selbst; die „Sprache dichtet".[20]

Eben diese Reduktion auf die Sprache hat JOLLES eine ganze Reihe von Vorwürfen eingebracht. VICTOR KLEMPERER stellte gleich 1930 in seiner Rezension fest, JOLLES autonomisiere die Sprache zur „schöpferischen Göttin".[21] Tatsächlich ist dies die gefährlichste Stelle des Entwurfs: Sprache ist ja doch zunächst einmal des Ergebnis von Sprechakten; und auch wenn man *langue* von *parole* unterscheidet, Sprache also auch als übergreifendes Gebilde nimmt, wird man doch dieses Gebilde primär als Integral wirklicher Sprechakte verstehen müssen. Es kann sicher nicht in Abrede gestellt werden, daß die Sprache bis zu einem gewissen Grad für den Menschen denkt und sein Verhältnis zur Welt vorformt; aber JOLLES geht hier weiter — er zeichnet die Sprache als selbsttätig schöpferisch und unabhängig. Der Einwand KLEMPERERS zielt auf die *morphologische Methode* überhaupt: Wenn der Blick einseitig auf die *„Gestalt"* gelenkt wird, wenn zudem die Entstehung ganz in den anonymen Bereich der Sprache verlegt wird, ist die Gefahr der Mystifikation groß; Fragen wie die nach dem persönlichen Erzeuger, dem Sprecher, den Wegen der Formung und der Tradierung treten völlig zurück. Das romantische „Sichvonselbstmachen"[22], für JOLLES sicherlich in erster Linie eine Abbreviatur, die den Akzent auf das Zwangs-

---

[18] Vorwort zu: Einfache Formen. Halle ²1956, S. VI.

[19] Ebd. S. VII.

[20] Einfache Formen, S. 16—22.

[21] Literaturblatt f. germ. u. rom. Philol. 51. Jg. 1930, S. 405; vgl. SCHOSSIG: Vorwort S. III.

[22] Einfache Formen, S. 222.

läufige des Prozesses legt, droht eben doch ganze Fragenkomplexe und Beobachtungsgebiete abzuschneiden.

Tatsächlich aber lassen sich auch Beobachtungen zum Entstehungs- und Tradierungsprozeß unmittelbar an das von JOLLES entwickelte Formensystem anschließen. In diesem Sinn hat etwa WOLFGANG MOHR im Anschluß an PETSCH[23] Einfache Formen auch als *„Darbietungsformen"* verstanden[24]: jede der Einfachen Formen verlangt eine bestimmte Darbietung; beim Publikum sind bestimmte Erwartungsnormen vorhanden, die „Präventivzensur" betrifft nicht nur das Inhaltliche. Man kann den Ton in der Darbietung treffen oder verfehlen; und man braucht nur an die pointkillers unter den Witzerzählern, oder besser noch an die plötzliche Unterbrechung einer Witzkette durch eine ganz anders gemeinte Erzählung zu denken, um zu erkennen, daß es Gattungsstile und auch Gattungsstilblüten gibt. Die Einfachen Formen sind also nicht nur objektive Gebilde, sondern sie bestimmen auch die Wege und Kanäle der Überlieferung.

Aber nicht nur zur Tradierung, sondern auch zur *Genese* hin bleibt JOLLES' Formensystem offen. An seine Überlegungen zur Geistesbeschäftigung läßt sich die Frage anschließen, wie die Einfache Form denn nun wirklich zustande kommt, was hinter dem „Sichvonselbstmachen" steckt, wie das Subjekt Sprache — das ja gar nicht das unmittelbare Subjekt sein kann — tatsächlich handelt und wirkt. Versucht man diese Frage zu beantworten, so wird man mehrere Stufen oder Phasen unterscheiden müssen: Zunächst tritt der Mensch offenbar schon mit einer bestimmten Sehweise, einer vorgeformten Auffassung — man könnte fast sagen: mit einer Brille — an reale Ereignisse heran und vollzieht so eine gewisse Selektion und Umbiegung des in der Wirklichkeit Geschehenden. Niemand sieht primäre Realitäten; was wir aufnehmen, ist bereits subjektiv umgeformt, und bei dieser Umformung sind kollektive ‚Geistesbeschäftigungen' wirksam. Wer *beinahe* in einen Unfall verwickelt war, biegt schon ganz unmittelbar in der Auffassung des Ereignisses und mehr noch in der Erinnerung daran dieses Ereignis so zurecht, daß sich das „Beinahe" zuspitzt; er unterliegt, fern von aller Angeberei, dem offenbar besonders eindrucksvollen Schema des Gerade-noch-davongekommen-seins. Dies ist noch keine voll ausgeprägte Geistesbeschäftigung im Sinne von JOLLES; aber das Beispiel deutet an, wie weit eine solche Prädisposition und damit auch die Genese Einfacher Formen in das unmittelbare Erleben hineinreicht. Es kann aber auch die besondere

---

[23] Die Lehre von den „Einfachen Formen".
[24] RL, 1. Bd. ²1958, S. 323.

Bedeutung der zweiten Stufe veranschaulichen, auf der die Wirksamkeit der Sprache deutlich wird: Erzähle ich ein solches Erlebnis oder Ereignis, so wird gewiß das „Beinahe" noch mehr zugespitzt, allein schon dadurch, daß sich übertreibende Wendungen wie „im allerletzten Moment" aufdrängen. Diese weitere Akzentuierung der Form gilt natürlich keineswegs nur für ein solches unglückliches Ereignis; man kann eine solche Steigerung und Intensivierung des bereits Angelegten ganz entsprechend bei „märchenhaften" oder bei komischen Ereignissen registrieren; auch sie werden schon in der unmittelbaren Aufnahme und dann wieder im sprachlichen Bericht stilisiert. Die dritte Phase des Prozesses ist die Aufnahme des Berichts durch den Hörer; auch er kann im allgemeinen nicht aus der intendierten Richtung, aus der jeweiligen Geistesbeschäftigung ausbrechen, und er wird seinerseits — die nächste Phase — beim Weitererzählen diejenigen Teile betonen und verstärken, die zu einer Einfachen Form gehören, während andere im Verlauf der Tradierung abgeschliffen werden. Wir haben es also mit einem durchgängigen *Verfestigungsprozeß* zu tun, mit einer zwangsläufigen *Stilisierung* zur jeweiligen Form. Das heißt aber: JOLLES ignoriert zwar mit seiner Konzeption der Einfachen Formen den Entstehungs- und Tradierungsprozeß, aber diese Konzeption verfälscht ihn nicht, sondern impliziert ihn sogar bis zu einem gewissen Grad.

Andere *Implikationen* des Begriffes der Einfachen Formen erweisen sich allerdings als hinderlich; WOLFGANG MOHR stellt fest, das Stichwort Einfache Formen habe „bisher doch mehr erregend als klärend"[25] gewirkt. Das liegt größtenteils weniger an den Ausführungen von JOLLES als an dem Schlagwortcharakter des Begriffes, der mit dem vieldeutigen und schillernden „einfach" operiert. Dabei spielen vor allem drei Annahmen eine Rolle, die in dem Begriff mitschwingen, und zu denen auch Ansätze bei JOLLES gegeben sind. Sie zählen nicht zum Kernbestand seines Entwurfs, werden manchmal aber einseitig hervorgekehrt: die Annahme der *Ubiquität* der Einfachen Formen, ihre Gleichsetzung mit genetischen *Urformen* und im Zusammenhang damit die Hypothese einer eindeutigen *Hierarchie* der Formen.

Im Abschnitt über die Legende spricht JOLLES zwar vor allem von der mittelalterlichen imitatio; aber er versucht doch auch zu zeigen, daß es eine verwandte Geistesbeschäftigung schon in der Antike gab. Ähnlich hatte vor ihm WILHELM WUNDT (1832—1920) bereits auf Parallelen aus anderen Kulturbereichen — von den antiken Herakles- und Theseus-

---

[25] Ebd. S. 321.

sagen über die germanischen Odin- und Baldursagen bis zu den ‚Heilbringersagen' der ‚Primitiven' — hingewiesen und so die Legende allgemein durch ihren ethischen Charakter und ihre kultische Bedeutung charakterisiert.[26] JOLLES zieht die Linie auch nach vorn: er sieht die Geistesbeschäftigung der imitatio im — Sportbericht lebendig; der sportliche Rekord ist dem Wunder verwandt.[27] Eine solche Argumentation legt den Gedanken nahe, es handle sich bei der Legende und entsprechend bei den anderen Einfachen Formen um ubiquitäre Erscheinungen, die es so in allen Kulturen gab, die zu allen Zeiten da waren und da sein werden. Dies ist eine fruchtbare Hypothese, wenn sie den Ausgangspunkt bildet für die Frage, wie sich die Einfache Form dann jeweils verwirklicht; sie ist aber gefährlich, wo sie axiomatisch verwendet wird, wo sie diese Überprüfung also zu ersparen scheint: das Material wird dann enthistorisiert, die Bindung an besondere Kulturlagen wird übersehen, und allzu schnell wird zum Archetyp erklärt, was sich gerade nicht nur durch das Allgemeine, sondern vor allem durch die spezifische (auch kulturspezifische) Induktion der Motive auszeichnet. Wenn KURT RANKE die Einfachen Formen als „psychomentale" Grundformen versteht[28], so hätte JOLLES dem sicherlich zugestimmt, insofern damit gezeigt werden soll, daß es sich nicht um das Ergebnis bewußter Selektionen handelt, sondern um elementarere Dispositionen — „Geistesbeschäftigung" ist für JOLLES gewiß nicht primär ein bewußter Willensakt. Dagegen ist die schlechthin „anthropologische" Auffassung der Einfachen Formen zwar in JOLLES' Ansatz enthalten, aber wohl nicht als konstitutiver Bestandteil. Freilich sind in den letzten drei, vier Jahrzehnten die Sammelbestände in aller Welt auf ein Vielfaches angewachsen, und KURT RANKE urteilt über die weltweite Verbreitung der Formen gewiß unter dem Eindruck der umfassenden Vorarbeiten für die geplante Enzyklopädie des Märchens. Dennoch: wenn er von „ontologischen Gattungsarchetypen" spricht, ist dies noch immer — und so hat er es wohl auch verstanden — eher ein Forschungsprogramm als ein Ergebnis.

In diesem Zusammenhang muß auf eine Forschungsrichtung hingewiesen werden, die bisher in der Germanistik und Volkskunde kaum beachtet wurde, obwohl sie zweifellos methodischen Gewinn bringen könnte. Es handelt sich um die *formgeschichtlichen* Bemühungen der protestantischen Theologie. Sie schließen an die sogenannte Literarkritik an,

---

[26] Märchen, Sage und Legende, S. 219.
[27] Einfache Formen, S. 60 f.
[28] Einfache Formen (Kongreßbericht), S. 7 f.

stellen deren Voraussetzungen aber in Frage. Die literarkritische Forschung, deren Anfänge bis in die Aufklärungszeit zurückreichen, hatte den Wahrheitsgehalt der Bibel überprüft, indem sie nach der persönlichen Färbung der Niederschriften, aus denen sich die Bibel zusammensetzt, fragte — vor allem nach den Verfassern der neutestamentlichen Evangelien. Die formgeschichtliche Forschung geht demgegenüber davon aus, daß jene Niederschriften nicht primär unter dem moderneren Aspekt literarischer Originalität gesehen werden dürfen, daß sie vielmehr wesentlich durch vorgegebene Gattungen und Gattungsgesetzlichkeiten bestimmt sind: die Bibel wird als Büchersammlung verstanden, deren Teile unter sehr verschiedenartigen Gattungsgesetzen stehen.

HERMANN GUNKEL (1862—1932), der bald nach der Jahrhundertwende diese Forschungen begründete, ging bei seiner Suche nach Gattungen im Alten und Neuen Testament nicht von dem relativ starren literaturwissenschaftlichen Gattungskatalog aus, sondern beobachtete geduldig die biblische Formensprache selbst. Dabei stieß er darauf, „daß keine Literaturfom einen längeren Zeitraum hindurch sich unverändert behauptet", die Gattungsforschung führte zur Gattungsgeschichte.[29] Die Veränderungen des Gattungsgefüges und einzelner Gattungen bis hin zu ihrem Aussterben erklären sich aus Veränderungen der „Lebenslage"; die Gattung wird als „soziologische Tatsache" verstanden: zumindest jede mündliche Gattung hat ihren „Sitz im Leben".[30] Mit diesem Begriff nahm GUNKEL die Forderung funktionaler Betrachtung vorweg, die später die volkskundliche Schule JULIUS SCHWIETERINGS bestimmte — dort freilich in erster Linie auf das gegenwärtige dörfliche Leben bezogen und mit der Methode teilnehmender Beobachtung verknüpft. Vor allem aber entwickelte sich auf der Grundlage dieses Gattungsverständnisses eine primär historische Untersuchung der Gattungen, und diese Tendenz hat sich neuerdings eher noch verstärkt.

Das zeigt sich darin, daß man mehr und mehr von dem evolutionistischen Konzept abrückt, nach dem die einfachsten Formen stets am Anfang der Entwicklung stehen. GUNKEL ging noch aus von den kleinen Einheiten, in denen er urtümliche Formen sah, während er umfassendere und kompliziertere Gattungen einer sehr späten Stufe zuwies. Diese Vorstellung scheint — und dies ist die zweite nicht ganz ungefährliche Implikation — auch noch in dem Entwurf von JOLLES zu stecken. Das Einfache gilt eo ipso auch als das Ältere, und mit dem Begriff der Einfachen Formen ist leicht die Vorstellung eines Bestandes an

---

[29] K. KOCH: Formgeschichte, S. 24.
[30] Ebd. S. 31.

Urformen zu verbinden, aus dem sich dann später kompliziertere Formen entwickelten. Wiederum sind Ansätze hierfür bei JOLLES vorhanden, auf die ich nicht im einzelnen eingehen kann; jedenfalls verfolgt er „analoge" und „bezogene" Formen bis weit in den Bereich der Literatur hinein, und er läßt keinen Zweifel daran, daß manche ausgeprägten literarischen Formen ohne die vorgegebene zugehörige Einfache Form gar nicht denkbar wären, „daß man — konkret gesprochen — nicht vom Nibelungenlied reden kann, ohne auch eine Nibelungensage zu berühren".[31] Damit ist aber nicht ein simples und direktes Kausalverhältnis gemeint; die neuere germanistische Forschung, welche die Bedeutung des Dichters für das Nibelungenlied stärker betont, stellt gleichwohl diesen Satz von JOLLES eigentlich doch nicht in Frage. Jedenfalls vermeidet es JOLLES, ein genetisches System zu entwerfen, so etwas wie einen Stammbaum, in dem jede einzelne Form ihren Zweig zugeteilt bekommt. Allein schon der Titel mit der Aufzählung ganz verschiedenartiger und verschiedenwertiger Formen zeugt davon, daß es zunächst einmal um ein Nebeneinander geht. Schon WUNDT hatte sich gegen die These gewandt, Märchen, Sage und Legende seien abgeleitete Formen des Mythus; er betrachtete sie statt dessen selbst als „mehr oder minder ursprüngliche Formen des Mythos"[32]; ähnlich stellt JOLLES seine Formen zunächst nebeneinander, ohne Entwicklungsstufen aufeinander zu beziehen.

Ebenso vermeidet er eine systematisch aufsteigende *Hierarchie,* für welche die Einfachen Formen die unterste Stufe abgeben, und die von hier aus bis zu den künstlichsten und spätesten Formen reicht. Auch dieser Ansatz ist wiederum gegeben; JOLLES betrachtet sein Buch als ein erstes Kapitel der Literaturwissenschaft. Aber schon die nebeneinander gestellten Einfachen Formen sind keineswegs alle *gleich* „einfach"; WALTER BERENDSOHN hat kritisch gezeigt, daß es sich teils um vorliterarische, teils aber auch um entschieden literarisch geprägte Formen handelt.[33] JOLLES verzichtet wohl absichtlich darauf, jede Einfache Form bis in den Bereich einer spezifischen Kunstform zu verfolgen und jede Kunstform auf eine bestimmte Einfache Form zurückzuführen. ROBERT PETSCH (1875—1945) hat später mit einer solchen Totalität des Hierarchischen sein Glück probiert; er versuchte, von den einfachsten Formen — etwa des Spruchs oder des „Rufs" — bis zu den differenziertesten Gattungen einen bündigen Zusammenhang herzu-

---

[31] Einfache Formen, S. 10.
[32] Märchen, Sage und Legende, S. 200.
[33] HDM 1. Bd. S. 485.

stellen. Diese Systematisierung, so eindrucksvoll und lehrreich sie in vieler Hinsicht bleibt, ist aber teuer erkauft: genetische, morphologische und funktionale Aspekte werden vermischt, das Ältere und das Einfache gehen durcheinander, „Vorform", „Frühform" und „Vollform" stehen annähernd als Synonyma nebeneinander[34]; die verschwimmende Prägnanz organischer Bilder und Vorstellungen täuscht über die Nahtstellen hinweg; präzisen Angaben und Detailuntersuchungen steht an den Übergängen zwischen den einzelnen Formen ein vages Vokabular gegenüber; und manchmal wird als Bau*stein* mißverstanden, was in Wirklichkeit selbst ein kleiner Bau*plan* ist.

Gerade diese zuletzt angeführte Differenzierung könnte dem Bedürfnis entgegenkommen, für den Bereich der Volkspoesie eine einleuchtende und bündige Einteilung zu treffen, die freilich nicht den Charakter eines Entwicklungssystems hat, sondern lediglich auf einem strukturellen Unterschied aufbaut. Es gibt offenbar Formen, die mehr oder weniger streng in sich geschlossen sind, die nicht nur immer nach demselben Plan gebaut, sondern auch im Detail festgelegt sind; und es gibt andererseits im Bereich der „Kleindichtung" — diesen Ausdruck verwendet PETSCH[35] — Formen, die in Varianten gestaltet sind, für die also lediglich der Bauplan festliegt. Anders gesagt: es gibt *Formeln* und *Formen;* und es wird richtig sein, hier mit den Formeln zu beginnen.

Literatur:

(WALTER) BERENDSOHN: Einfache Formen. In: HDM 1. Bd., S. 484—498.

ANDRÉ JOLLES: Einfache Formen. Legende / Sage / Mythe / Rätsel / Spruch / Kasus / Memorabile / Märchen / Witz. Halle 1929; Darmstadt ³1958.

KLAUS KOCH: Was ist Formgeschichte? Neue Wege der Bibelexegese. Neukirchen 1964.

WOLFGANG MOHR: Einfache Formen. In: RL. 1. Bd. ²1958, S. 321—328.

ROBERT PETSCH: Die Lehre von den „Einfachen Formen". Dt. Vjschr. f. Litwiss. und Geistesgesch. 10. Jg. 1932, S. 335—369.

ROBERT PETSCH: Spruchdichtung des Volkes. Vor- und Frühformen der Volksdichtung. Halle 1938.

KURT RANKE: Einfache Formen. In: Internationaler Kongreß der Volkserzählungsforscher in Kiel und Kopenhagen. Vorträge und Referate. Berlin 1961, S. 1—11.

WILHELM WUNDT: Märchen, Sage und Legende als Entwicklungsformen des Mythus. In: Archiv f. Religionswiss., XI. Bd. 1908, S. 200—222.

[34] Spruchdichtung, S. 1.
[35] Ebd. S. 5 passim.

II. Sprachformel und Sprachspiel

1. Funktionsformel

Das Wort Formel drang ins Deutsche ein als Fachausdruck des römischen Rechts. Dort meinte *formula* in erster Linie das allgemeine Schema, nach dem bestimmte Rechtsgeschäfte geführt und schriftlich niedergelegt wurden; es bezog sich aber auch auf genau vorformulierte Bestandteile des Prozesses (Eidesformel etc.), wie sie in den sogenannten Volksrechten möglicherweise noch eine größere Rolle gespielt hatten. An dieser zweiten Bedeutung: fixierte, wiederholbare, gültige Wendung orientiert sich unser heutiger Begriff Formel.[1] Dazu kommt der Gedanke der Abkürzung und Verdichtung, wie sie sich in der mathematischen und naturwissenschaftlichen Formel ausdrückt; hier ist Formel immer Abbreviatur und Chiffre, die Informationen zusammenfaßt. In der modernen Sprachtheorie und in der Praxis der Datenverarbeitung spielt die Frage eine Rolle, inwieweit sich Sprache auf präzise Informationsbezüge reduzieren läßt; der Chiffrencharakter der Sprache wird herausgestellt — und das heißt mit anderen Worten: ihre Formelhaftigkeit. JEAN PAUL hat die Sprache einmal als „Wörterbuch verblaßter Metaphern" bezeichnet[2]; tatsächlich ist der Bildsinn der Wörter abgeschwächt, und werden sie nicht eigens herausgehoben, ‚verfremdet', so sind sie nur formelhafte Informationsträger. Gerade dies macht die Sprache zum nützlichen Vehikel: sie entlastet uns, sie schafft vor, sie „denkt" in gewisser Weise für uns.

Die spezifischen Probleme, die sich daraus für die Sprachforschung ergeben, können hier nicht verfolgt werden. Aber es ist wichtig zu wissen, wie eng das Prinzip der Formel mit der Sprache überhaupt verbunden ist, und welch große Rolle auch die Formel im engeren Sinne in unserem alltäglichen Reden spielt. Selbst in Grenzsituationen — vielleicht auch: gerade in Grenzsituationen — entgehen wir der Formel nicht. Wenn wir sagen: „Ich liebe Dich", so bedienen wir uns einer

[1] H. DE BOOR — W. MOHR: Formel.
[2] Vorschule der Ästhetik. Phil.Bibl. Bd. 105, 1923, S. 186.

vorgeprägten Sprachformel. Ich führe dieses Beispiel an, weil sich daran vorläufige Beobachtungen machen lassen, die auf die Formeln der Volkspoesie übertragen werden können: Die Formel ist ein objektives Datum, ist wiederholbares Kollektivgut; sie deckt einen gewissen Sinnbezirk, aber sie kann subjektiv sehr verschieden aufgeladen werden — sie kann sozusagen *nur* Formel sein, sie kann aber auch mit individuellen Gefühlen gesteigert werden, ohne daß sich ihre äußere Form verändert. Der Inhalt der Formel kann auch anders ausgedrückt werden. Unser Beispiel kann erweitert werden zu einem wortreichen Liebesbekenntnis. Es kann aber auch verkürzt werden — etwa zum gefühlsgeladenen Stichwort „Du!", ja es kann sogar auf eine sprachlose Geste, einen Kuß etwa, reduziert werden. Die Formel steht also zwischen der ausführenden Rede und dem bloßen Zeichen; sie ist nicht die letzte Abbreviatur, aber sie signalisiert etwas in der Rede, ist verdichtete Rede.

Diese Beobachtung bestätigt ein rascher Blick auf den Werbeslogan, auf die *Reklameformel,* die man als Sproß manipulierter Volkspoesie betrachten kann. Mit penetranter Gleichförmigkeit ist da etwa vom „Duft der großen weiten Welt" die Rede. Diese Formel kann erweitert werden zu einer eingehenden Empfehlung einer bestimmten Zigarettenmarke — aber eben diese Marke wird schon durch die Formel signalisiert. „Wer sie kennt, bleibt ihr treu" — die Formel allein beschwört schon den Namen der gemeinten Zigarre; der Name selbst und jede weitere Erläuterung wiederholt im Grunde nur, was in die Formel bereits eingegangen ist. „Das strahlendste Weiß meines Lebens" zielt in gleicher, zugleich verdichteter und umfassender Weise auf ein bestimmtes Waschmittel; und so könnten Dutzende von Beispielen angeführt werden. Auch hier gilt übrigens, daß die Formel, ohne daß sie ihr äußeres Gesicht ändert, alle Spielarten von gefühlvollem Engagement bis zu kritischer Ironie erlaubt. Diese weite Klaviatur in der Anwendung bildet das Gegengewicht zur sprachlichen Erstarrung, welche für die Formel charakteristisch ist.

A. Kontaktformel

Es gibt sprachliche Formeln, welche fast nur die Funktion haben, einen Kontakt herzustellen; dazu gehören in erster Linie die *Grußformeln.* Wie zahlreich und vielfältig sie sind, zeigt etwa die Zusammenstellung von KARL PRAUSE; andererseits aber können wir an uns selber beobachten, daß wir über weite Strecken von einem ganz kleinen Repertoire zehren.

Dies ist möglich, weil es sich dabei um leere Formeln handelt, die wir mit persönlichem Gehalt auffüllen *können*, aber nicht *müssen*. Ironische Entgegnungen lassen die bloße Formelhaftigkeit und den Abstand vom ursprünglichen Sinn zutage treten. Im Elsaß kann man auf den Abschiedsgruß „Lebwohl!" die Anwort bekommen: „Wollebe chost Geld!" — Wohlleben kostet Geld; diese Antwort bringt unvermittelt den ursprünglichen Sinn des Abschiedswunsches ins Spiel, der im häufigen und gedankenlosen Gebrauch verlorengegangen ist. Während aber hier der Abstand noch leicht überbrückbar, die Ironie verhältnismäßig harmlos ist, reißt ein (zunächst aggressiver, aber bald in sich schon wieder formelhafter!) Berliner Gegengruß den ganzen Abgrund zwischen dem nichtssagenden alltäglichen Gebrauch und dem vielsagenden ursprünglichen Gehalt auf. Wem auf ein freundlich hingesagtes „Grüß Gott!" entgegnet wird: „Gern, wenn ich ihn treffe" — der erschrickt über die Formelhaftigkeit seines Grüßens und Grußes wohl kaum weniger als über die Drastik der Antwort: sie macht offenkundig, daß der Name Gottes recht locker im Munde geführt wird, und sie zeigt auch, daß die Formel sogar grammatisch entstellt ist, daß sie aus „Gott grüß Dich" oder „Grüß Dich Gott" zurechtgebogen wurde.

Eigentlich bedarf es aber dieser gezielten Entlarvung gar nicht. Man kann sich die Formelhaftigkeit schon vergegenwärtigen, indem man den heute üblichen Kurzformen ihre einstigen Vollformen gegenüberstellt. „Gott segne (Euch) die Mahlzeit" ist die Ursprungsform des kurzen „Mahlzeit!", das zwar keineswegs immer ohne Herzlichkeit vorgebracht wird, das aber im allgemeinen doch eher einen gesunden Appetit als Gottes Segen wünscht. Auch das breitgezogene und doch karge bayrische „Pfiati" läßt an den vollen Wunsch „Behüt Dich Gott!" nicht mehr denken. Die Formalisierung der Grüße, ihre Entfernung vom ursprünglichen Gehalt bedeutet aber freilich nicht, daß jeder Gruß gleichbedeutend und auswechselbar wäre. Jeder hat vielmehr seinen Platz in der persönlichen Klaviatur und seinen *Stellenwert* im sozialen Gefüge. Von den schwäbischen Weingärtnern um Stuttgart und Heilbronn ist überliefert, daß sie sich in guten Weinjahren mit „Bonjour", in schlechten mit „Guten Morgen" begrüßten.[3] Vielleicht verallgemeinert diese Überlieferung einen einzelnen Fall; sie beobachtet aber richtig, daß mit dem einen Gruß ein herrenmäßigeres und vornehmeres Gefühl verbunden war als mit dem anderen. Selbst scheinbare Aller-

---

[3] HERMANN FISCHER: Schwäb. Wb. 1. Bd. Sp. 1291 f.

weltsgrüße sind regional und sozial beschränkt, anders gesagt: sie haben einen bestimmten Stellenwert.

Dieser Stellenwert kann sich freilich ändern; dies ist im Lauf der letzten Jahrzehnte gerade bei allen im engeren Sinn servilen Begrüßungen deutlich geworden.[4] Der „Diener" etwa hat sich in Randzonen zurückgezogen: Im Einflußbereich der alten Donaumonarchie kann es heute noch vorkommen, daß Trinkgelder mit einem „Gehorsamster Diener!" quittiert werden, aber das ist dann ein Requisit des Fremdenverkehrs. Und wo kleinen Buben die als „Diener" bezeichnete knappe Verbeugung angelernt wird, handelt es sich um eine Art neutralen Dressurerfolgs viel eher als um eine Placierung im sozialen Raum. Vollends haben sich die fremdsprachlichen Diener- und Ergebenheitsformeln verschoben. Auf eine venetianische Form des italienischen „Schiavo" = Diener geht das sportliche „Tschau!" zurück, das über die Radetzkyarmee ins österreichische Heer Eingang fand und sich dann vor allem über Österreich und die Schweiz verbreitete — aber eben nicht mehr als Unterwürfigkeitsadresse, sondern als jovial-kollegialer Gruß. Mit dem Wörtchen „Servus" übersetzten wohl österreichische Studenten das geläufige „Diener"; das Kompliment des Dienermachens wurde gelegentlich auch als „Servusreißen" oder „Servusschneiden" bezeichnet. Klingt hier noch die ursprüngliche Bedeutung an, so hat sie sich in dem abgelösten Gruß schnell verflüchtigt: „Servus" wurde rasch zum Gruß gerade zwischen Gleichgestellten, und vor wenigen Jahren machte FRIEDRICH HEINZ SCHMIDT darauf aufmerksam, daß dieser burschikose Gruß zur Begegnungsparole wandernder Radfahrer geworden ist.[5]

Dieses Beispiel zeigt, daß es immer wieder neue Akzente, Zuordnungen und Differenzierungen gibt; im ganzen aber fällt eher die Formenarmut und Uniformierung unserer Grüße auf, zumindest im Vergleich mit intakten dörflichen Verhältnissen. Dort grüßt jeder jeden, und zwar scheint der Austausch von Grüßen außerordentlich vielseitig.[6] Man beschränkt sich nicht auf die einfachen, an der Tageszeit orientierten Formeln, sondern verwendet zusätzlich oder statt ihrer Anfragen und freundliche Mahnungen, die sich auf die Tätigkeit des anderen beziehen: *Habt Ihr den Wagen voll? Überladet nicht! Ruht auch mal! Schneidet's? Schaffet's gut! Macht Ihr bald Feierabend? Gute Arbeit! Tut Ihr*

---

[4] Vgl. K. PRAUSE: Grußformeln.

[5] Die „Servus"-Gemeinschaft. Eine kleine volkskundliche Beobachtung am Wege. In: Wttbg. Jb. f. Vk. 1957/58, S. 195—198.

[6] J. DÜNNINGER: Gruß, S. 23 u. S. 29.

gärteln? Habt Ihr gutes Holz? Man könnte lange fortfahren mit der Aufzählung, die einen ganzen Katalog ländlicher Arbeiten erbrächte. Hier scheint die intensivere Anteilnahme an der Arbeit und am Ergehen des Nächsten sichtbar zu werden; in jeder solchen Frage scheint Interesse, in jedem Ratschlag Wohlwollen zu liegen. Indessen darf die Herzlichkeit solcher Grüße nicht überschätzt werden. Die kleine, übersichtliche Welt des Dorfes ermöglicht diese Art des Grüßens; aber der Gruß leitet keineswegs immer ein verbindliches Gespräch ein. Viele der Fragen erwarten keine Antwort, und wo sie gegeben wird, weicht sie entweder scherzhaft aus *(Wo 'naus? Der Nase nach!)* oder ist ihrerseits bloße Formel *(Seid Ihr bald fertig? Ja, 's ist nicht zu früh!).*

Die sogenannten *Tätigkeitsanreden* stehen also ebenso wie die kürzeren Grußformeln zwischen der bloßen Geste — dem Händedruck etwa — und dem freien Gespräch. Ja sie bezeugen sogar im Grunde noch einen höheren Grad der Bindung an Formeln, da hier eben nicht nur der bloße Kontakt, sondern auch der weitere Tätigkeits- und Lebensbereich sprachlich vorformuliert und genormt ist. Daß diese Normierung bis in scheinbar ganz persönliche Gefühlsbreiten hineinreicht oder -reichte, erweist sich an den Glückwünschen oder erst recht an den Beileidsformeln.

Ehe wir uns solchen Wunschformeln zuwenden, muß noch ein Wort über Formeln gesagt werden, welche den Kontakt nicht herstellen oder noch im Abschied betonen, sondern ihn abbrechen oder verhindern; man könnte von *negativen Kontaktformeln* sprechen. Im ganzen ist dieser Bereich weniger formalisiert. Aus zwei Gründen: er ist weniger konventionell, es gibt also weniger Vorschriften; und er ist affektiver geladen und so stärker von persönlichen Assoziationen bestimmt. Immerhin gibt es neben der reichen Palette von individuelleren Schimpfwörtern u. ä. auch allgemeine Verwünschungsformeln wie „Dich soll der Teufel holen", und es gibt regelrechte negative Grußformeln wie den sogenannten Schwäbischen Gruß. Möglicherweise bringt es der affektive Unterschied gegenüber der positiven Kontaktformel mit sich, daß hier der Inhalt der Formel eher vergegenwärtigt wird: dem Teufel kommt in einer solchen Verwünschung stärkere Präsenz zu als in den geläufigen Grüßen dem lieben Gott. Der Affekt führt aber auch oft zur Verwandlung des negativen Grußes in elementare Körperlichkeit, zur Reduktion auf ‚Grußgebärden' wie das Herausstrecken der Zunge und andere Entblößungsgesten. Andererseits ist aber auch hier von der leeren, neutralisierten, relativ frei verfügbaren Formel auszugehen. Diese Verfügbarkeit wird etwa deutlich, wo der Schwäbische Gruß als

Begrüßung, als positive Kontaktformel verwendet wird — ein Fall, der schon mehr als einmal zu gerichtlichen Komplikationen führte.

Die Frage liegt nahe, ob all das etwas mit Volkspoesie zu tun habe. Man könnte eine Rechtfertigung versuchen mit dem Hinweis auf die Forschungstradition: auf die Vagheit des Begriffes Volksdichtung, und auf einzelne Versuche — etwa denjenigen PETSCHS — ganz von unten damit zu beginnen. Man könnte darauf hinweisen, daß sich wesentliche Merkmale der Volkspoesie schon in diesem Feld abzeichnen: der kollektive Charakter, die primär mündliche Überlieferung, die „Präventivzensur" der Gruppe und die daraus resultierende Anpassung, die Verdichtung des Sprachlichen. Entscheidend aber ist, daß wir zunächst sehr nah an der Sprache bleiben, und daß sich hier deutlich zeigt, daß es offenbar nicht primär um originäre Entwürfe und freie Entfaltung der Phantasie geht, sondern um ein Angebot, mit dem geschaltet werden muß — daß ‚Poesie' hier offenbar weniger als sonst irgendwo das Signum des Luxus trägt, daß „Volkspoesie" vielmehr in noch höherem Maße als andere Dichtung Ordnungsmomente bereitstellt für die Auseinandersetzung mit und in der Welt. Dies wird in solch einfachen und weitgehend prosaischen Formeln am deutlichsten; und von ihnen läßt sich — ohne hierarchischen Systemzwang — leicht der Schritt tun zu anderen Formeln, deren poetischer Charakter schon nicht mehr in Frage steht.

B. Wunschformel und Heischeformel

Ein Mann ist gestorben, den ich ganz gut gekannt habe. Ich will den Angehörigen schreiben, will sie mein Mitgefühl spüren lassen. Ich besinne mich lange, was ich schreiben könnte — und schließlich greife ich zu der gängigen Formel „Herzliche Teilnahme", die ja bereits vorgedruckt angeboten wird. Wir alle haben uns so schon hinter Formeln zurückgezogen. Solche Beispiele zeigen die *Leistung* der Formeln: sie entlasten, sie befreien vom spezielleren persönlichen Engagement, sie halten sich bereit, genormte Fertigteile für wiederkehrende Gelegenheiten.

Während wir aber im allgemeinen nicht ohne Verlegenheit und manchmal nicht ohne das Gefühl des Versagens auf derartige Formeln zurückgreifen, galten sie in geschlosseneren, weniger ‚pluralistischen' Verhältnissen als verpflichtend und auch als völlig zureichend. Dies lag freilich nicht nur an der weniger differenzierten geistigen Haltung derjenigen, die auf die Formeln zurückgriffen, sondern auch an dem differenzierteren Gehalt dieser Formeln selbst. Greifen wir aus der großen Fülle ein Beispiel heraus: In St. Antönien, einem kleinen Ort des

Schweizer Prätigaus, sagen die Ledigen beim Umsingen am Silvester-
abend einen *Neujahrswunsch*, einen ‚Hauswunsch‘ auf, der länger als
fünf Minuten in Anspruch nimmt, Bibelstellen zitiert und auch sonst
predigtartig gehalten ist, und dessen fromme Prosawünsche in die
Verse münden:

> Gott regiert mit seiner Hand
> Nach seinem Willen dieses Jahr.
> Er segne unser Vaterland,
> Und was ich wünsch, das werde wahr.[7]

Wie der Wunsch, so ist auch die Entgegnung formelhaft gefaßt. Während
sich sonst der Glückwunsch-Dialog in St. Antönien heute vielfach auf
ein kurzes: „Ein gutes neues —!" — „Danke, das gleiche wünschen wir
auch!" beschränkt, ist als Antwort auf das Silvestersingen noch eher
der ausführliche, natürlich im Schweizer Dialekt gehaltene Rückwunsch
üblich: „Danke, das gleiche wünsche ich Euch auch, ein gutes, glück-
haftiges, frieden- und freudenreiches neues Jahr, den guten heiligen
Geist und was Euch nutz' und gut ist an Leib und Seele!"[8] Auch der
ausführlichere Dank ist also überpersönlich, formelhaft gefaßt.

Solche *Wunschformeln* begleiten oder begleiteten im volkstümlichen
Brauch die wichtigsten Stationen des Lebenslaufs. Landschaftliche Monographien bieten viele Belege dafür; hier können nur andeutend und ohne
Rücksicht auf landschaftliche Unterschiede einige Beispiele erwähnt
werden. Die Wünsche anläßlich der Taufe sind in kurzen Wechselreden
zusammengefaßt. So gratulieren etwa die Paten der Wöchnerin: „Ich
wünsche Dir Glück zu Deiner Jugend und ich wünsche Dir, daß Du
einen frommen Christen ziehst!" Die Mutter — sie geht nicht mit zur
Kirche — sagt zu den Paten: „Bringet einen rechten Christen heim!"[9]
Und die Paten bestätigen nach der Kirche: „Einen Heiden haben wir
weggetragen, einen Christen bringen wir wieder!"[10] Dieser Glückwunsch
nach der Taufe kann freilich auch scherzhaft ausklingen:

> Wir wünschen, daß die kleine Pate recht fromm sei und gedeihe —
> Und nicht so schreie![11]

---

[7] WALTER ESCHER: Dorfgemeinschaft und Silvestersingen in St. Antönien. Basel
1947, S. 78—82.

[8] Ebd. S. 94.

[9] Volkstümliche Überlieferungen in Württemberg. Stuttgart 1961, S. 82.

[10] RUDOLF REICHARDT: Geburt, Hochzeit und Tod im deutschen Volksbrauch
und Volksglauben. Jena 1913, S. 23.

[11] Ebd.

Die Einladung zur *Hochzeit* — es gab dafür eigens Hochzeitslader oder Hochzeitsbitter, die aber oft auch als „Leichensäger" fungierten, also Todesfälle ansagten — konnte sehr kurz sein: „Ihr seid eingeladen auf die Hochzeit, zuerst in die Kirch' und nach der Kirch' ins Wirtshaus. Kommt auch!"[12]; sie konnte aber auch aus langen gereimten Sprüchen bestehen, die vor allem das Angebot der Hochzeitstafel behaglich ausmalten. Auch die „Abdankung", von einem der Brautführer vor dem Hochzeitsmahl gesprochen, war formelhaft gefaßt; Glückwunsch und Gebet gingen hier ineinander über. Am eindringlichsten sind aber wohl die alten *Beileidsformeln,* die in Wunsch und Dank die persönlichen Gefühle an die gemeinsame Sitte binden. „Tröst Euch Gott in Eurem Leid und geb', daß die Seel' im Himmel sei und Ihr länger lebet" hieß es in Teilen des Schwäbischen; und die Antwort lautete etwa: „Vergelt's Gott! Tröst' Gott seine arme Seel'!"[13]

Im alten Jahres- und Arbeitsbrauch, dessen Vielfalt hier allerdings noch stärker vernachlässigt werden muß, sind die Wünsche vielfach gekoppelt mit nachdrücklichen Forderungen. Im Neujahrsbrauch freilich stehen die Glückwünsche im Vordergrund; wenn die jungen Silvestersänger in St. Antönien von der Bevölkerung Geldspenden zu einem gemeinsamen Essen erhalten, so ist dies nur die stillschweigende Belohnung für die guten Wünsche. An anderen Festterminen und bei anderen Anlässen rücken die *Forderungen* dagegen in den Mittelpunkt, und in den *Heischeformeln* treten die Glückwünsche vielfach ganz zurück. Das „Heischen" wird zwar immer wieder als Bettelei denunziert; tatsächlich aber unterscheidet es sich vom Betteln durch einen Rechtsanspruch, der in einer besonderen sozialen Stellung, in spezifischen Leistungen — die Heischegänge der Hütebuben, des Gesindes, bestimmter Handwerker! — oder einfach in der undiskutierten Tradition begründet ist. GOETHE beobachtete den Unterschied präzise, als er von den zu Fasnacht herumziehenden und Gaben sammelnden Kindern sagte: „auf alle Fälle bettelten sie nicht, sie heischten nur".[14] An *Fasnacht* finden sich auch heute noch die meisten Heischebräuche; andere wichtige Anlässe sind der *Dreikönigstag,* der *Funkensonntag, Lätare, Ostern, Pfingsten, Johanni,* die Zeit der *Ernte* und die sogenannten *Klopfnächte* vor Weihnachten. In gewisser Hinsicht können auch die gemeinschaftlichen oder einzelgängerischen Besuche der Burschen bei den jungen Mädchen als Heischegänge verstanden werden; die Burschen berufen sich dabei

---

[12] Ebd. S. 57.
[13] Ebd. S. 134; Volkstümliche Überlieferungen, S. 199.
[14] Werke (WA), 42, 2, S. 457—460: Über Volks- und Kinderlieder; hier S. 458.

auf herkömmliches Recht, und sie fordern Belohnung: nämlich Eingang in die Kammer des Mädchens. Die *„Gaßlreime"* — den Heischeformeln vergleichbar — operieren mit spielerischen Assoziationen, die oft schon das erotische Thema variieren, und am Ende steht meist die ungeschminkte Aufforderung.[15]

Die Heischeformeln des Jahresbrauchs sind meistens knapper. Nur selten enthalten sie eine Art *Aktionsanzeige,* einen Hinweis auf den äußeren Vollzug des Brauchs. Ein sächsischer Reim beim *„Binden"* lautete:

> Mein Vers ist der beste:
> Nicht zu lose, nicht zu feste!
> Sie werden sich lösen aufs allerbeste![16]

Der vor allem in Niederdeutschland heimisch gewesene Brauch bestand darin, daß man den Gutsherren oder auch Fremde, die während der Ernte auf den Acker kamen, scherzhaft fesselte und erst gegen ein Trinkgeld wieder frei ließ. Dies wird in der Heischeformel angedeutet. Großenteils aber sind die Formeln so unspezifisch, daß immer wieder *Übertragungen* vorkommen; so ist etwa in einzelnen süddeutschen Fasnachtssprüchen von einem König die Rede, was wohl entweder auf Dreikönigsumzüge oder aber auf ein altes Pfingstspiel zurückgeht — vielfach sind die Heischeverse die Reste älterer dramatischer Vollformen, bei denen dem Einsammeln der Gaben ein revueartiges Spiel vorausging. Im allgemeinen drehen sich die Formeln um die verlangten Gegenstände. Die direkte Forderung „Speck oder Geld!" ist freilich die Ausnahme; meist wird entweder ein Eventual*lob* hinzugefügt: „Der NN. ist ein braver Mann, wenn er etwas gibt", oder — noch häufiger — eine Eventual*drohung* gibt der Forderung Nachdruck: „Küchle raus, oder ich schlag ein Loch ins Haus"; „Eier raus, oder ich laß den Marder ins Hühnerhaus".[17]

Wörtlich genommen erfüllen solche Drohungen den Tatbestand der Nötigung; aber hier wird eben deutlich, daß die Formel gleichzeitig mehr *und* weniger bedeutet als den Inhalt ihrer Worte. Sie ist von vornherein dem spielerischen Ernst des Brauches zugeordnet; der Stellenwert ist auch hier vorgegeben. Dazu kommt, daß die Art des Vortrags —

---

[15] Beispiele bei I. Peter: Gasslbrauch.

[16] Ingeborg Weber-Kellermann: Erntebrauch in der ländlichen Arbeitswelt des 19. Jahrhunderts. Marburg 1965, S. 212.

[17] Vgl. Konrad Köstlin — Martin Scharfe: Heischebräuche. In: Dörfliche Fasnacht zwischen Neckar und Bodensee (= Volksleben Bd. 12). Tübingen 1966, S. 156—195.

im allgemeinen ein hart taktierender, einzelne Leitwörter heraustellender Sprechgesang — zwar dem Ganzen Nachdruck gibt, den Sinnzusammenhang aber eher verwischt.

C. K u l t f o r m e l

Heischeformeln und Wunschformeln — mögen diese in ihrem religiösen Gehalt auch das Persönliche transzendieren — wenden sich immer an eine Person oder an eine Gruppe von Personen. Daneben gibt es brauchtümliche Formeln, die an *höhere Mächte* gerichtet sind. In vielen Gegenden standen vor dem ersten Sensenschnitt Bitten wie „In Gottes Namen" oder „Gott verleihe Glück". Und beim winterlichen Funkenfeuer in einigen schwäbischen Dörfern zogen die Jugendlichen mit Fackeln über die Äcker mit der jungen Wintersaat und riefen:

> Samen, Samen reg Dich,
> Samen, Samen streck Dich![18]

Es ist schwer zu entscheiden, ob dieser Reim aus der historischen Schicht vorherrschender Magie stammt, oder ob er in die Sekundärschicht früher Brauchpflege gehört; nach seinem Gehalt verkörpert er jedenfalls eine unmittelbare *Beschwörung,* während die Formeln vor dem ersten Schnitt *Gebete* darstellen.

Damit sind die beiden Pole dessen markiert, was wir als *kultische* Formel bezeichnen. Dieser Begriff ist freilich cum grano salis zu nehmen; aber auch andere Attribute wie *numinos* oder *liturgisch* treffen nur einen Teil dieser Formeln. Der vorgeschlagene Begriff lenkt den Blick zunächst bewußt auf den Kultus, auf die religiöse Verehrung, die mindestens in der Erforschung der Volkspoesie allzu sehr an den Rand gerückt wurde: bezeichnenderweise gibt es bis jetzt kaum nennenswerte Arbeiten über das volkstümliche Gebet. Dabei soll nicht übersehen werden, daß die beiden Pole in Wirklichkeit nicht so weit auseinanderliegen, daß vielmehr gerade die Mischung frommer Magie und magischer Frömmigkeit charakteristisch sind. Die Bezeichnung „wegbeten" wird für das „Besprechen" von Krankheiten verwendet, und umgekehrt enthält manche Zauberformel nicht nur christliche Namen, sondern auch Elemente religiöser Ergebenheit.[19]

[18] Bernhrad Losch: Anfangs- und Abschlußbräuche. Ebd. S. 82—155; hier S. 148.

[19] Vgl. Regine Grube-Verhoeven: Die Verwendung von Büchern christlich-religiösen Inhalts zu magischen Zwecken. In: Zauberei und Frömmigkeit (= Volksleben Bd. 13). Tübingen 1966, S. 11—57.

Auf den „*Zauberspruch*" konzentrierte sich im wesentlichen die Forschung in diesem Gebiet; und dabei wurde von Anfang an die Beziehung zur Poesie herausgestellt. Jacob Grimm leitet in seiner „Deutschen Mythologie" das Kapitel über „Sprüche und Segen" folgendermaßen ein: „Noch stärkere macht als in kraut und stein liegt in dem wort, und bei allen völkern gehen aus ihm segen oder fluch hervor. es sind aber gebundne, feierlichgefaßte worte (verba concepta), wenn sie wirken sollen, erforderlich, *lied* und *gesang;* darum hängt alle kraft der rede, deren sich priester, arzt, zauberer bedienen, mit den formen der poesie zusammen."[20] Jacob Grimm unterstreicht diesen Zusammenhang durch etymologische Erörterungen, die zeigen, wie Ausdrücke des Sagens und Singens „in den begrif des zauberns" übertreten; in Wörtern wie *besprechen, besingen, beschwören* ist dies ebenso deutlich wie im lateinischen *incantatio,* im bedeutungsgleichen althochdeutschen *galstar* (altn. *galdr*) oder im angelsächsischen *spell*. Dabei spielt die entwicklungsgeschichtliche Frage keine Rolle, ob man Sprache überhaupt aus poetisch-beschwörendem Sprechen ableiten möchte, oder ob man ihre Anfänge in dem Bedürfnis zweckhafter Verständigung sieht. Jedenfalls ist hier ein Bereich, in dem poetisches Sagen unerläßlich ist.

Die Verdichtung zur Formel leistet dabei Verschiedenes. Sie ermöglicht die *Wiederholung* und macht die Inhalte *tradierbar*. Sie betont aber andererseits das Je-Einmalige; sie *intensiviert,* macht wirksam und gültig. Sie erhöht das Ausgesprochene, hebt es heraus aus der alltäglichen Rede als einen Bereich, in dem das Wort eine besondere Macht hat. In einem russischen Zauberspruch wird diese Macht in extremer Weise vergegenwärtigt: „Mein Wort ist groß, mein Spruch ist stark. Stärker ist mein Wort als Wasser, höher als der Berg, zugkräftiger als Gold, mächtiger als ein Reicher. Mein Spruch kann nicht durch das Wasser, nicht durch das Feuer, nicht durch die Erde, nicht durch die Luft gestört werden. Wer aus dem Meere das Wasser austrinkt, wer aus dem Felde alles Gras ausreißt, selbst der überwältigt nicht meinen Spruch".[21] Die Hybris dieses Spruches charakterisiert freilich — dies sei noch einmal betont — nur die eine Seite der kultischen Formel. In einer neueren umfassenden Untersuchung zum Zauberspruch, in der Arbeit von Irmgard Hampp, werden schon im Titel drei verschiedene Auffassungen unterschieden: *Beschwörung, Segen* und *Gebet*. Diese Auffassungen verkörpern zugleich drei Entwicklungsstufen, die allerdings

[20] Cap. XXXVIII. Ausgabe Tübingen 1953, S. 1023.
[21] Joseph Virgil Grohmann: Aberglauben und Gebräuche aus Böhmen und Mähren. 1. Bd. Leipzig 1864, S. 148.

zeitlich nicht genau festzulegen sind. Jacob Grimm unterschied in seiner Akademierede von 1857 „Über das Gebet" drei Perioden: in der ersten herrscht das Opfer; in der zweiten verbinden sich Opfer und Gebet, in der dritten befreit sich das Gebet von der Opferhandlung. Diese Perioden entsprechen ungefähr den Entwicklungsstufen von Beschwörung, Segen, Gebet.[22]

Die *Beschwörung* ist charakterisiert durch einen Befehl, der sich entweder unmittelbar an die Erscheinung des Bösen wendet, die vertrieben werden soll, oder aber an die dämonische Macht, die hinter diesem Bösen steht:

> Schwär aus dem Mark,
> Schwär aus dem Bein,
> Schwär aus dem Blut,
> Schwär aus der Haut,
> Schwär flieh in den wilden Wald![23]

Der *Segen* enthält einen Wunsch, dessen Objekt das kranke Wesen, dessen eigentlicher Adressat aber eine höhere Macht ist. In einem handschriftlichen Hausbuch von 1800 findet sich der folgende Eintrag gegen das „Geschoß", eine Euterkrankheit der Kühe:

> hast du das geschoss oder das gefloss
> so helf dir der liebe allmechtige Gott
> im Nahmen der hochgelobten 3 Valtigkeit
> solches muß 3 mahl gesprochen werden.[24]

Schließlich gibt es Formeln, die als Bitte an eine höhere Macht gerichtet sind, die also auch als *Gebete* bezeichnet werden können. Für das Blutstillen ist diese Formel gedacht:

> O Herr Jesu Christ
> der du ohne Sünde bist
> und auch keine mehr tust —
> stell die Ader und das Blut![25]

Freilich fallen hier Bitte und Befehl im entscheidenden Imperativ zusammen; dies ist ein Hinweis darauf, daß die Unterteilung der Kultformeln doch eher ein theoretischer Behelf ist. Allein schon in der Formelhaftigkeit, in der Wiederholbarkeit steckt ein Zug der Magie;

---

[22] Kl. Schr. 2. Bd. S. 439—462; hier S. 460.
[23] I. Hampp: Beschwörung, S. 117.
[24] Ebd. S. 132.
[25] Vgl. ebd. S. 135.

und die Vorschrift, einen Segen dreimal zu sprechen, rückt diesen in den Bereich ‚*theurgischen*‘ Denkens, in die Nähe der Beschwörung. Umgekehrt schließt sich dem Befehl an die verborgene Krankheit oft die Berufung auf göttliche Autorität an. Die Übergänge sind fließend, und charakteristischerweise gibt es Zaubersprüche, bei denen alle drei Formen vereinigt sind, so etwa in dem folgenden Spruch gegen die Gicht:

> Ach Gott, du ewiges Licht,
> Töte ab die siebenundsiebzigerlei Gicht,
> Gichtflüsse und Schmerzen,
> Weichet aus und ja nicht ein,
> Ihr sollt kalt oder warm sein,
> So lasset das Reißen, Brennen und Toben sein.
> N. N. Gott behüte dir dein Fleisch und Blut,
> Dein Mark und Bein,
> Deine Hirnnerven und Äderlein,
> Die sollen dir von der 77erlei Gicht behütet sein.
> Im Namen der allerheiligsten Dreifaltigkeit.[26]

Diese Formel beginnt als Gebet; es folgt die Beschwörung, die aber dann in einen Segen, einen Wunsch übergeht.

Dazuhin wird in der Niederschrift ausdrücklich gefordert, daß die leidende Stelle dreimal mit einem Backstein gestrichen werde. Dies führt zu dem Hinweis, daß auch die Kultformel in der Mitte zwischen nur andeutenden und erweiterten Formen steht. Einerseits kann die Formel durch bloße Gesten, durch kurze magische Aktionen oder fromme Gebärden ersetzt werden: das Handauflegen und das Händefalten gehören hierher. Andererseits kann die Formel ergänzt werden durch zusätzliche Handlungen, und sie kann auch in sich erweitert werden. Dies geschieht einmal durch die sogenannte *Ritusanzeige;* dabei wird die Aktion in der Formel selbst beschrieben. Ein alter Mann, der sich die Fähigkeit zuschrieb, mit Hilfe von Wacholderzweigen Warzen zu beseitigen, schilderte mir einmal den äußeren Vorgang des Heilens, der sich aber auch präzise in der von ihm verwendeten Formel selber spiegelt:

> Reckholder, ich knick dich,
> Reckholder, ich bind dich,
> Reckholder, ich nehm' dich gefangen,
> bis dem N. N. seine Warzen sind vergangen.[27]

---

[26] Ebd. S. 140 (nach Hovorka-Kronfeld II, 273).
[27] Hausen a. T. Kreis Balingen, 1956.

Zum andern kann aber die Formel auch durch einen *Analogiebericht* erweitert werden; eine Geschichte wird erzählt, in der eine ähnliche Heilung bewerkstelligt wurde. Hier handelt es sich um den Typus des zweiten Merseburger Zauberspruches, der — im allgemeinen mit christlichen Namen — weit verbreitet war. Hier kommt ein episches Element ins Spiel, aber es ist doch formelhaft gebunden, gekettet an Beschwörung, Segen, Gebet.

D. Rhythmusformel

Im Jahr 1896 veröffentlichte KARL BÜCHER ein aufsehenerregendes Werk mit dem Titel *„Arbeit und Rhythmus"*. In diesem Buch wurde die zugespitzte Hypothese verfochten, daß der Ursprung von Poesie und Musik schlechthin in der zwangsläufigen Rhythmisierung vieler Arbeitsvorgänge zu suchen sei. BÜCHER trug beachtliches Material zur vergleichenden ethnographischen Forschung zusammen — vom antiken Mühlenliedchen bis zu den Arbeitsgesängen schwarzer Hafenarbeiter in Nordamerika. Zum Teil handelte BÜCHER rein musikalische Phänomene ab wie den Taktschlag durch Trommeln, zum Teil ging er auf ausführliche Lieder ein, die bei bestimmten Arbeiten gesungen werden, oder die bestimmte Arbeiten besingen. Dazwischen aber findet sich eine größere Gruppe von Formeln, die ausschließlich einzelnen Arbeitsvorgängen zugeordnet sind, und deren Rhythmus von diesen Arbeitsprozessen bestimmt ist. Die Vortragsweise pendelt — PETSCH sagte das von der Kleindichtung insgesamt — „zwischen gehobener Prosa und tonalem Gesang".[28]

Solche Rhythmusformeln sind Arbeiten unterlegt, die im *Gleichtakt* verrichtet werden; charakteristische Beispiele sind die Gesänge beim Lichten des Ankers und beim Aufziehen des Taues durch die Schiffer, die formelhaften Rufe der Schiffszieher und vor allem die Verse der Rammer. Die Formeln beginnen vielfach mit einem unspezifischen Silbenruf, der den Grundtakt angibt; auf dieses „Ho — hi", „Ho — ruck", „Hi — hopp" usw. schrumpft die Formel in manchen Fällen zusammen. Meistens aber folgt auf diesen Kommandoruf ein Text, der manchmal Hinweise auf die betreffende Arbeit enthält, manchmal auch in andere Assoziationen ausweicht, immer aber am Rhythmus der Arbeit orientiert bleibt und hin und wieder mit schallnachahmenden Leitwörtern — „Bums", „Tschupp", „Rrum" — durchsetzt ist.

[28] Spruchdichtung, S. 21.

Ein Rammerspruch aus den Vierlanden beginnt:

> Hoch op den Block!
> Den Pohl op'n Kopp!
> Hoch noch mol,
> Schlank hendol!
> Je heuger he geiht,
> Je beter he sleit.[29]

Diese drei Reimpaare ziehen sich in unregelmäßiger Wiederholung durch den ganzen Text, der 73 Verse mit den verschiedensten Anspielungen umfaßt: erotische Vergleiche, die der Vorgang des Rammens nahelegt, ironische Sozialkritik, Betonung der Arbeitsmühen und Abwehr müßiger Zuschauer, Aufzählung von Getränken, Aneinanderreihung von Zahlen und Himmelsrichtungen. Das Wesentliche aber ist die durchgängige, nachdrückliche Rhythmisierung, mit welcher der Vorarbeiter, der die Verse ruft oder singt, die Schläge in Gleichtakt bringt und die Führung des Pfahles lenkt.

Die Rhythmusformeln dienen also nicht nur dem Ansporn und damit der *Intensivierung* der Arbeit, sondern auch der rhythmischen Gliederung und *Ordnung* des Arbeitsprozesses. Ganz im Vordergrund steht diese Funktion bei den Formeln, die zwar bestimmten Arbeiten zugeordnet sind, die aber bei der Arbeit selber im allgemeinen gar nicht gesprochen werden — sei es, weil es sich um die Verrichtungen einzelner handelt, oder um Arbeitsgänge, bei denen das Sprechen unmöglich und unnötig ist. Hierher gehören die dreisilbigen gegliederten Formeln, die den dreiteiligen Arbeitsgang am Webstuhl charakterisieren, die „Sripp-Strapp-Strull"-Sprüche der Melker, die das Geräusch beim Streichen der Sense nachahmenden Wetzsprüche und vor allem die einstigen Merkverse der Drescher, welche die Abfolge der Flegelschläge regulierten. Alte Drescher können den rhythmischen Wechsel auch wortlos, durch rasch aufeinanderfolgende kräftige Handschläge gegen die eigene Brust andeuten; meistens aber wird der Rhythmus durch einen kurzen Text charakterisiert: „Dicker-dicker-Speck im Hafen" spielt auf den sprichwörtlichen Hunger der Drescher an; „Sü mal, nu kaam ik! Sü mal, nu kaam ik" kommentiert den Arbeitsablauf selber; „pücke-packe, pücke-packe" akzentuiert nur den Rhythmus, der aber für alle diese Formeln, auch die mit ausführlichem Text, das wesentliche ist.[30]

---

[29] O.Lauffer: Arbeitsrhythmus, S. 400; vgl. R. Petsch: Spruchdichtung, S. 43 f.
[30] Vgl. J. Schopp: Arbeitslied, S. 282–324.

Die Aufzählung bleibt notgedrungen unvollständig; aber ganz kurz sei wenigstens noch auf die Antreiberufe und die Lockformeln für Tiere hingewiesen, von dem oft zum Lied erweiterten „Hü, Schimmel, hü" und den archaischen „Loba"-Rufen alpiner Kühreihen bis hin zum einfachen „Komm, Bi-bi-bi". So weit nicht wie im Kühreihen bestimmte weithin tragende Tonfolgen zentral sind, sind es auch hier in erster Linie bestimmte Rhythmen, welche diese Rufe prägen. Aus diesem Grund kann sich der Text spielerisch entfalten und zwischen lautmalerischen Andeutungen, realen Beschreibungen und lustigen Sinnlosigkeiten schwanken. Dies gilt für die Rhythmusformeln ganz allgemein. Sind sie auch funktionell meist eindeutig festgelegt, so weisen sie doch schon hinüber auf die nächste Gruppe, die hier behandelt werden soll: die Spielformeln.

Literatur:

HELMUT DE BOOR — WOLFGANG MOHR: Formel. RL 1. Bd. ²1958, S. 471—476.

KARL BÜCHER: Arbeit und Rhythmus. Leipzig 1896; ⁵1919.

JOSEF DÜNNINGER: Gruß und Anrede. In: Der Deutschunterricht, 15. Jg. 1963, H. 2, S. 21—35.

IRMGARD HAMPP: Beschwörung — Segen — Gebet. Untersuchungen zum Zauberspruch aus dem Bereich der Volksheilkunde. Stuttgart 1961.

OTTO LAUFFER: Arbeitsrhythmus und Liedrhythmus in der deutschen Volkskunde. In: Festschrift Theodor Siebs zum 70. Geburtstag, hg. von W. Steller. Breslau 1933, S. 393—408.

ILKA PETER: Gasslbrauch und Gasslspruch in Österreich. Salzburg 1953.

ROBERT PETSCH: Spruchdichtung des Volkes. Vor-und Frühformen der Volksdichtung. Halle 1938.

KARL PRAUSE: Deutsche Grußformeln in neuhochdeutscher Zeit (= Wort und Brauch H. 19). Breslau 1930.

JOSEPH SCHOPP: Das deutsche Arbeitslied. Heidelberg 1935.

HERBERT WETTER: Heischebrauch und Dreikönigsumzug im deutschen Raum. Diss. Greifswald 1933.

2. Spielformel

Der Begriff der Spielformel enthält zwei konträre Elemente: Spiel als Element der *Freiheit,* Formel als Element der *Bindung.* Gerade die Spannung von Freiheit und Bindung charakterisiert diese Spielformeln; das Spielerische des Gehalts wird in der Formel gefangen, die präzise Form gibt dem Spielerischen seinen Rahmen. Der Sinn kann umgebogen werden, über ihn wird frei verfügt, wo Reim und Rhythmus es fordern; die Form dagegen liegt fest, auch wenn es Variationen gibt, und diese formelle Festigkeit hilft der Merkfähigkeit und damit auch der Tradierung.

Der Ausdruck Spielformel verweist von vornherein auf die *Kinderwelt.* Allerdings muß daran erinnert werden, daß es solche Spielformeln auch im Bereich der Erwachsenen gibt und vor allem gab; erotische Reime und ein Teil der schon behandelten Arbeitsreime sind Beispiele dafür. Aber sie sind hier ganz konkreten Situationen zugeordnet, sind funktionell festgelegt. Beim Kinderreim, der im Prinzip das ganze Gebiet vertritt, handelt es sich dagegen um eine Totalität von Funktionen; das kindliche Spiel und die kindliche Tätigkeit ist gewissermaßen auf *,alles'* gerichtet.

Dies erschwert natürlich auch die *Anordnung* der Spielformeln. Vor einigen Jahren gab HANS MAGNUS ENZENSBERGER eine Sammlung von Kinderreimen heraus; im Nachwort stellte er — triumphierend gewissermaßen — fest: „Die souveräne und anarchische Phantasie der Kinderreime macht alle Versuche zunichte, sie konsequent einzuteilen. Historische, landschaftliche, formale, thematische und funktionelle Kategorien erleiden gleichermaßen Schiffbruch. Es ist eine Lust zu sehen, wie diese Reime bisher noch über jeden ihrer Ordner die Oberhand behalten haben. Die buntscheckige Vielfalt vereitelt alles Sortieren".[1] Hier muß zwar eine Ordnung gesucht werden; aber diese Anordnung zieht keine festen Grenzen: eine ganz differenzierte Ordnung in diesem Bereich wäre fast eine totale Weltordnung, und auch sie wäre nicht ohne Überschneidungen denkbar. Unsere Einteilung präsentiert also nicht geschlossene Bereiche, sondern setzt Akzente.

A. Nachahmungsformel

Dieser Begriff, für den man sogar geradezu auch *,Pantomimenformel'* sagen könnte, legt zunächst den Gedanken an die mimische Verwirklichung nahe, an ein Spiel, das auf Worte verzichtet. Tatsächlich gibt es das in der Kinderwelt: die Rätselspiele etwa, bei denen Berufsverrichtungen mimisch dargestellt und von der Gegenpartei erraten werden müssen. Aber nicht nur das Kinderspiel, auch der Kinderreim ist — in ganz wörtlichem Sinn — pantomimisch: er ahmt alles nach, die ganze Umwelt, jegliche Erscheinung, jeden Vorgang, jede Tätigkeit.

[1] Allerleirauh, S. 361. Dieser Sammlung sind die folgenden Beispiele entnommen.

Zunächst werden die Formen der *Bewegung* in das Spiel hereingenommen. Es beginnt mit den „Krabbelreimen", bei denen die Kinder an der Innenfläche der Hand gekitzelt werden: „Kommt ein Mäuslein, geht ins Häuslein, kribbele, krabbele". Darauf folgen die sogenannten Kniereiterlieder, die aber nicht eigentlich gesungen, sondern in rhythmisiertem Sprechgesang vorgetragen werden; mit den Knien wird dem Kinde die galoppierende Bewegung und der Sturz beim „Hoppe-hoppe-Reiter" angedeutet. Auch andere Fortbewegungsmittel spielen in diesen Reimen eine Rolle: „Ri-ra-rutsch, wir fahren mit der Kutsch, wir fahren mit der Schneckenpost, wo es keinen Pfennig kost..." Auch die Eisenbahnverse, die Thomas Mann ironisierend in seine Novelle „Unordnung und frühes Leid" einfügte, gehören hierher: „Eisenbahn, Eisenbahn, Lokomotiv, wenn sie nicht weiterkann, macht sie ein' Pfiff".

Hier schließen sich einzelne *Tierreime* an, bei denen allerdings meistens andere beschreibende und sogar erzählende Elemente die nachahmende Charakteristik der Bewegungen ergänzen. Beispiele sind etwa das „Schneck, Schneck, Schniere" und das „Stork, Stork, Steiner"; und, auch dies primär als Beobachtung von Bewegung aufzufassen: „Regen Regen Tröpfli, es regnet auf mein Köpfli". Auffallend ist, daß der Schneckenreim, die Storchenverse, die Regenformel und viele andere Formeln den gleichen altertümlichen Rhythmus aufweisen; ganz allgemein erinnert die Füllungsfreiheit und die besondere Art der Taktierung der Kinderreime oft unmittelbar an die altdeutsche Metrik.

In einer anderen Gruppe von Reimen werden die verschiedensten *menschlichen Tätigkeiten* geschildert und spielerisch-rhythmisch charakterisiert. Im Vordergrund stehen hier die *Berufsreime*, etwa die Verse „Kaminfeger, schwarzer Mann", das „Schneider-Schneider-hopp-hopp-hopp, näh mir einen guten Rock", oder das — wiederum rhythmisch auffallend ähnlich angelegte — „Säge-säge Holz entzwei, kleine Stücke, große Stücke, schni-schna-schni-schna-schnuks". Gerade auch die inhaltlich nicht mehr sinnvollen, nur noch spielerischen Silbenfügungen charakterisieren solche Reime. Andererseits klingt in diesen Reimen freilich auch der handfeste Berufs*spott* an, und hier öffnet sich eine Tür zur Erwachsenenwelt. Zwar sind die Spottformeln, die dort verwendet werden, oft gezielter; aber auch bei ihnen wird dem Spott durch die spielerische Ausformung die aggressive Schärfe genommen. Übrigens beziehen sich diese Spottverse nicht etwa nur auf alte Berufe — „Müller und Lumpen wachsen auf ei'm Stumpen" —, auch für jüngere sind solche Formeln im Umlauf; so wird den Elektrikern etwa gesagt: „Der Herr sprach: es werde Licht — doch Petrus fand den Schalter nicht". Auch der verwandte *Ortsspott* ist keineswegs eine ausschließlich historische Erscheinung. Er hat sich allerdings großenteils in einzelnen *Übernamen* niedergeschlagen; die Spottverse sind seltener. Es hat jedoch den Anschein, daß eine gewisse Neutralisierung des örtlichen Konkurrenzgeistes nicht nur den Spottnamen ihre ursprüngliche Schärfe genommen, sondern gerade auch manchen spielerischen Neckversen Auftrieb gegeben hat.

Doch zurück zur Kinderwelt. Besonders deutlich ist die Nachahmung in den *Einkaufsspielen*, bei denen in der frühen Kindheit mit Gesten der Finger Kunde und Verkäufer dargestellt werden:

> Grüß Gott, grüß Gott, was wollen Sie?
> Zucker und Kaffee.
> Da haben Sie's, da haben Sie's.
> Adje, adje, adje.
> So warten S'doch, so warten S'doch,
> Sie kriegen noch was raus!
> Behalten Sie's, behalten Sie's,
> wir müssen jetzt nach Haus.

Später begleitet der Dialog der Reime ein regelrechtes kleines Spiel:

> Meine Mutter schickt mich her,
> ob der Kaffee fertig wär.
> Wenn er noch nicht fertig wär,
> sollt er bleiben, wo er wär.
>
> Sagen Sie ein Kompliment,
> und der Kaffee sei verbrannt,
> und die Milch ins Feuer gelaufen,
> da könnt Madam keinen Kaffee saufen.

Wie die Praxis des Einkaufens, so sind auch die Verrichtungen im Haushalt sowie die Personen und Objekte des Hauses Gegenstand von Spielformeln. Dabei zeigt sich immer wieder, wie neben realen Beobachtungen auch allerhand *Sinnlosigkeiten* hereingenommen werden, wo es Reim oder Rhythmus nahelegen. ENZENSBERGER überschreibt eine lange Reimfolge, bei der die Strophen durch immer neue Zusätze verlängert werden, „Wunderlicher Hausstand", und tatsächlich spielen darin nicht nur lautmalende Benennungen („Micklemuh heißt meine Kuh") und charakterisierende Beinamen („Trappinsmoos heißt mein Roß") eine Rolle, sondern auch bloße Sprachspielereien: „Nachtigall heißt mein Stall", „Kegelbahn heißt mein Mann". So stehen diese Schwellstrophen nicht nur deutlich an der Grenze zum ausgeformten

Kinderlied, sondern auch innerhalb der Spielformeln an der Grenze zu einer zweiten Untergruppe, die man als Phantasieformel kennzeichnen kann.

B. Phantasieformel

Gewiß ist auch bei den Nachahmungsformeln die Phantasie im Spiel; aber sie sind doch stark an Realitäten gebunden: an Bewegungsabläufe, an Tätigkeiten, an Menschen und Tiere und Gegenstände. Demgegenüber dominiert in anderen Formeln das Phantastisch-Spielerische; diese Reime schreiten nicht fort, indem sie sich an wirklichen Vorgängen orientieren, sondern indem sie sich weitgehend von den spielerischen Möglichkeiten der *Sprache* führen und verführen lassen. Weit verbreitet ist der Kinderreim:

> Es war einmal ein Mann,
> Der hatte einen Schwamm,
> Der Schwamm war ihm zu naß,
> Da ging er auf die Gass',
> Die Gass' war ihm zu kalt,
> Da ging er in den Wald,
> Der Wald war ihm zu grün,
> Da ging er nach Berlin ...

Vom Inhalt her liegt hier das Ende zunächst immer gleich nah oder gleich fern; es handelt sich nicht um eine sinnvolle Entwicklung, die auf einen einleuchtenden Schluß zuführte, sondern um eine Abfolge relativ sinnloser Feststellungen. Abgeschlossen werden solche Formeln oft überhaupt nicht: die Reihung der Verse kommt plötzlich wieder an ihrem Ausgangspunkt an, der Mann wird wieder auf seine sinnlose Reise geschickt.

Man hat solche Reihen unter Begriffe wie *Kettenmärchen, Rundmärchen, Formelmärchen* gefaßt und so mit längeren Liedern und Erzählungen zusammengebracht, bei denen von einem Motiv immer ein Teil ausgewechselt wird, während der andere konstant bleibt und die Kette bildet[2]: Die Katze beißt der Maus den Schwanz ab; als die Maus ihn zurückhaben will, verlangt die Katze Milch. Die Maus geht zur Kuh, diese verlangt Heu. Die Maus geht zum Bauern, der Fleisch verlangt. Die Maus geht zum Schlächter, der fordert Brot — und so fort. Ist schon bei solchen Erzählungen der Begriff des Märchens nicht ganz unproblematisch, so tritt bei den beschriebenen Phantasieformeln das Moment der Erzählung, die Fabel vielfach ganz zurück, und jedenfalls

---

[2] A. Taylor: Formelmärchen.

führen sie nicht in das Märchenland, in dem Wunder selbstverständlich sind und einem glücklichen Verlauf dienen, sondern es handelt sich um ein surreales Operieren mit realen Elementen. Dies klingt vielleicht etwas zu anspruchsvoll für diese harmlosen Reimereien; aber es ist wohl richtig darauf hinzuweisen, daß *Wortakrobatik* im Stil von MORGENSTERNS Galgenliedern nicht nur eine literarische Spätform, sondern auch eine Grundform der Volkspoesie ist. Gewiß sind die volkstümlichen Spielformeln weit weniger „sophisticated" — der englische Begriff trifft hier genauer — als etwa die Nonsense-Verse; aber die sind diesen doch verwandt. Mit den „klassischen" Limericks, den Fünfzeilern von EDWARD LEAR, teilen sie übrigens gerade auch die Eigenschaft, daß sie am Ende häufig wieder zu ihrem Ausgangspunkt zurückkehren.

Immer wird die Kette freilich nicht zum Ring gefügt; es gibt auch Mittel, die lange Reihe schließlich doch abzubrechen. Dabei handelt es sich um verschiedene Mittel drastischer Steigerung, welche die Folge entweder abrupt abschließen oder umbiegen oder auffangen. So münden die Verse vom Mann mit dem Schwamm vielfach in irgendeine Derbheit („da macht er in die Hos'"), die der Wanderung und damit der ganzen Formel ein Ende setzt; in solchen Wendungen zeigt sich die allgemeinere Tendenz des Kinderreims, Tabus spielerisch und doch aggressiv zu durchbrechen.[2a] Die Umbiegung wird beispielhaft deutlich in der langen Versgeschichte „Der Herr, der schickt den Jockel aus", mit der wir freilich den engeren Bereich der Phantasieformeln schon wieder überschreiten. Der Jockel kommt nicht nach Haus, der Herr schickt den Pudel aus — der Pudel beißt den Jockel nicht, der Herr schickt den Prügel aus — immer neue Boten werden vergeblich entsandt, die Strophen werden immer länger. Das Feuer, das Wasser, der Ochse, der Schlächter, der Henker, der Teufel — sie alle verrichten nichts. „Da geht der Herr nun selbst hinaus und macht gar bald ein End daraus": der echt patriarchalische Schritt bringt die Dinge wieder ins Lot, der Teufel holt den Henker, der Henker hängt den Schlächter usw., und auch der Jockel kommt nach Haus — das Lied ist zu Ende.

Eine merkwürdige Kettenformel schrieb vor über 100 Jahren ERNST MEIER in Tübingen auf. Sie beginnt:

> Es war einmal ein schöner Garten,
> Hier ein Garten, da ein Garten,
> War es nicht ein schöner Garten?

[2a] Darüber jetzt ausführlich PETER RÜHMKORF: Über das Volksvermögen. Hamburg 1967.

> In dem Garten war ein Baum,
> Hier ein Baum, da ein Baum,
> War es nicht ein schöner Baum?

Parallel laufen die weiteren Strophen mit den Anfangszeilen: „In dem Baum da war ein Nest" — „In dem Nest da war ein Vogel" — „In dem Vogel war ein Ei" — „In dem Ei da war ein Dotter" — und schließlich:

> In dem Dotter war ein Brief,
> Hier ein Brief, da ein Brief,
> War es nicht ein schöner Brief?

Dann aber findet die ganze Reihe in einem Verspaar ihr Ende und ihre Erfüllung:

> In dem Briefe stand geschrieben:
> Jedermann soll Jesus lieben! [3]

Dieser Beleg mit der abschließenden Transgression ins Religiöse ist ziemlich vereinzelt; vermutlich stammt er aus pietistischer Tradition. Er kann aber insofern verallgemeinert werden, als viele der Phantasieformeln — auch wenn sie nicht in dieser Weise metaphysisch überhöht werden — wohl weniger aus dem Geist des Absurden leben als aus der unausgesprochenen Überzeugung, daß es geheime Querverbindungen zwischen den Dingen gibt, die auch das scheinbar Beziehungslose zur Kette fügen. Und der Beleg ist auch insofern wichtig, als er wiederum deutlich macht, daß all diese Formeln zwar in der Spielwelt der Kinder am schnellsten greifbar, daß sie aber keineswegs ganz darauf beschränkt sind.

C. Lernformel

Selbstverständlich gehört zu allen Spielformeln auch ein pädagogisches Element; sie geben die Möglichkeit, das Sprechen zu üben, Bewegungsabläufe und besondere Tätigkeiten zu erlernen, die Umwelt zu beobachten und die Beobachtungen zu ordnen. Manche Spielformeln aber sind fast ganz auf dieses Moment der Belehrung und des Erlernens abgestellt, und für sie dürfen wir — wiederum nicht im Sinne einer ausschließenden Etikettierung, sondern im Sinne eines Akzents — den Begriff der *Lernformel* in Anspruch nehmen.

Auch hier können wir schon bei ganz frühen kindlichen Bemühungen einsetzen. Die fünfteiligen *Fingerreime* beschränken sich zum Teil auf

---

[3] Deutsche Volksmärchen aus Schwaben. Stuttgart 1852, S. 296 f.

spielerisch charakterisierende Benennungen — „Daume — Laume — Langemann — Spielmann — Dotz"; zum Teil sind sie auch zu kleinen Erzählungen geweitet:

> Der ist in Brunnen gefallen,
> der hat ihn wieder raus geholt,
> der hat ihn ins Bett gelegt,
> der hat ihn zugedeckt,
> und der kleine Schelm da
> hat ihn wieder aufgeweckt.

An all diesen erzählenden Fingerreimen — und es gibt eine ganze Anzahl davon — läßt sich im kleinen zeigen, was Axel Olrik an größeren Volkserzählungen als „bagvægtslov", als Gesetz des Achtergewichts, nachwies[4]: die Tendenz, innerhalb einer Reihe das Gewicht auf den Letzten und nicht selten den Kleinsten zu legen. Für dieses epische Gesetz scheint es pädagogische und wohl auch soziale Hintergründe zu geben: mit dem Kleinen identifiziert sich der Hörer — zumal der kindliche — am schnellsten, und deshalb wird dieser Kleine ausgezeichnet.

Dies ist freilich nur eine ergänzende Beobachtung; im wesentlichen geht es in diesen Fingerreimen darum, daß das Kind erstmals spielerisch unterscheiden und bezeichnen lernt. Anhand der Spielformeln kann man den Lernprozeß aufsteigend über verschiedene Altersstufen und Schwierigkeitsgrade verfolgen. Eine wichtige Rolle spielen die *Zählreime*. Sie können, den Fingerreimen vergleichbar, zu *Er*zählreimen ausgeformt sein; am bekanntesten ist wohl die traurige Geschichte von den zehn kleinen Negerlein, von denen am Ende keines mehr übrig ist. Über den *Ursprung* all dieser Reime wissen wir sehr wenig. Lange Zeit hat man die Assoziationen der Kinderreime schnell mit mythischen Daten verknüpft. Diese Verbindung ist fragwürdig geworden; aber den historischen Entstehungsort hat man nur in den seltensten Fällen finden können. In einem nordamerikanischen Flugblatt aus dem letzten Jahrhundert sind die zehn Negerlein (noch?) „ten little injuns", also zehn kleine Indianer oder auch Inder.[5] Es ist möglich, daß gerade mit Hilfe von Flugblättern und anderen vereinzelten schriftlichen Quellen einzelne Entwicklungs-

[4] Epische Gesetze der Volksdichtung. In: Zs. f. Dt. Alt. 51. Jg. 1909, S. 1—12; hier S. 7.

[5] Edwin Wolf: American Song Sheets, Slip Ballads and Poetical Broadsides 1850—1870. A Catalogue of the Collection of The Library Company of Philadelphia. Philadelphia 1953, S. 154, Nr. 2295.

linien gezogen werden können. Zunächst stehen wir noch reichlich hilflos vor der unlogischen, aber quicklebendigen Fülle dieser Formeln. Eine große Zahl von Zählreimen wendet die Fähigkeit des Zählens bereits an; sie fungieren als *Abzählreime* bei Kinderspielen:

> Eins, zwei, Papagei,
> drei, vier, Offizier,
> fünf, sechs, alte Hex,
> sieben, acht, Kaffee gemacht,
> neun, zehn, weiter gehn,
> elf, zwölf, junge Wölf,
> dreizehn, vierzehn, Haselnuß,
> fünfzehn, sechzehn, du bist duß.

Andere erheben sich bereits in die Region der Rechenkünste:

> Sechs mal sechs ist sechsunddreißig,
> und die Kinder sind so fleißig,
> und der Lehrer ist so faul
> wie ein alter Droschkengaul.

Sie nehmen sich also auch die *Schule* zum Gegenstand; und umgekehrt nimmt die Schule verständlicherweise solche Formeln als willkommenes Lernobjekt. Die *ABC-Reime* zum Beispiel, in denen die Folge des Alphabets durch einzelne Reimzeilen eingeprägt wird, gehören ebenso in die Fibel wie in das freie Repertoire der Kinder:

> A b c d e,
> der Kopf tut mir weh,
> f g h i k,
> der Doktor ist da,
> l m n o,
> jetzt bin ich froh,
> p q r s t,
> es ist wieder gut, juchhe!
> u v w x,
> jetzt fehlt mir nix,
> y z,
> jetzt geh ich ins Bett.

Aber auch die Lernformeln beschränken sich nicht auf die Spiele und Reime der Kinder. Kindliche Auszählverse gebrauchte man in Oberschlesien beim Aufwickeln von gesponnenem Flachs. Bei anderen Arbeiten, etwa beim Abzählen von Kohlköpfen auf dem Hamburger Gemüsemarkt und beim Verladen von Stückgut durch Hamburger Speicherarbeiter, wurden spezielle Zählreime notiert. Beim Stricken wurden die Maschen, beim Klöppeln die Nadeln mit Hilfe von Reimen und Liedern gezählt; eine gute Handhabe bot dabei das Lied vom polygamen Kuckuck, dessen 32 Weiber einzeln in je einer Verszeile charakterisiert werden. In den weiteren Zusammenhang gehören aber nicht nur die Formeln, mit denen bestimmte Zähltätigkeiten — etwa beim Ausgeben der Spielkarten — begleitet werden, sondern auch *Merkverse*, mit denen man sich die Reihenfolge der biblischen Bücher ebenso einprägen konnte wie historische Jahreszahlen; solche Merkverse waren übrigens früher legitimer und wichtiger Bestandteil eines wesentlich mechanisch-katechetisch ausgerichteten Unterrichts.

In manchen Zählreimen finden sich Anklänge religiöser Zahlensymbolik; ausgeprägt ist sie in dem Lied von den zwölf heiligen Zahlen, von denen jede ihre besondere Bedeutung hat: „Eins ist Gott der Herr", „Zwei Tafeln Mosis", „Drei Patriarchen", „Vier Evangelisten" usw. ARCHER TAYLOR vermochte diese „Kette" nicht nur auf ein Ritual der jüdischen Passahfeier zurückzuführen; er konnte sie auch in außerchristlichen orientalischen Religionsformeln — mit charakteristisch veränderten Zuordnungen zu den Zahlen — nachweisen: er hält die Kette letztlich für „eine Erfindung des Sanskrit".[6]

Wiederum haben wir damit, um einen naheliegenden Übergang zu markieren, den engeren Bereich der Spielformeln überschritten. Doch sei noch einmal zurückgegriffen auf eine wichtige Untergruppe der Lernformeln, die man als *Phonationsformeln* bezeichnen könnte. Mit ihrer Hilfe wird die Sprechfähigkeit geschult und getestet. Natürlich ist diese Funktion prinzipiell in fast allen Spielformeln enthalten; manchmal sogar sehr deutlich, wie der folgende Auszählreim beweist:

> Auf einem Gummi-Gummi-Berg,
> da wohnt ein Gummi-Gummi-Zwerg,
> der Gummi-Gummi-Zwerg
> hat eine Gummi-Gummi-Frau,
> die Gummi-Gummi-Frau
> hat ein Gummi-Gummi-Kind,
> das Gummi-Gummi-Kind
> hat ein Gummi-Gummi-Kleid,
> das Gummi-Gummi-Kleid
> hat ein Gummi-Gummi-Loch,
> und du bist es doch!

[6] Formelmärchen, S. 171.

Bei manchen Formeln aber ist die Funktion ganz reduziert auf das *schwierige Sprachspiel*. Hierher gehören die ‚chinesischen' Verse, die sinnlose Silben aneinanderreihen — aber eben in „richtiger", das heißt vorgeschriebener und durch Rhythmus und Reim gebundener Reihenfolge. Und auch die Zungenbrecher gehören dazu, von denen die schwierigeren den Erwachsenen das gleiche Vergnügen machen wie den Kindern; bezeichnenderweise ist das Aufsagen von Zungenbrechern eine beliebte Aufgabe bei Unterhaltungsabenden. Der Spaß beruht dabei freilich nicht immer auf der Zungenakrobatik selber, sondern auf den lustigen Versagern, die vielfach schon bei der Formulierung der Zungenbrecher anvisiert werden. „Der Scheitschleißer von Scheitenschleiß schleißt wohlgeschlissene Holzscheite" — hier ist jede Entgleisung nicht nur formal-sprachlich, sondern offenkundig auch inhaltlich bestimmt und führt hinüber zu einer anderen Form: in die Gegend des Witzes.

Mehr als einmal ist deutlich geworden, daß sich der Bereich der Spielformeln — dessen Vielfalt wir nur andeuten konnten — nicht streng abgrenzen läßt. Aber es ist wichtig festzustellen, daß es innerhalb der „Kleindichtung" eine Vorstufe zu den vertrauteren Erzählformen und Liedern gibt: sprachliche Fügungen, die formelhaft geprägt sind und spielerisch verwendet werden.

Literatur:

Allerleirauh. Viele schöne Kinderreime versammelt von HANS MAGNUS ENZENSBERGER. Frankfurt a. M. 1961.

MARTTI HAAVIO: Kettenmärchenstudien. 2. Bde. (= FFC. Nr. 88 und Nr. 99), Helsinki 1929 und 1932.

JOHANN LEWALTER — GEORG SCHLÄGER: Deutsches Kinderlied und Kinderspiel. Cassel 1911.

RUTH LORBE: Das Kinderlied in Nürnberg. Versuch einer Phänomenologie des Kinderliedes. Nürnberg 1956.

HUGO MOSER: Schwäbischer Volkshumor. Stuttgart 1950.

ARCHER TAYLOR: Formelmärchen. In: HDM 2. Bd., S. 164—191.

GERTRUD ZÜRICHER: Kinderlieder der deutschen Schweiz. (= Schriften der Schweiz. Ges. f. Vkde. Bd. 17). Basel 1926.

3. Redensart und Sprichwort

„Schriften, Schulen, Universitäten und die Mühungen der Gelehrten tun vieles, und tun es mit großem Aufwande, und manchmal mit nicht kleinem Geräusche. Aber es geht ungesehen und ungeachtet viel Weisheit und Klugheit im Lande umher, von Mund zu Mund." Mit diesen Worten charakterisierte 1810 JOHANN MICHAEL SAILER, damals Theologieprofessor in Landshut, die große Bedeutung des *Sprichworts*.[1] Diese Bedeutung hat nachgelassen. Stellte man sich im kleinen Kreise die Aufgabe, auf Anhieb die bekannten Sprichwörter niederzuschreiben, so kämen wohl nur ein paar Dutzend zusammen. Natürlich auch deshalb, weil sich die Sprichwörter schlecht isolieren lassen, weil sie in den Zusammenhang einer Situation gehören; aber dies kann doch über das Armutszeugnis nicht hinwegtäuschen. Das individualisierende Prinzip, das unser Reden und Handeln leitet, läßt die altväterische Formel des Sprichworts nicht mehr ohne weiteres zu. Interessanterweise hat sich sogar eine *Parodierung* des Sprichwortes herausgebildet: „Viele Hunde kommen selten allein" — „Wie man sich bettet, so schalt's heraus". In diesen Parodien dominiert das Sprachspiel, in ihnen bekundet sich die Distanz zum Sprichwort; sie zeigen aber auch, daß die parodistische Überwindung der Formel wieder in der Formel endet.

Der einstige Reichtum an Sprichwörtern läßt sich gewissermaßen statistisch beweisen. Vor 100 Jahren brachte WANDER sein Sprichwörter-Lexikon heraus. Schlagen wir im zweiten der fünf Bände — er reicht von „Gott" bis „Lehren": eine fast symbolische Begrenzung für das Sprichwort! — unter dem Stichwort „Hand" nach, so finden wir nicht weniger als 924 Nummern.[2] Freilich laufen einige davon parallel, und ein ehrbarer Bauersmann des letzten Jahrhunderts hat nicht alle gekannt — so wenig wie ein Gelehrter alle Artikel des Brockhaus. Andererseits erschien das Sprichwörter-Lexikon, ehe die reiche Ernte der Dialektwörterbücher eingebracht wurde, und diese Idiotica enthalten ja meistens nicht nur Bedeutungsvarianten eines Wortes, sondern auch Sprichwörter und Redensarten. In FISCHERS „Schwäbischem Wörterbuch", um nur ein Beispiel anzuführen, umfaßt der Artikel Hand[3] zwölf Spalten: zu WANDERS Belegen kommen so noch viele Hundert dazu.

Greifen wir einige Beispiele heraus:

1. Weinen, daß man die Hände unter einem waschen kann
2. Hände wie ein Lumpentunker
3. Hände mit Dreck, man könnte Rüben hineinsäen
4. Alle Hände voll zu tun haben
5. Sich mit Händen und Füßen wehren
6. Das Herz in die Hand nehmen

[1] Auswahl, ed. D. NARR, S. 39.
[2] 2. Bd. Leipzig 1870, S. 293—329.
[3] 3. Bd. Sp. 1096—1108.

7. Die Hände über dem Kopf zusammenschlagen
8. In die Hände spucken
9. Aus der Hand in den Mund leben
10. Die muß die Hände in allen Wäschen drin haben
11. In dieser Wäsche möchte ich meine Hände nicht waschen
12. Das kann man mit Händen greifen
13. Meine Hände sollen schwarz werden
14. Das liegt auf der Hand
15. Wenn man dem die Hand gibt, will er den ganzen Arm
16. Der hat schon die Hand zu gehabt, als er auf die Welt gekommen ist
17. Was der in die Hand nimmt, gibt ein Stück
18. Eine Hand wäscht die andere
19. Kalte Hände, warmes Herz
20. Leere Hände können einander am wärmsten drücken
21. Mit leeren Händen ist nicht gut Vögel fangen
22. Des Herren Aug tut mehr als seine beiden Hände
23. Wenn man nichts in der Hand hat, kann man nichts halten
24. Viel Händ' nehmen bald ein End
25. Viele Hände sind überall gut, nur nicht im Haar
26. Viele Hände sind überall gut, nur nicht in der Schüssel
27. Zwischen Hand und Mund geht viel zugrund

Bei einer solchen Aufzählung ergibt sich zunächst, daß ein Teil dieser Wendungen recht bekannt, ein anderer verhältnismäßig fremd ist. Subjektiver Zufall ist dabei nicht auszuschalten; es handelt sich aber doch auch um ein objektives Datum: der geographische *Geltungsbereich* einzelner Formen ist sehr beschränkt, der anderer außerordentlich weit, oft nahezu weltweit. Die Wendung „Eine Hand wäscht die andere" hat nicht nur ihre lateinische Entsprechung — „Manus manum lavat" —, sondern auch Parallelen in vielen anderen Sprachen; für „Zwischen Hand und Mund geht viel zugrund" gibt WANDER lateinische, italienische, spanische, portugiesische, französische und holländische Fassungen an.

Als zweites fällt ein *formaler* Unterschied zwischen den verschiedenen angeführten Beispielen auf. *Redensart* und *Sprichwort* ist kein Hendiadyoin; sie lassen sich formal auseinanderhalten. Am Anfang unserer Aufzählung stehen Redensarten, am Ende Sprichwörter. Die Redensart ist im Prinzip ein Satzteil, das Sprichwort ein abgeschlossener Satz. Zwar kann auch die Redensart zu einem ganzen Satz erweitert werden, wie es in unseren Beispielen 10—17 der Fall ist; dabei handelt es sich dann aber um konkrete Sätze, meist auch mit konkretem Subjekt oder doch mit konkretem Bezug, während das Sprichwort als abstrakte, verallgemeinernde Sentenz erscheint.

Im allgemeinen werden Redensarten und Sprichwörter freilich kaum geschieden. Es gibt sogar ein gewissermaßen klassisches Beispiel der Verwechslung: PIETER BRUEGHELS Gemälde, dem man den Titel „Die niederländischen Sprichwörter" unterlegt hat, das jedoch in Wirklichkeit zwar nicht ausschließlich, aber überwiegend Redensarten in manieristischer Fülle und in witziger Vergegenwärtigung darstellt.[4] Die gängigen Beschreibungen des Bildes nehmen diese Konkretisierung meistens wieder zurück; es heißt dann: „durch den Korb fallen", „die Kutte an den Zaun hängen", „gegen den Strom schwimmen", „mit dem Kopf gegen die Wand rennen" — alles Redensarten, die hier allerdings nicht in den Zusammenhang des Gesprächs, sondern des Bildes gestellt werden.

A. Redensart

Die Redensart ist also eine formelhafte Wendung, die in die Rede — ja wir müssen noch ein Stück weitergehen: in den Satz eingebaut wird. Dabei muß freilich noch einmal erinnert werden an den Formelcharakter der Sprache überhaupt, der es unmöglich macht, die Grenze genau zu markieren, an der die formelhafte Redensart beginnt. In einem weiteren Sinn könnte man auch das „einem die Hände schütteln" als Redensart bezeichnen — denn meistens werden bei der so bezeichneten Begrüßung die „Hände" ja keineswegs wirklich „geschüttelt". Im allgemeinen bezeichnet man aber als Redensart eine ausgeprägtere Form uneigentlichen, metaphorischen, bildlichen Sprechens, wobei das Bild allgemein bekannt und verbindlich, also eben formelhaft sein muß.

Wollte man die *Funktionen* der Redensart in ihrer ganzen Vielfalt darlegen, so käme das einem umfassenden System der metaphorischen Stilistik gleich. Hier sollen nur drei wesentliche Leistungen der Redensart herausgestellt werden: 1. Die Redensart kann *Karikatur* sein, verdeutlichende Übertreibung. Man schlägt seltener physisch „die Hände über dem Kopf zusammen", als es die Sprache nahelegt, und niemand hat wirklich, wie es in dem saloppen Vergleich heißt, „Nerven wie breite Nudeln". 2. Die Redensart kann kompliziertere Sachverhalte *zusammenfassen.* Wenn jemand etwas „auf eigene Hand" oder „auf eigene Faust" macht, dann kann der volle Gehalt dieser Wendung nur mit mehreren Elementen umschrieben werden: selbständig, aus eigenem Entschluß, in eigener Verantwortung. 3. Die Redensart dekuvriert als Karikatur — sie verhüllt als *Euphemismus.* Wird von jemand gesagt, er könne „die

[4] Vgl. LUTZ RÖHRICH: Sprichwörtliche Redensarten in bildlichen Zeugnissen. In: Bayer. Jb. f. Vk. 1959, S. 67—79.

Hände nicht daheim lassen", so verbirgt das ironisch, daß der Betreffende alles Mögliche bei allen Gelegenheiten mitgehen läßt — und im *mitgehen lassen* für *stehlen* haben wir gleich noch einmal einen verhüllenden Ausdruck. Tatsächlich ist die Gaunersprache, der Jargon derjenigen, die hin und wieder hinter Gittern „grobgesiebte Luft atmen", das *eine* weite Feld der Euphemismen; das *andere* ist die Begegnung mit dem Tod: für das Sterben gibt es eine Fülle verhüllender Umschreibungen vom zarteren „hinscheiden" bis zum herben „ins Gras beißen".[5] Es ist charakteristisch, daß man sich gerade um dieses Gebiet auch in der künstlerischen Metaphorik bemüht hat — der Barockdichter GEORG SCHOTTEL etwa gab seitenlange Anweisungen, „mit was für oftmaligem veränderten Gebrauche ein Poet sagen könne: ‚sterben und töten‘". Es gibt sicherlich zahlreiche, noch nicht erforschte wechselseitige Verbindungen zwischen dichterischer Metaphorik und volkstümlicher Redensart.

Die drei Funktionen der Redensart lassen sich nicht streng voneinander abgrenzen. Bezeichnenderweise gibt es sogar Fälle, in denen sie zusammentreffen. Ein weiteres „Hand"-Beispiel: Sagt man von einem unpraktischen Menschen, dem handwerkliche und auch sonstige Verrichtungen leicht mißlingen, er habe „zwei linke Hände" — dann ist das einmal Karikatur, da es ja die anatomische Realität bewußt verzeichnet; es ist aber auch eine verdichtende Zusammenfassung, die man nur auf beschwerliche und umständliche Art umschreiben kann; und es ist schließlich auch euphemistisch, denn diese Wendung tarnt im Grunde freundlich als unvermeidliche Gegebenheit, was auch als Unfähigkeit getadelt werden könnte. Hier treffen also *karikierende, pointierende* und *euphemistische* Funktion zusammen.

Insgesamt kann man die Redensart als *formelhafte Akzentuierung der Rede* bezeichnen, wobei freilich der Akzent sich bis zur Unauffälligkeit abschwächen, der Bildcharakter völlig verblassen kann; die Anschaulichkeit ist dann, im doppelten Sinn, in der Sprache aufgehoben. Die Anwendungsmöglichkeiten sind so weit wie die Rede überhaupt; Redensarten finden ihren Platz im knappen Befehl („Reißt Euch am Riemen!") ebenso wie in der breit dahinströmenden Erzählung. Demgegenüber ist das Sprichwort in sich geschlossen. So scheint es zunächst unabhängiger zu sein; tatsächlich aber ist es dank seiner Vereinzelung schlechter anwendbar. Redensarten sind kleinere Bausteine, ja sie sind in gewisser

---

[5] DIETER NARR: Zum Euphemismus in der Volkssprache. In: Wttbg. Jb. f. Vk. 1956, S. 112—119.

Hinsicht der Mörtel, der überall eingefügt werden kann. Das Sprichwort ist ein größerer Baustein; es ist schwerer einzufügen. Es ist seltener, aber es hat auch mehr Gewicht.

B. Sprichwort

JOHANN MICHAEL SAILER, bayerischer Schusterssohn und späterer Bischof von Regensburg, nannte seine Sprichwörtersammlung „Die Weisheit auf der Gasse". Offenkundig handelt es sich bei den Sprichwörtern um *Erfahrungssätze;* man hat immer wieder von einem Katechismus volkstümlicher Lebens- und Sittenlehre gesprochen. Der didaktische Ton ist unverkennbar: „Wer andern eine Grube gräbt, fällt selbst hinein". „Durch Schaden wird man klug". Aber: lernt man wirklich daraus? Das Sprichwort sagt ja gerade, daß man durch *Schaden* klug wird — und nicht durch Sprichwörter, so könnte man ironisch hinzufügen. Offenbar läßt sich auf die Sprichwörter übertragen, was JAKOB BURCK-HARDT zu dem Satz *Historia vitae magistra,* die Geschichte sei die Lehrmeisterin des Lebens, bemerkte: „Wir wollen durch Erfahrung nicht sowohl klug (für ein andermal) als weise (für immer) werden".[6] Das Sprichwort speichert zwar Erfahrungen, aber es ist unpragmatisch. Es gibt sich kasuistisch, indem es einen Präzedenzfall immer wieder anwendet; aber eben dadurch bringt es ein Element der Wiederholung, der bloßen Verdoppelung des Geschehenen ins Spiel, das von der Lehre eher wegführt.

ANDRE JOLLES hat in diesem Sinne die dem Sprichwort zugrunde liegende Form (er nennt sie „Spruch") definiert als „Form, die eine Erfahrung abschließt, ohne daß diese damit aufhört, Einzelheit in der Welt des Gesonderten zu sein".[7] Für JOLLES ist das Sprichwort nicht lehrhaft; der ‚Spruch' hat für ihn „keinen lehrhaften Charakter, er hat selbst keine lehrhafte Tendenz. Damit ist nicht gesagt, daß wir nicht aus der Erfahrung lernen können, wohl aber, daß in der Welt, von der wir reden, die Erfahrung nicht als etwas aufgefaßt wird, aus dem wir lernen sollen. Alles Lehrhafte ist ein Anfang, etwas, worauf weiter gebaut werden soll — die Erfahrung in der Form, in der sie der Spruch faßt, ist ein Schluß. Ihre Tendenz ist rückschauend, ihr Charakter ist resignierend."[8]

---

[6] Weltgeschichtliche Betrachtungen. Pfullingen 1949, S. 31.
[7] Einfache Formen, S. 156.
[8] Ebd. S. 158.

Einen eindrucksvollen literarischen Beleg für den *rückschauenden,* nachträglichen und nachtragenden Charakter des Sprichwortes bietet das *Faustbuch* von 1587; darin ist eine lange Versfolge dem Thema gewidmet: „Wie der böß Geist dem betrübten Fausto mit seltzamen spöttischen schertzreden, vnd sprichwörtern zusetzt".[9] Faust muß hier „den spot zum schaden han"; ihm hält „Mephostophiles", kurz bevor die Frist abläuft, zynisch seinen Abfall von Gott vor, und in einem Katalog von ein paar Dutzend Sprichwörtern präsentiert er ihm die Weisheiten, die ihn vom Teufelswerk hätten fernhalten können:

> Es hat ein wurst der zipffel zween,
> Auffs Teuffels Eyß ist nit gut gehn,
> Die art lest nit gern von der art:
> Wie man offt jnnen worden ward.
> Es last die Katz das mausen nit:
> Dahin kompt einr, dahin er ritt.
> Wer sich noch rüst, der ist nit fertig:
> zu scharpff fürnemen macht nur schertig.

Die Sprichwörter sind hier abschließender, ironischer Kommentar; gerade diese ex-post-Funktion ist nach JOLLES typisch: „In jedem Sprichwort deckt man den Brunnen zu — aber erst, wenn das Kind ertrunken ist."[10] Gegen diesen im Prinzip einleuchtenden Vergleich könnte man insofern Bedenken anmelden, als das Ergebnis, von dem hier die Rede ist, doch vielleicht den Aktionsbereich des Sprichworts übersteigt. Sprichwörter geben sich zwar weltweise und scheinen alle Tiefen auszuloten; aber sie sind in ihrer Funktion doch eher eine leichte Gattung. Wo einer mit dem gestohlenen Auto gegen einen Baum rast, ist die Bemerkung „Ehrlich währt am längsten" unangemessen; sie ist eher am Platze, wo ein Kind ein Stück Kuchen wegnimmt und dann fallen läßt. Es ist jedoch möglich, daß uns bei dieser Einschätzung unsere individualistische Mentalität ein Schnippchen schlägt. „Witzige Einfälle sind die Sprichwörter der gebildeten Menschen", heißt es in FRIEDRICH SCHLEGELS Athenäums-Fragmenten[11], und vielleicht läßt sich dieser Satz umkehren: Sprichwörter sind die witzigen Einfälle der einfachen Leute. Gewiß war der Anwendungsbereich der Sprichwörter einmal größer, war die Anwendung weniger problematisch; aber es war, wenn wir von den Thesen JOLLES' ausgehen, immer *resignierende Anwendung.*

[9] J. SCHEIBLE: Die deutschen Volksbücher von Faust und Wagner. Stuttgart 1849, S. 190—192.
[10] Einfache Formen, S. 159.
[11] Kritische Schriften. München 1956. S. 27.

In Frage gestellt und mindestens modifiziert wurde JOLLES' Auffasung durch MATHILDE HAIN, deren Sprichwortstudie den Untertitel trägt: „Eine volkskundlich-soziologische Dorfuntersuchung". Sie führt also von der philologisch-morphologischen Betrachtung weg zu den Lebensbedingungen und Funktionen des Sprichworts, die aber nicht theoretisch-systematisch aus der Form abgeleitet, sondern empirisch beobachtet werden. Vier Ergebnisse sind herauszustellen, in denen MATHILDE HAIN von JOLLES abweicht: 1. Während für JOLLES das Sprichtwort die letztlich unverbindliche Formulierung einer Erfahrung ist, betont MATHILDE HAIN die *Verbindlichkeit*. Sie weist darauf hin, daß sich der traditionelle Charakter des Sprichworts in Erhärtungsformeln — „... hat meine Großmutter immer gesagt" — ausdrückt, und daß Sprichwörter überwiegend von alten Leuten verwendet werden. Dies läßt den Schluß auf den verpflichtenden Charakter des Sprichworts zu.[12] — 2. MATHILDE HAIN ergänzt WEISGERBERS Formulierung von der Sprache als gesellschaftlicher Erkenntnisform „durch den Begriff der Sprache als gesellschaftlicher Wertungsform".[13] Sie sieht das Sprichwort als Träger sozial verbindlicher *Wertungen*, als Ausdruck der Volksmoral im weiteren Sinne. — 3. Die Wertung und die Lehrhaftigkeit liegen nicht primär in Form und Inhalt des Sprichworts, sondern im *Gebrauch*. MATHILDE HAIN gibt hierfür eine Reihe interessanter eigener Beobachtungen. Sie erzählt zum Beispiel von Bauernmädchen, die darüber klagen, daß sie immer zuhause bleiben müssen und nicht ins Nachbardorf zum Tanz dürfen; ihnen entgegnet die Großmutter: „Man hat schon immer gesagt: die besten Kühe findet man im Stall und nicht auf dem Markt."[14] Hier läßt sich die belehrende Funktion gar nicht bezweifeln; und man muß JOLLES' Theorie zumindest so abändern: Das Sprichwort formt und zeigt die Basis des Vergangenen; aber es schaut nicht nur zurück — diese Basis kann auch für Künftiges gelten. — 4. MATHILDE HAIN holt nicht nur ihre Beispiele aus dem Dorf; sie sieht im Sprichwort auch eine spezifisch *bäuerliche Moral*. Das dörfliche Sprichwort biete ethische Normen in praktischer Verkleidung („Aus schönen Schüsseln ißt man sich nicht satt"); die „praktische Klugheitsrede" des Städters dagegen orientiere sich am Nutzen („Zeit ist Geld", „Ein Sperling in der Hand ist besser als die Taube auf dem Dach", „Selber essen macht fett").[15]

[12] Sprichwort und Volkssprache, S. 68—70.
[13] Ebd. S. 45.
[14] Das Sprichwort, S. 39.
[15] Ebd. S. 38 f.

Dies ist gewiß eine vereinfachte und in ihrer Abhängigkeit vom Stadt-Land-Dualismus gewaltsame Zweiteilung; doch könnte es sich lohnen, das Problem der *Einteilung* der Sprichwörter und die Frage ihrer Bindung an bestimmte Denkweisen, Sozial- und Wirtschaftsformen genauer zu verfolgen. Zu einer ersten Kategorisierung hat im Grunde schon SAILER eine Handhabe gegeben: „Vermenge in den deutschen Sprichwörtern die Sittengemälde nicht mit den Sittenregeln. Jene sagen, was die Menschen tun, diese, was sie tun sollen. — Vermenge also auch den Weltlauf nicht mit der Pflicht. Ein anderes ist der Inbegriff dessen, was geschieht, ein anderes, was geschehen soll." — „Unterscheide die Klugheitslehren von den Tugendlehren. Jene lehren, wie man zum Zwecke kommen kann, diese, was man sich zum Zweck setzen soll. — Suche in dem, was nur Scherz und Laune sein will, nicht strenge Wahrheit. Jene wollen nur gesellige Unterhaltung, diese Richtigkeit des Sinnes und Völligkeit der Annahme. — Fordere von Sprichwörtern, die auf keine Allgemeinheit des Sinnes Anspruch machen, keine Allgemeinheit in der Anwendung. Sprichwörter wollen auch nicht in Reih und Glied fechten, wie die Systeme".[16]

Geht man von diesen Überlegungen aus, so könnte man zu einer vorsichtigen Definition kommen. Das Sprichwort ist eine *partiell gültige Lebensregel;* — im Begriff „*Regel*" treffen sich dabei Sein und Sollen:

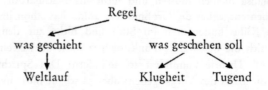

Dabei ist die Regel im allgemeinen nicht als Vorschrift formuliert, sondern als Kommentar. Richtet sie den Blick nach vorn, dann meistens nicht als Appell zu aktiver Gestaltung und Änderung, sondern eher als Hinweis auf eine Gesetzlichkeit, die passiv zu erdulden oder klugerweise in Rechnung zu stellen, die in religiöser oder weltmännischer Ergebenheit zu akzeptieren ist. Darin liegt auch der Unterschied zu den sogenannten „geflügelten Worten", die oft zu aktiver Entfaltung drängen. In den Dramen SCHILLERS bilden diese geflügelten Worte oft abschließende *Sentenzen* am Ende eines Auftritts; trotzdem werden sie in steigendem Ton gesprochen: sie schauen nicht nur zurück, sondern

---

[16] Auswahl, ed. D. NARR, S. 43.

auch nach vorn, wirken nicht „als Ergebnis, sondern als Prozeß".[17] Das „man" des Sprichworts wird im geflügelten Wort zum „wir", das Geschehen zum Wollen.

Das Sprichwort dagegen ist *undramatisch*. In der betrachtenden poetischen Form, in der Epik, spielt es eine Rolle — in GOTTFRIED KELLERS Novellen etwa thematisiert es die Resignation —; im Drama dagegen bildet es höchstens ein fremdes, heraustretendes, distanzierendes Element. So hat BRECHT in der „Mutter Courage" mit Sprichwörtern den falschen Fatalismus ironisiert; und DIETER NARR hat in solchem Sinne die positive Funktion des Sprichworts charakterisiert: „So übernimmt oft und oft ‚die Weisheit auf der Gasse' die Aufgabe des Chors im Drama oder Trauerspiel des Lebens, versteht sie wie dieser die Kunst der sanften, unaufdringlichen Pädagogik, im sachlichen Hinweis auf das, was in ähnlicher Lage Eltern und Großeltern widerfahren, was ihnen im Nachdenken an Früchten der Ahnung und Erkenntnis gereift ist."[18]

Das schwierige Kapitel der *Herkunft*, anders gesagt: der historischen Schichten des Sprichwortes kann nur gestreift werden; doch sollen wenigstens die beiden wichtigsten Quellbereiche bezeichnet werden. Dies ist einmal die *Bibel*, in welche jüdische, altorientalische und ägyptische Spruchweisheit eingegangen ist. Hat sich das Gesicht mancher Sprichwörter auch etwas geändert, so ist die Verbindung doch meistens unverkennbar: Ps. 7, 16 „et incidit in foveam quam fecit" — er hat eine Grube gegraben und ist in die Grube gefallen — wird, rhythmisiert, abstrahiert und verallgemeinert, zu unserem „Wer andern eine Grube gräbt..." In der Bibel ist aber auch — in den Sprüchen des Predigers etwa — griechisch-hellenistischer Einfluß wirksam, und dies führt hinüber zum zweiten wichtigen Bereich: der *Antike*. Der Weg führt wohl nicht selten aus der griechisch-römischen Rhetorik über die Klosterschulen des Mittelalters und humanistische Sammlungen in die Volkspoesie; auch das Sprichwort muß weitgehend als gesunkenes Kulturgut verstanden werden. Daß es freilich keine einheitliche Gattung darstellt, daß es vielmehr nach Herkunft, Inhalt und Funktion eine beachtliche Variationsbreite aufweist, soll der Blick auf einige Sonderformen zeigen, deren erste gleich noch einmal das historische Problem aufwirft.

[17] PAUL NIEMEYER: Die Sentenz als poetische Ausdrucksform vorzüglich im dramatischen Stil. Untersuchungen an Hand der Sentenz in Schillers Drama (= German. Studien, H. 146). Berlin 1934, S. 15.

[18] Auswahl, S. 49.

7*

99

C. Sonderformen

a) Rechtssprichwort

Es gibt eine Reihe von Redensarten und Sprichwörtern, die zwar geläufig und in ihrer heutigen Bedeutung vertraut sind, deren ursprüngliche Bedeutung und Herkunft aber dunkel bleibt. „Scherben bedeuten Glück" sagt man — und man kann für diese Wendung einige Funktionen umreißen: sie beruhigt über den eingetretenen Verlust, sie dient der Befriedung in einer gespannten Situation, und sie entspricht einem allgemeinen Polykratesgefühl, das glaubt, durch das Wegwerfen des einen werde anderes gewonnen oder bewahrt. Aber all das *erklärt* diesen Satz nicht. Nun hat man in bronzezeitlichen Hügelgräbern neben Gefäßbeigaben auch eine größere Zahl einzelner Scherben gefunden; offenbar glaubte man, daß diese Scherben den Verstorbenen nützlich seien. Was aber dem Verstorbenen nützlich war — so könnte man fortfahren — bringt dem Lebenden Glück. Es ist hier unwichtig, ob diese Herleitung bündig ist; im Prinzip wird jedenfalls deutlich, daß aus einem ernsthaften Brauch, aus einer festen Glaubensüberzeugung eine leichte, frei verfügbare Redensart abgezogen worden sein kann.

Dies aber ist die Entwicklung, mit der wir beim *Rechtssprichwort* und bei einer ganzen Reihe einst juristisch relevanter Redensarten zu rechnen haben. Stehende Wendungen wie „Kind und Kegel", „Haus und Hof", „Stock und Stein" stammen vielfach aus dem Rechtswesen. Sie hatten dort oft die Funktion, Sachverhalte vollständig und korrekt zu erfassen; die Formel durfte sich also beispielsweise nicht auf die Kinder beschränken, sondern mußte auch die Kegel (die unehelichen Kinder) einbeziehen, um so allen juristischen Ausweichmanövern und Listen — GOTTFRIEDS *Tristan* gibt Beispiele dafür! — den Ansatzpunkt zu nehmen. Entsprechend handelte es sich bei den Rechtssprichwörtern um zusammenfassende, bündige und bindende *Rechtsformeln:*

> Wo kein Kläger, da ist auch kein Richter.
> Die Ladung bringt das Geleite mit sich.
> Zweimal darf man wohl ausbleiben.
> Briefe sind besser denn Zeugen.
> Unrecht ist auch Recht.
> Ein Zeuge — kein Zeuge.
> Eines Mannes Rede, eine halbe Rede, man soll sie
> billig hören beede.

Lange Zeit dominierte bei der Betrachtung der Rechtssprichwörter die ‚germanistische' These: man sah in diesen Rechtsformeln „Volksrecht", einen Hort altdeutscher Überlieferung, der sich gegen das römische Recht gehalten hatte, und man suchte in den Rechtssprichwörtern vor allem partikulare Gewohnheitsrechte, die sich in einzelnen Herrschaften herausgebildet hatten und nicht schriftlich fixiert waren. Neuerdings wird diese These von einem partikularen Sonderrecht, das letztlich auf germanische Überlieferung zurückgeht, mehr und mehr abgebaut. Man hat für einen größeren Teil dieser Sprichwörter lateinische Entsprechungen gefunden — *Unus testis, nullus testis; Audiatur et altera pars* usf. — und man nimmt auch die Tatsache, daß die deutschen Formeln zuerst in den mittelalterlichen Rechtsspiegeln auftauchen, heute eher als Hinweis auf die *römische Tradition:* die Verfasser dieser Rechtsspiegel gehörten der klerikalen lateinischen Bildungsschicht an, und sie verwendeten diese Formeln wahrscheinlich als Mittel zur Ausbreitung des gelehrten Rechts.

Während man in älteren Arbeiten das Rechtssprichwort theoretisch streng, praktisch freilich nur mühsam von der *regula iuris* trennte, betont FERDINAND ELSENER gerade den Zusammenhang mit der römischen Regularjurisprudenz.[19] Er stellt die Rechtssprichwörter auf eine Stufe mit den *Brocarda* — dabei handelt es sich um die aphoristische Zusammenfassung schwieriger Rechtsüberlegungen (der Name wird gelegentlich mit BURKHARD VON WORMS und seinem Dekretum in Verbindung gebracht).[20] Wir hätten es dann mit einer juristischen Parallele zu den *Memorialversen* zu tun, die sich in der scholastischen Theologie entwickelten. Doch war das Rechtssprichwort nicht nur Lernformel, sondern relevante, bindende Formulierung von Regeln. Da sie sich vielfach auf allgemeine und einleuchtende Rechtsprinzipien bezogen, und da andererseits die juristische Entwicklung oft von ihnen wegführte, wurden die Regeln entweder vergessen, oder sie fügten sich ein in das allgemeine Repertoire der Sprichwörter: „Rechtssprichwort" ist ein überwiegend *historischer* Terminus. Aber auch in seiner vollen Funktion entspricht es den sonstigen ‚Regeln'. Schon in den Digesten JUSTINIANS findet sich der Satz: „Non ex regula ius sumatur, sed ex iure quod est regula fiat" — das Recht wird nicht aus der Regel abgeleitet, sondern die Regel wird aus dem bestehenden Rechtszustand gebildet. Das „Rechtssprichwort" war ein registrierender Kommentar zu einem gegebenen Faktum, ein Ausnahmen zulassender, aber doch rechtsgültiger Kommentar. In Wesen und Funktion nicht allzu weit entfernt stehen

---

[19] Regula iuris.
[20] Ebd. S. 190.

die heute gängigen formelhaften Popularisierungen von Verkehrs-
bestimmungen:

> Siehst Du Schutzmanns Brust und Rücken,
> Mußt Du schnell die Bremse drücken.

b) Bauernregel

In Form und Funktion schließen sich auch die sogenannten Bauernregeln
dem Sprichwort an. Es gibt zwei Gruppen: Arbeitsregeln und Wetterregeln. *Arbeitsregeln* kennen wir zwar vor allem aus der Landwirtschaft:
„Dreimal ackern ist einmal misten"; „Was der Bauer zertritt, wächst
doppelt wieder"; „An des Herren Sohlen hangt der beste Mist"; — aber
neben diesen bäuerlichen gibt es auch handwerkliche Regeln, ja man
könnte sogar gewisse Regeln für die geistige Tätigkeit einbeziehen:
„Plenus venter non studet libenter". Der übliche Begriff der Bauernregel
setzt also nur einen Akzent, der sich zum Teil auch aus der sehr viel
größeren Gruppe der Wetterregeln erklärt: diese sind zwar von allgemeiner Bedeutung, für den Bauern aber sind oder waren sie elementar
wichtig.

Während in den Arbeitsregeln, obwohl sie fast stets in kommentierender
Form gehalten sind, der Vorschriftscharakter nicht ganz fehlt, tritt
er bei den *Wetterregeln* vollständig zurück; sie verweisen höchstens
indirekt auf die Notwendigkeit bestimmter Verrichtungen. Die meisten
könnte man, wie in den geläufigen englischen und skandinavischen
Vokabeln, als *Kalenderregeln* bezeichnen. Für jede Jahreszeit, für jeden
Monat und für viele einzelne „Lostage" gibt es solche Regeln:

> März trocken, April naß,
> Mai luftig, von beidem was — —
> Bringt Korn in Sack und Wein ins Faß.
>
> Lieber sein Weib auf der Bahr,
> Als Lichtmeß hell und klar.
>
> Bischof Felix zeiget an,
> Was wir vierzig Tag für Wetter han.

Auch für die *Tageszeiten* gibt es einzelne Bestimmungen, die sich
meistens an auffallenderen Wettererscheinungen orientieren, etwa am
Morgenrot und am Abendrot. Auch am Verhalten der Tiere wird die
künftige Entwicklung des Wetters abgelesen:

> Wirft der Maulwurf im Januar,
> Währt der Winter bis Mai sogar.

Vielfach schließen die Prognostika an *örtliche Beobachtungen* an:

> Hat der Rauschberg einen Hut,
> Wird's Wetter gut.
> Hat der Rauschberg einen Sabel,
> Wird's miserabel.

Wie vergleichende Forschung im einzelnen nachweisen könnte, handelt es sich dabei freilich um *Wanderformeln,* die sich an die verschiedenen örtlichen Naturgegebenheiten anschließen, keineswegs nur um komprimierte örtliche Erfahrungen.

Wie am Sprichwort, so ist auch eine Orientierung an den Wetterregeln möglich; aber sie antworten nicht auf die Frage, was zu tun ist, entbinden nicht prinzipiell Aktivität, sondern zeigen, was *ist* und was wahrscheinlich *sein wird:* dem Wetter lassen sich keine Vorschriften machen. Die Regeln sind situationsgebunden, sind nur *jeweils* gültig und richtig; sie stellen keine absolute und systematische Lehre auf, sind vielmehr variabel und zeigen Widersprüche. „Wenn der Hahn kräht auf dem Mist / das Wetter im Wechsel ist", heißt es; aber auch: „Kräht der Hahn auf dem Mist / bleibt das Wetter, wie es ist." Bekannt ist die Zusammenfassung: „Wenn der Hahn kräht auf dem Mist / ändert sich's Wetter oder's bleibt, wie's ist"; mit dieser parodistischen Regel wird die *Relativität* der Wetterregeln charakterisiert. Es gibt bezeichnenderweise beim Sprichwort parallele Erscheinungen: der Feststellung „Bald gefreit niemals gereut" steht gegenüber „Heute gefreit, morgen gereut", und der Gegensatz wird aufgehoben in der abwägenden Regel: „Des Menschen Freien, sein Verderben und Gedeihen".[21] Diese Zusammenfassung ist freilich nicht ironisch; aber auch sie verweist auf die Relativität und den resignativen Charakter des Sprichworts: die Dinge sind hinzunehmen wie das Wetter; man kann sich darauf einrichten, aber man kann sie nicht ändern.

c) Wellerismus

„Alter geht vor, sagte Eulenspiegel, und stieß seine Mutter die Treppe hinab". Für diesen Typus des Sprichworts wurden schon viele Namen verwendet: *Sagwort* oder *Sagsprichwort, Sagte-Sprichwort, Beispielsprichwort* oder *apologisches Sprichwort.* Ich halte mich an den Vorschlag von ARCHER TAYLOR, der einen älteren Hinweis von MORITZ HAUPT aufgriff und diese Sprichwörter nach CHARLES DICKENS' Gestalt *Samuel*

---

[21] R. PETSCH: Spruchdichtung, S. 115.

Weller benannte[22]; der Begriff „*wellerism*" hat inzwischen eine gewisse internationale Anerkennung gefunden, und in den neueren Sprich-wörtersammlungen achtet man im allgemeinen auf diese Sondergruppe. Die Frage ihrer *Herkunft* ist freilich immer noch nicht geklärt. Da in Europa — und ganz entsprechend innerhalb des deutschen Sprach-gebiets — eine auffallende Dominanz des Nordens und vor allem des Nordwestens festzustellen ist,[23] operierte man lange Zeit mit der These nordgermanischen Ursprungs. Aber man kennt den Wellerismus auch in den romanischen Ländern; es gibt antike Beispiele, die von den Humanisten in der Renaissance aufgenommen wurden; und auch in Kleinasien ist das Sagwort verbreitet. Dieser geographische Befund legt zunächst den Gedanken an die Verbindungen nahe, die man neuerdings zwischen frühchristlich-antiker und altnordischer Literatur nachgewiesen hat. Aber der Wellerismus ist auch noch in anderen Ländern und Kontinenten bekannt; und weder die Annahme einer antik-nordischen Achse noch auch die naheliegende Vermutung der Polygenese klärt die schwierige Frage, warum Süddeutschland gegenüber dem Norden so auffallend arm an diesem Typ ist. War er im Süden vielleicht nur den Sammlern, zu denen wir hier auch die Verfasser der Dialekt-wörterbücher zählen müssen, verdächtig? Oder verkörpert er wirklich, wie OTTO LAUFFER meinte, eine „Art des Humors, die dem Ober-deutschen fremd und in ihrem innersten Wesen unverständlich" ist?[24] Oder tritt dort an die Stelle der Pointierung in einem Satz die Aus-weitung zu einer etwas längeren Beispielerzählung?

Diese *Ausweitung* ist im Wellerismus angelegt. Ein Sprichwort oder eine Redensart wird einem imaginären Subjekt in den Mund gelegt, und die Situation wird angedeutet, in der das Sprichwort angeblich gebraucht wurde. Dabei kann es sich um eine isolierte Szene handeln wie in der eingangs zitierten Eulenspiegelei; die Situation kann aber auch eine ganze Geschichte vertreten: „Sie ist mir zu krumm, sagte der Fuchs, da saß die Katze mit der Wurst auf dem Baum". Der Formel wird also ein episches Element eingefügt, und es ist kein Zufall, daß *Samuel Weller* in den „Pickwick Papers" überhaupt leicht ins Fabulieren kommt. Er ist darin ein Vorfahr *Schwejks*; wie dieser von seinen Exkursen immer wieder zur — meistens weniger angenehmen — Sache gerufen werden muß, so muß auch Mr. Pickwick an seinen Diener

---

[22] The Proverb, S. 200—220.
[23] Vgl. W. HOFMANN: Sagwort, S. 21—26.
[24] Niederdeutsche Volkskunde. Leipzig 1917, S. 60.

appellieren: „Have the goodness to reserve your anecdotes till they are called for".

Im Wellerismus wird das Sprichwort angewandt, aber es wird gleichzeitig relativiert und umgebogen. „Ehrlichkeit währt am längsten, sagt der Bauer, weil sie am wenigsten gebraucht wird". Die Funktion des Zusatzes besteht jedoch keineswegs darin, das benützte Sprichwort ad absurdum zu führen; es verhält sich damit ähnlich wie mit der schon erwähnten Sprichwortparodie. Nur die absolute Gültigkeit wird bestritten; ja es gibt sogar Fälle, in denen die parodistische Absicherung dazu beiträgt, den Ernst des Sprichworts herauszustellen. Wenn es heißt: „Nichts über Reinlichkeit, sagte die Frau und zog sich alle Christtag ein neues Hemd an", so kann hier das negative Beispiel die Funktion herausstreichenden Kontrastes haben. In der Regel freilich schwächen die Erweiterungen eher ab und schränken ein. „Aller Anfang ist schwer" — das klingt moralisch, altklug, distanziert. Die Fortsetzung: „— sagte der Dieb und stahl zuerst einen Amboß" vermittelt humoristisch; sie macht in gewisser Weise Regelzwang zur Freiheit. „Das Nötigste zuerst, sagte der Mann, prügelte sein Weib und holte dann das Kind aus dem Feuer". Auch „das Nötigste" ist demnach relativ; es gibt verschiedene Aspekte. Das Drängend-Moralische wird von der Redensart genommen; sie wird in den Zusammenhang heiterer Bilder gestellt.

Die drei Sonderformen zeigen so die ganze *Funktionsbreite* von Sprichwort und Redensart. Der Ansatz des Rechtssprichworts liegt in der Fixierung juristischer Bestimmungen mit ihrer direkten, engen und präzisen Gültigkeit; die Bauernregel kommentiert und erklärt; der Wellerismus schließlich ironisiert alle eingleisigen Vorschriften. Er eignet sich deshalb auch gut für eine Korrektur des moralisierenden Volksbildes, für das man nicht selten gerade auch das Sprichwort zu Rate zieht.

Literatur:

FERDINAND ELSENER: Regula iuris, Brocardum, Rechtssprichwort nach der Lehre von P. Franz Schmier OSB. und im Blick auf den Stand der heutigen Forschung. In: Ottobeuren 764—1964. Augsburg 1964, S. 177—218.

FERDINAND ELSENER: „Keine Regel ohne Ausnahme." Gedanken zur Geschichte der deutschen Rechtssprichwörter. In: Festschrift für den 45. Deutschen Juristentag. Karlsruhe 1964, S. 23—40.

MATHILDE HAIN: Sprichwort und Volkssprache. Eine volkskundlich-soziologische Dorfuntersuchung. Gießen 1951.

MATHILDE HAIN: Das Sprichwort. In: Der Deutschunterricht, 15. Jg. 1963, Heft 2, S. 36—50.

WINFRIED HOFMANN: Das rheinische Sagwort. Ein Beitrag zur Sprichwörterkunde. Siegburg 1959.

OTTO E. MOLL: Sprichwörter-Bibliographie. Frankfurt a. M. 1958.

EILERT PASTOR: Deutsche Volksweisheit in Wetterregeln und Bauernsprüchen. Berlin 1934.

JOHANN MICHAEL SAILER: Die Weisheit auf der Gasse, oder Sinn und Geist deutscher Sprichwörter. Augsburg 1810. Auswahl, hg. von DIETER NARR (= Insel Bücherei Nr. 685). Wiesbaden 1959.

CARL SCHULZE: Die biblischen Sprichwörter der deutschen Sprache. Göttingen 1860.

FRIEDRICH SEILER: Deutsche Sprichwörterkunde. München 1922.

SAMUEL SINGER: Sprichwörter des Mittelalters. 3 Bde. Bern 1944—1947.

ARCHER TAYLOR: The Proverb. Cambridge 1931.

HANS WALTHER: Lateinische Sprichwörter und Sentenzen des Mittelalters. Proverbia Sententiaeque Latinitatis Medii Aevi. 5 Bde. Göttingen 1963–1967.

KARL FRIEDRICH WILHELM WANDER: Deutsches Sprichwörter-Lexikon. Ein Hausschatz für das deutsche Volk. 5 Bde. Leipzig 1867—1880.

4. Spruch und Inschrift

Mit einer rübenartigen langen Nase lugt er über die Mauer, an der er sich mit beiden Händen festgekrallt hat: *„Kilroy* was here". Die amerikanischen und englischen Besatzungstruppen haben ihn mitgebracht, und seitdem fristet er sein eintöniges Dasein an den Wänden von Aussichtstürmen, Burgruinen, Telefonzellen und anderen Örtlichkeiten. Es ist zweifelhaft, ob sich das Geheimnis seines Namens und seiner Existenz aufklären läßt. Er ist unfaßbar und omnipräsent, eine Parodie von ORWELLS Big Brother im Voyeur-Stil. Er bezeugt, daß das Bedürfnis der *Inschrift* offenbar keine Grenzen kennt, und in seinem dunklen Namen wird die Vergeblichkeit der tausend Versuche aufgefangen, individuellen Namen durch Inschriften zur Dauer zu verhelfen. Die Affinität der Inschrift zur *Dauer,* ihr Streben nach ‚Verewigung' rückt sie in die Nähe des Spruchs; „Inschrift" ist auch eine innere Form, und als solche ist sie dem *Spruch* verwandt, der seinerseits auf Dauer drängt.

Sprichwort und Spruch hängen zusammen; JOLLES rückt sie sogar unmittelbar aneinander, indem er das Sprichwort als die Vergegenwärtigung der inneren Form Spruch betrachtet. Doch besteht wohl ein prinzipieller Unterschied: Das Sprichwort gehört in den Bereich der Rede, gehört zu einer speziellen Situation. Das Sprichwort bindet diese besondere Situation an eine Ordnung, an eine abstrahierte Erfahrungsweisheit. Aber diese Ordnung bleibt nicht dauernd gegenwärtig; dies macht das Sprichwort gewichtig und leicht zugleich. Der Spruch ist Aushängeschild eines bestimmten ordo, und dieses Schild bleibt bestehen, wird nicht abgenommen. Gewiß gibt es auch hier Widersprüche, aber sie spiegeln dann in sich bündige Gegensätze der menschlichen Ordnungen; jedenfalls wird der Spruch nicht durch eine Situation relativiert. Als Inschrift erhält der Spruch — mag das frei verfügbare Wort letztlich auch beständiger sein — einige Dauer; er ist bezogen auf den *Gegenstand*, dem er ein besonderes Gewicht und oft eine besondere Weihe gibt, der ihn aber umgekehrt nicht nur trägt, sondern auch prägt.

A. Inschriften an Haus, Möbel, Gerät

Deshalb ist es möglich, von einer *äußerlichen* Aufzählung und Einteilung auszugehen; die verschiedenen Funktionen lassen auch verschiedene Motivgruppen in den Vordergrund treten, wenn auch Übergänge und Überschneidungen häufig sind. Auch mit dem Einfluß des Materials muß gerechnet werden: die Sprüche auf zerbrechlichen Gläsern sind zwangsläufig anders als die an festen Häusern. Ja auch *innerhalb* der Gruppen ist mit derartigen äußeren Determinanten zu rechnen. WILHELM SCHMÜLLING hat dafür ein lehrreiches Beispiel gegeben.[1] Er zeigte die Abhängigkeit der westfälischen Hausinschriften vom Baugefüge: während das mit dem Ankerbalkengerüst verbundene Vollwalmdach kaum eine Möglichkeit zur Beschriftung ließ, schaffte die Dachbalkenkonstruktion mit dem hochgezogenen Bretter- oder Fachwerkgiebel die Voraussetzung dafür. Damit ist zugleich eine zeitliche und geographische Grenze bezeichnet: erst seit dem 15. Jahrhundert verbreitet sich mit dem Dachbalkengerüst die Hausinschrift; das westliche Münsterland aber bleibt inschriftenarmes Reliktgebiet.

Natürlich können nicht alle landschaftlichen Unterschiede in Zahl und Art der Inschriften auf solche Konstruktions- oder Materialfragen zurückgeführt werden. Aber die Erklärung mit dem *Stammescharakter* weicht eher aus; anders gesagt, sie ist nur dort vernünftig, wo die Frage nach dem Stammescharakter dynamisiert, wo die geschichtliche Entwicklung einbezogen wird. So kann man zum Beispiel ausgesprochen

[1] Hausinschriften in Westfalen und ihre Abhängigkeit vom Baugefüge. Münster 1951.

reformatorisches Spruchgut feststellen; dazu gehört das in Niederdeutschland weit verbreitete „Verbum Domini manet in aeternum".
Andererseits sind *katholische* Gebiete — in erster Linie gilt dies für das
Bayrisch-Österreichische — von der farbigen Welle der *Barockisierung*
beeinflußt: die Spruchinschriften sind hier oft ganz in halb dekorative
und halb symbolische Malereien und Stukkaturen hineinkomponiert. Auch
mit unmittelbaren Zeiteinflüssen — der Auswirkung von Kriegen oder
Hungerjahren — und auch mit Zeitmoden ist zu rechnen. JOHANNES
VINCKE vermutet, daß die Inschrift „Ich und mein Haus wollen dem
Herrn dienen" an jüngeren Bauernhäusern des Osnabrücker Landes
damit zusammenhängt, daß dies der Wahlspruch Kaiser Wilhelms II.
war.[2] Zuerst freilich war es der biblische Wahlspruch Josuas, und alles
in allem fällt die erstaunliche Konstanz und Einheitlichkeit des Spruch-
gutes wohl stärker ins Gewicht als die — freilich noch wenig erforschten
— zeitlichen und räumlichen Unterschiede.

Dies zeigt etwa die beherrschende Rolle, die *religiöses* Spruchgut bis
heute spielt. Die *Haus*inschriften thematisieren nicht selten das Problem
der Dauer; mit Stolz wird auf die Beständigkeit des Hauses hingewiesen, aber sie wird relativiert durch die Vergänglichkeit der
Bewohner:

> Wir bauen Häuser stark und fest
> Und wohnen drin als fremde Gäst'.[3]

Auch der Besitz wird so in Frage gestellt; der Mensch hat keine
bleibende Statt; seine Behausung ist vorläufig:

> Dies Haus ist mein und doch nicht mein,
> Beim zweiten wird es auch so sein,
> Dem dritten wird es übergeben,
> Und der wird auch nicht ewig leben,
> Den vierten trägt man auch hinaus
> — Nun sag, mein Freund, wem gehört dies Haus?

Neben diesen religiösen Sprüchen steht vielfach die *Bauinschrift* im
engeren Sinne: der Name des Bauherren und ein Datum. Dies ist gewiß
nicht nur als historischer Hinweis zu verstehen; man wird kaum zweifeln
können, daß auch diese kargen Angaben einen gewissen Besitzerstolz
spiegeln. Daß dieser aber in die Sprüche hineingenommen wurde,

---

[2] Hausinschriften, S. 87.
[3] Viele der folgenden Beispiele nach W. MÖNCH: Spruchkunst.

dürfte insgesamt eine jüngere Phase sein. Die Sprüche wenden sich dann vor allem gegen die Kritiker, die Gaffer und die Neider:

> Wer will bauen an die Straßen
> Muß die Leute reden lassen,
> Jeder baut nach seinem Sinn,
> Keiner kommt und zahlt für ihn.

Der aggressiveren Abwehr kann freilich auch eine Einladung an die Wohlmeinenden an die Seite gestellt werden:

> Wer guter Meinung kommt herein,
> Der soll uns lieb und willkommen sein.
> Wer aber anders kommt herfür,
> Der bleibe lieber vor der Tür.

Zu diesen allgemeineren Sprüchen treten Inschriften, die sich auf die besondere *Funktion* eines Hauses beziehen. Schule, Rathaus, Gerichtsgebäude, Apotheke, Mühle, Backhaus, Kelter, Ladengeschäfte — für all diese Bauten gibt es mannigfache historische und auch vereinzelte gegenwärtige Beispiele spezieller Inschriften. Eine besondere Gruppe bilden die kirchlichen Inschriften, zu denen nicht nur die am Kirchengebäude zu rechnen sind, sondern auch solche im Inneren der Kirche, an Nebengebäuden und an Einrichtungen wie dem Friedhof, aber auch an besonderen Requisiten wie den Glocken. Daß hier religiöses Spruchgut — nicht ganz, aber fast ausnahmslos — das Feld beherrscht, ist selbstverständlich. Dagegen ist es auffallend, wie stark die religiösen Sprüche auch bei Inschriften an den aufgeführten Profanbauten vertreten sind, und wie häufig die religiöse Transgression auch bei Inschriften ist, die auf bestimmte *Berufe* Bezug nehmen.

Zwar gibt es auch profane Verse — allerdings kaum ohne moralische Nutzanwendung, wie etwa der folgende, an HANS SACHS orientierte Zunftspruch zeigt:

> Der Drechsler weiß wohl, wie er soll,
> Den Sachen Form und Zierde geben.
> Der Mensch doch bleibt, an Fehlern voll,
> Ein grobes Holz in seinem Leben.

Im allgemeinen transzendieren die Sprüche aber diesen moralischen Bereich:

> Du findest für den Leib
> Das Brot in diesem Haus.
> Das Brot für Deine Seel'
> Teilt Gottes Wort dir aus.

Die Anspielung kann scherzhaft sein:

> Hier gibt es Schuhe, oben rund und unten platt,
> Passen sie dem David nicht, so passen sie dem Goliath.

In vielen Fällen aber ist selbst dort, wo die Inschriften an Parodien gemahnen, mit dem ursprünglichen naiven Ernst zu rechnen:

> Jeder Nadelstich zu Seiner Ehr
> Will Gott von den Schneidern
> Und sonst nichts mehr.

Es könnte allerdings sein, daß die Entwicklung hier umgekehrt verläuft wie bei den allgemeineren Haussprüchen, daß also die nüchternere Bezugnahme auf den Beruf älter ist und die Transgression erst eine Folge späterer religiöser Bewegungen wie etwa des Pietismus, der sich durchgängig um dieses analogische Denken, um die religiöse Überhöhung alles menschlichen Tuns, bemühte.

Ein verläßliches Urteil über diese Frage forderte eine umfassende und eingehende Untersuchung der vielen Inschriften, die in zahlreichen, allerdings nicht immer genauen Sammlungen zusammengetragen wurden. Immerhin läßt sich die Vermutung stützen durch die Beobachtung, daß der Transgressionstyp auch im Inneren des Hauses und unter den Inschriften am Mobiliar häufig ist:

> Wer eingeht zu der Stubentür,
> Der stelle sich zugleich auch für,
> Ob er dereinst auch werd' bestehn,
> Wenn er zur Himmeltür eingeht.

Inschriften an *Möbeln* dürften im ganzen eher jünger sein als Hausinschriften. Sie schwanken zwischen einer ernsthaften oder scherzhaften Bezeichnung des Zweckes und religiösen Bekenntnissen; in dem folgenden Spruch an einem Himmelbett im württembergischen Franken erscheinen beide Seiten verknüpft:

> Gott im Herzen
> Die Rosina im Arm,
> Vertreibt die Schmerzen,
> Macht das Bett warm.

Auch hier wird zu fragen sein, ob man mit einer parodistischen Auffassung dieser Verse nicht ihre eigentümliche *Naivität* und die vorbehaltlose Fähigkeit, Irdisches und Himmlisches zu verbinden, verfehlt.

Dieser Spruch hat ja doch, wie leicht zu erkennen ist, einen literarischen Vorläufer in CHRISTIAN WEISES entsprechenden Versen[3a], die dieser seinerseits doch wohl nicht primär als ironisch, sondern als erbaulich betrachtete.

Allerdings hat auch der *ironische* Ton ein Echo in dem populären Spruchgut gefunden. Dies wird insbesondere deutlich an den Inschriften auf den verschiedensten *Gerätschaften*, auf Schüsseln und Tellern, Krügen und Gläsern, Uhren und Behältern. Auch hier fehlen die schon erwähnten Typen nicht: der Bibelspruch, die religiösen Verse, die oft aus Kirchenliedern stammen, der Transgressionstyp, der hier etwa anhand der Zerbrechlichkeit des Gegenstandes auf die Zerbrechlichkeit des Menschen weist —

> Die Schüssel ist von Erd und Ton,
> Du, Menschenkind, bist auch davon!

Der Hinweis auf den Zweck aber wird oft ins Besinnlich-Heitere oder ins Derb-Lustige hinübergespielt, wobei die Vorlagen in LOGAUS Sinngedichten und in den Reimen der Anakreontiker gesucht werden könnten. Diese Verse machen offenkundig, daß ein Teil der in Frage kommenden Gerätschaften eben nicht nur banales Gebrauchsgut war, sondern auch ein Medium heiterer Geselligkeit.

Gerade das Ineinander von Ernst und Heiterkeit, von Religiösem und Profanem scheint dabei charakteristisch zu sein. Dies ergibt sich auch aus einer südwestdeutschen Besonderheit, den *Ofenwandplättchen*, deren Technik wohl Flößer an den Schwarzwaldrand verpflanzt hatten aus Holland und Friesland, und die sich auf Grund der württembergischen Land-Feuer-Ordnungen ausbreiteten. Zwar läßt sich nicht ohne weiteres rekonstruieren, wie die Wände tatsächlich zusammengesetzt waren; aber das bunte Angebot aus den gleichen Werkstätten erweckt doch den Eindruck, daß auch hier biblische Motive und Liebessymbole unmittelbar nebeneinander standen, daß religiöse Sprüche und ungeschminkte erotische Feststellungen gleichzeitig ihr Recht geltend machten.

[3a] Die unvergnügte Seele. 5. Handlung, 11. Aufzug. Auch bei WEISE handelt es sich um eine Inschrift; Contento berichtet „das schöne Sprüchlein, das mir des vorigen Pfarren Herr Bruder auf den Teller schrieb: Gott im Herzen, die Liebste im Arm, Eins macht selig, das andre macht warm."
(Der oben zitierte Spruch bei W. MÖNCH: Spruchkunst, S. 125.)

Ein instruktiver Nachklang von diesem Ineinander findet sich heute oft im volkstümlichen *Wandschmuck* und in den Angeboten der Souvenir-Industrie, aus denen ein Teil dieses Wandschmucks kommt. Auch hier gibt es neben den gemalten und gestickten Sprüchen religiösen Charakters eine ganze Skala vom erbaulichen Reim („Hab Sonne im Herzen...") über Zeugnisse fragwürdiger Naturfrömmigkeit („Ihr glaubt, der Jäger sei ein Sünder...") bis zum groben Scherz („Besser im Wald bei der wilden Sau..."). Und es geschieht nicht nur in den überfüllten Schaufenstern, daß alle diese Sprüche unmittelbar nebeneinanderhängen, daß sie gewissermaßen auf einer Ebene akzeptiert werden.

B. Sprüche und Inschriften im Brauch

Die gedrängte Sammlung schön verzierten Gebrauchsgutes in vielen Heimatmuseen erweckt oft den Eindruck, als habe es früher, in der guten alten Zeit, kein Stück im Haushalt gegeben, das nicht bemalt, dekoriert, symbolisch überhöht war. Nun ist es ganz sicher richtig, daß der intensivere und längere Umgang mit einzelnen Gebrauchsstücken oft auch zu einer intensiveren künstlerischen Ausformung und Aneignung des betreffenden Gegenstandes führte; aber bei den Objekten unserer Museen handelt es sich vielfach um ganz vereinzelte oder mindestens nicht alltägliche Gestaltungen, und es handelt sich oft um Gegenstände, die keineswegs erst im Museum zu Schaustücken wurden, sondern die bereits als solche demonstrativ entworfen, hergestellt und — im allgemeinen — verschenkt wurden. Konkret gesprochen: die farbenfrohen Brautspinnräder wurden meistens gar nicht benützt, sondern in ihrer bunten Pracht bei und nach der Hochzeit bewundert; die mit Ornamenten und Sinnsprüchen versehenen Trinkgläser waren ein beliebtes Geschenk der Mädchen an die jungen Männer; bemalte Irdenware wurde zwar in den täglichen Gebrauch genommen, war aber zuvor auch oft Geschenk — und so fort. So stehen nicht wenige der summarisch abgehandelten Sprüche in einem manchmal lockeren, manchmal aber auch sehr festen Zusammenhang mit bestimmten *Bräuchen*.

Von der Hausinschrift führt ebenfalls eine Querverbindung zum Brauch. Wesentlich häufiger als der geschriebene ist der *gesprochene Hausspruch*, der beim *Richtfest* von einem der Zimmerleute aufgesagt wird. Dabei berührt sich die Bitte um den Schutz des Hauses, die im Zentrum des Richtspruches steht, oft unmittelbar mit gängigen Inschriften. Allerdings ist dieser Segenswunsch dabei meistens eingerahmt von zwei weiteren formelhaften Elementen. Voraus geht eine Vorstellung des Sprechers mit humoristisch-fiktiven Zügen, die an das Rollenspiel kleiner dramatischer Brauchspiele gemahnt und wohl manchmal aus diesen übernommen ist:

> Mit Gunst! Ich bin heraufgeschritten.
> Hätt ich ein Pferd gehabt, so wär ich geritten!
> Weil ich nun aber hab kein Pferd,
> Ist die Sache nicht des Redens wert — usw.[4]

Am Ende geht der Segenswunsch über in eine Heischeformel, die hier freilich im allgemeinen in gemessener Höflichkeit vorgebracht wird. Dem Gruß an den Bauherrn folgt die Bitte um Mahl und Tanz; dabei handelt es sich um eine zusätzliche „Verehrung" an die Bauarbeiter, auf die seit alters ein Rechtsanspruch besteht, die aber eben formelhaft gefordert wird.

Während der Richtspruch auch heute noch durchaus üblich ist, läßt sich in anderen Bereichen des Brauchs beobachten, daß die *geschriebene* Formel die gesprochene immer mehr — und gerade in den letzten Jahrzehnten in steigendem Maße — zurückdrängt; das verwirrend große Angebot von Glückwunschkarten, in denen aber doch immer wieder die gleichen Bildmotive und auch die gleichen Formeln wiederkehren, macht dies deutlich. In einigen Bezirken des Brauchs hat die geschriebene Formel — als Einladung, Glückwunsch oder Denkspruch — jedoch schon eine längere Tradition. Zunächst sind hier die *Patenbriefe* zu erwähnen. Sie tragen nicht nur verschiedene landschaftliche Bezeichnungen; der Ausdruck meint auch nicht immer das gleiche. Schon die Einladung zur Patenschaft bedient sich fester Formeln, mehr aber noch der Brief, mit dem der Pate das Taufgeschenk übersandte, und der oft mit religiösen Sprüchen und Verzierungen versehen war. Schließlich wird gelegentlich als Patenbrief auch das Schreiben bezeichnet, mit dem die Kinder in evangelischen Gegenden vor ihrer Konfirmation den Paten für Fürsorge und Geleit während der Kindheit danken; auch in diesen Briefen werden feste Formeln und manchmal auch Sprüche verwendet.

Sehr viel größer noch ist die Bedeutung des Spruches merkwürdigerweise für den *Liebesbrief*. Hier, in diesem ganz persönlichen Bezirk, erwartet man eigentlich auch den persönlichen Ausdruck, den individuellen Stil. Aber was in den noch immer verbreiteten Briefstellern hinter geschwätziger Scheinindividualität verborgen wird, lag früher offen zutage: die weitgehende Normierung des Gefühlslebens, anders gesagt, die Bindung

---

[4] R. Petsch: Spruchdichtung, S. 57—63.

auch des Persönlichsten an die Sitte. KURT WAGNER teilte einen bäuerlichen „Absagebrief" mit, in dem ein hessisches Mädchen ihrem untreuen
Liebsten in lauter bunt zusammengesetzten Volksliedversen den Abschied
gibt[5]; und auch Liebesbriefe *enthielten* nicht nur Sprüche, sie *bestanden*
vielfach nur aus Sprüchen[6] — aus einigen Zeilen eines Volkslieds, aus
gefühlvollen oder scherzhaften Reimen:

> O guter Hansel hör mein Klagen
> Ich hätte dir noch viel zu sagen,
> Aber es muß jetzt anders sein,
> Sonst wird das Papier mit Tränen beweint.

Das Vehikel solcher Botschaften war freilich nicht nur Papier; man
könnte zur Gattung der Liebesbriefe geradezu auch bebilderte und
beschriftete Teller, verzierte Schatullen, ja sogar gestickte Hosenträger
und bemalte Ostereier rechnen: auf sehr verschiedenartigen Objekten
fanden die kurzen Liebesformeln Platz.

Zum Teil sind sie identisch mit den *Albumsprüchen,* die heute unter
den brauchtümlichen Inschriften vielleicht den größten Raum einnehmen.
Nicht nur diese Sprüche, auch die Poesiealben sind gesunkenes Kulturgut.
Man kann die historische Entwicklungslinie ausziehen bis zu den libri
gentilitii des Mittelalters, den Stammbüchern oder Standbüchern, mit
denen sich reisende Ritter auswiesen; sie waren mit dem Wappen und
später auch mit Wappensprüchen versehen. Im 18. Jahrhundert verbreitete sich vor allem unter Gelehrten und Studenten das album
amicorum, das unter Freunden zum Eintrag herumgereicht wurde; an
seiner Form hat sich bis heute nur wenig geändert, es ist lediglich in
andere Sozialschichten übergegangen und überwiegend in die Welt der
Jugendlichen und schließlich der Kinder abgesunken.

Außer dem Namen, dem Datum und manchmal dem ‚Memorabile' —
der Aufzählung gemeinsamer Erlebnisse — enthielt und enthält jeder
Eintrag auch einen Spruch. Dabei handelte es sich früher um die
sogenannte *Devise,* also um den jeweiligen Wahl- und Leibspruch, der
dem Wappen beigefügt und mit seinem Träger unmittelbar verbunden
war. Solche festen persönlichen Devisen sind heute kaum mehr greifbar;
doch gibt es noch immer Wahlsprüche ganzer Gruppen, die uns das
Prinzip verdeutlichen können: die Kampfparolen von Sportvereinen,
die ‚Erkennungssprüche' von Korporationen und anderen Vereinigun-

---

[5] Ein bäuerlicher Absagebrief. In: Festschrift Theodor Siebs zum 70. Geburtstag,
ed. W. Steller. Breslau 1933, S. 409—420.

[6] JOSEF LEFFTZ: Aus ländlichen Liebesbriefen. Kolmar o. J., vgl. S. 61.

gen, die Leitsprüche bündischer Gruppen. In die Nähe der Devise
führen auch die stabileren der Parteislogans („Keine Experimente!")
und die Wahlsprüche bestimmter Berufsgruppen. Bekannt sind etwa
Sprüche von Seeleuten; aber auch jüngere Berufszweige haben entweder
als ganze oder in kleineren Untergruppen solche ‚Devisen' entwickelt.
In einer Gaststätte, die vor allem auch Fernfahrern zur Einkehr dient,
steht zum Beispiel folgender Wandspruch:

> Wo ‚Kapitäne' sitzen,
> Da stell dich ruhig ein —
> Denn böse Menschen haben
> Keinen Führerschein.

An die Stelle der Devisen traten aber dann in den Poesiealben die
Sentenzen — Sinnsprüche, die ausgewählt und so stärker auf den
Besitzer des Albums zugeschnitten werden konnten. Trotzdem — das
lehrt der Blick in die heute kursierenden Alben — dominieren nach wie
vor verhältnismäßig wenige Sprüche, die aus speziellen Handreichen,
aus dem eigenen Poesiealbum von einst oder aus der Erinnerung
hervorgeholt werden. Geblieben sind großenteils auch die käuflichen
farbigen Papierblumen, welche die Sentenz umrahmen; nur allmählich
setzt sich der Brauch durch, daß die Kinder ihren Eintrag mit eigenen
kleinen Zeichnungen verzieren und die eigene Fotografie beigeben. Diese
gewissermaßen realistische Komponente beeinträchtigt jedoch bisher
kaum das auffallende Übergewicht religiösen Spruchguts, das sich auch
hier im allgemeinen registrieren läßt. Die Sprüche halten sich zäh — fast
ohne Rücksicht auf die faktische Verschiebung von Prinzipien, und fast
ohne Rücksicht darauf, daß nun vielfach Kinder die Eintragenden sind.
Das formelhafte Pathos der Sprüche rückt so nicht selten in den Bereich
der Komik[7]:

> Wenn Du einst in späten Jahren
> Nimmst dies Büchlein in die Hand,
> Und Du hast dies Blatt gefunden,
> Denk, die hast Du auch gekannt.
>
> Deine Schwester . . .

Was aber auf der einen Seite als törichte Altklugheit kritisiert werden
muß, bezeugt auf der anderen die *Beharrungskraft* des formelhaften
Spruches.

---

[7] A. Fiedler: Vom Stammbuch, S. 54.

Die gleiche Beharrungskraft, dank einem weiteren Beobachtungsfelde
aber auch der mähliche Einfluß des Epochalstils, läßt sich an den
Grabsprüchen ablesen. Einzelne Grabinschriften sind immer wieder
untersucht worden, und tatsächlich lassen sich daraus beachtliche Schlüsse
auf den Zeitgeist und die Spielarten der Frömmigkeit ziehen. Auch
zusammenfassende Darstellungen gibt es; aber es erweist sich schnell,
daß sie sich im allgemeinen fast ausschließlich auf den „sinnigen", den
besonders merkwürdigen und vor allem den komischen Grabspruch
konzentrieren, daß sie dagegen die vielen simplen Sprüche ignorieren,
obwohl hier eigentlich schon vorgearbeitet ist: die Schnitzer und Stein-
metzen beziehen nachweislich seit vielen Jahrzehnten ihr Wissen aus
größeren Sammlungen für ihren Gebrauch.

Auf dem Friedhof in Gmund am Tegernsee ist folgende Inschrift
zu lesen:

Dieses Denkmal weihen die trostlose Mutter und 8 dankbare Kinder
der Asche ihres unvergesslichen Gatten und Vaters
Herrn Joseph Obermayr
Tafernwirths von hier.
Er starb am 9. März 1832, im 49. Jahr seines
thätigen Lebens.
Die Nacht des Grabes wird verschwinden
dieß lindert alle Traurigkeit
Wir werden uns einst wiederfinden
im Lande der Glückseligkeit.
Ruhe in Frieden

— — —

Ihm folgte seine Gattin
Frau Franziska Obermayr
Gastwirthswittwe von hier,
welche 80 Jahre alt, den 17. Juni 1879,
selig im Herrn entschlief.

Die Angabe von Stand und Beruf in der Grabschrift dient zum Teil
wohl der Definition, die vor allem auch angesichts der verzweigten
dörflichen Verwandtschaft und der dadurch bedingten Namensgleich-
heit notwendig ist. Aber sie bezeugt auch, daß die sozialen Schranken
über die Grenze des „tätigen" Lebens hinaus aufgerichtet bleiben; selbst
mit der Asche wird noch die vornehme Anrede „Herr" verbunden.
Dem entspricht die wenig sublimierte und glatte Jenseitshoffnung der
Gesangbuchverse; später erhält der Gedanke des Sichwiederfindens

gewissermaßen seine vorläufige Bestätigung in der Vereinigung der „Gastwirthswittwe" mit ihrem Mann. Dem gereimten Grabspruch wird noch der Schluß der katholischen Seelenmesse, das „Requiescat in pace", angehängt; eine solche *Kumulation* — die gewissermaßen nichts gegenüber dem Toten versäumen will — ist nicht selten. Schließlich kann in dieser nur andeutenden, Epoche und Landschaft nicht eigens berücksichtigenden Interpretation noch auf den grotesken Gegensatz verwiesen werden zwischen den „8 dankbaren Kindern" und der „trostlosen Mutter", die ihren Mann dann immerhin um 47 Jahre überlebt hat. Die Komik dieser Antithese und diese selber treten aber zurück, sobald wir uns auf den Boden der formelhaften Sprache stellen, die hier ihr Recht behauptet; „trostlos" und „dankbar" sind hier keine charakterisierenden Beiwörter, sondern Formeln, die gesellschaftliche Rollenpostulate ebenso ausdrücken wie Gefühlsreglementierungen.

So lassen sich auch an die kuriose Grabinschrift prinzipielle Beobachtungen knüpfen, die im allgemeinen hinter der naiven Freude an der angeblichen oder wirklichen Naivität dieser Grabsprüche verschwinden. In den entsprechenden Sammlungen stehen Sprüche, deren Komik aus grammatischen Fehlleistungen stammt („Hier ruht N. N., Vater und Metzger von 6 Kindern") neben solchen, denen simplifizierte religiöse Vorstellungen ein merkwürdiges Ansehen verleihen:

> Ruhe nun, du liebe Seele,
> In der dunklen Erdengruft
> Neben deinem Vetter Stähle,
> Bis der Herr Dich wieder ruft.

Komisch oder doch seltsam erscheint ein solcher Spruch, weil hier gewissermaßen diesseitige Gemütlichkeit — ausgedrückt in der Betonung der Verwandtschaft — ins Jenseits transponiert wird, weil das Sein in der Gruft fast wie ein vertrautes Idyll vorgestellt ist. Und doch spiegeln solche Sprüche nur die unmittelbare und handfeste Präsenz verbreiteter, wenn auch überholter religiöser Ideen. Die Überzeugung, welche beispielsweise der ganzen barocken Emblematik zugrundeliegt: daß die ganze Welt durchzogen ist von geheimen Sinnbezügen, daß vor allem Diesseitiges und Jenseitiges in einem Verhältnis ständiger und wiederholter Spiegelung zu fassen sei — diese Überzeugung lebt in manchen Grabsprüchen des 19. und vielfach auch noch des 20. Jahrhunderts fort.

Daneben darf nicht übersehen werden, daß die komische Grabschrift geradezu eine *literarische Kleingattung* darstellt. Während in antiken

Grabinschriften die lebendige Charakteristik des Verstorbenen nicht
selten in heiterer Pietät und gewissermaßen zukunftsfreudig vorgetragen
wird („Dum vixi bibi libenter — bibite vos, qui vivitis!" Lebenslang
trank ich so gerne; trinkt auch ihr, die ihr noch lebt!), ist der Tod
spätestens in der Barockzeit der Übergang, in dem sich neben den
düsteren auch die *komischen* Seiten menschlicher Vanitas enthüllen.
Wird in den meisten Grabsprüchen die Nichtigkeit des Menschen mit
religiöser Absicht beschworen, so gibt es daneben auch den spielerischen
Rückblick, die boshafte Anspielung auf Eitelkeiten und Untugenden,
die durch den Tod zunichte gemacht wurden, und es gibt schließlich
auch das oft frivol anmutende, witzige Spiel mit den Bildern und
Wörtern des Todes. Von Bedeutung waren die *Epitaffi giocosi* von
GIANFRANCESCO LOREDANO, die von HALLMANN ins Deutsche übertragen
wurden und manche Nachahmer fanden. Man wird bei der Zusammenstellung von kuriosen Marterlsprüchen mit dieser barocken Ahnenreihe
und mit späteren leichten Literatenscherzen oft eher zu rechnen haben
als mit der volkstümlichen Simplizität. Auch wo aus jüngerer Zeit
bezeugt ist, daß der Verfasser ein einfacher ‚Dorfdichter' war — wie
bei dem Wurmlinger NIKOLAUS MÜLLER, dem die heiteren Grabsprüche
bei der von UHLAND und LENAU besungenen Kapelle zugeschrieben
werden[8] —, sollte man die kauzige Absicht, die Kenntnis und das
Vorbild witziger Sprüche aus allen möglichen gedruckten und ungedruckten Überlieferungen nicht unterschätzen. Daß derartige Sprüche
aber von den in unabsichtlicher Naivität geformten oft nicht zu unterscheiden sind, daß scherzhafte Sprüche als wohlgemeinte Inschriften
der Erinnerung verwendet und daß umgekehrt naive Verse als Jocosa
gesammelt werden — dies ist ein Zeichen dafür, daß das *Gesicht* einer
Form oder Formel weder über ihre *Entstehung* noch über ihre *Funktion*
Eindeutiges sagt.

Literatur:

WALTHER BERNT: Sprüche auf alten Gläsern. Freiburg i. Br. 1928.

JOSEPH BUCK: Alte deutsche Handwerksweisheit. Bad Wörishofen 1949.

Deutsche Inschriften an Haus und Geräth. Zur epigrammatischen Volkspoesie.
  Berlin [5]1888.

ALFRED FIEDLER: Vom Stammbuch zum Poesiealbum. Weimar 1960.

WILHELM MÖNCH: Schwäbische Spruchkunst. Inschriften an Haus und Gerät.
  Stuttgart 1937.

[8] H. SCHWEDT: Grabsprüche, S. 64.

CHRISTA PIESKE: Über den Patenbrief. In: Beitr. z. dt. Volks- und Altertumskunde, 2./3. Jg. Hamburg 1958, S. 85—122.

PAUL ROWALD: Brauch, Spruch und Lied der Bauleute. Hannover 1903.

HERBERT SCHWEDT: Heitere Grabsprüche und Hausinschriften. In: Der Deutschunterricht, 15. Jg. 1963, Heft 2, S. 61—72.

JOHANNES VINCKE: Die Hausinschriften des Kirchspiels Belm. Osnabrück 1948.

5. Rätsel

Auch das Rätsel gehört in den Bereich von Sprachformel und Sprachspiel. Die Formulierung liegt im allgemeinen fest, und zumindest das
Ziel der Fragestellung, das formelhaft Umschriebene, ist nicht auswechselbar. Das erzählerische Element tritt im Rätsel selber kaum
hervor, wenn dieses auch oft und gerade bei den ältesten Funden in
eine Erzählung eingefügt ist. Nicht selten handelte es sich dabei um —
in einem engeren oder weiteren Sinne — *mythische* Überlieferungen;
dies hat dazu beigetragen, daß Rätsel und Mythos eng aneinander-
gerückt wurden. JOLLES argumentiert in diesem Sinne; er sieht in der
Mythe „eine Antwort, in der eine Frage enthalten war", im Rätsel
„eine Frage, die eine Antwort heischt".[1] Das Rätsel als Weltdeutung —
gewiß gibt es einiges, was in diese Richtung weist, etwa den etymologischen Zusammenhang mit dem englischen to read — Lesen als Deuten
und Erklären —, die Sonderbedeutung des Wortes im schwäbischen
Dialekt, in dem unter „Rätsel" auch das Gleichnis, die Erklärung verstanden werden kann, und natürlich auch die kosmische Orientierung
einer Reihe von Rätseln. Aber selbst wenn wir die ältesten Belege von
Rätseln mustern: die rituellen Rätsel im Rigveda, die Rätsel der Araber
und Juden, wie sie in die biblischen Rätsel eingegangen sind, die
griechischen ‚Rätselmärchen' und Rätselsammlungen, die Beispiele aus
der frühen angelsächsischen Überlieferung und den Sagas, die Rätsel-
kämpfe der Edda — selbst dann finden wir nur einen kleinen Teil, der
wirklich auf umfassende Weltdeutung, auf mythische Erklärung zielt.

Nehmen wir die „Rätsel" der *Bibel*: In dem sogenannten „Rätselwett-
streit" zwischen der Königin von Saba und Salomo (1. Kön. 10 und
2. Chron. 9) erprobt die Königin von Reicharabien die Weisheit Salomos;
der Meister der Sentenz, des einprägsamen Spruches, belehrt die fremde
Königin. Daß er eigentliche Rätsel gelöst habe, ist nicht überliefert.
Die sogenannten „Mißverständnisse" im Johannesevangelium, die man

[1] Einfache Formen, S. 129.

neuerdings mit dem Rätsel in Verbindung bringt[2], entsprechen auch nicht unmittelbar der Form Rätsel; in ihnen verschlüsselt Jesus seine höhere, transzendente Weisheit, die nur der Gemeinschaft der Gläubigen zugänglich sein soll. Ein ausgesprochenes Rätsel stellt dagegen *Simson* den Philistern (Richter 14); er hat im Aas eines Löwen einen Bienenschwarm gefunden und von diesem Honig genommen, und er verrätselt nun dieses Erlebnis: „Speise ging von dem Fresser und Süßigkeit von dem Starken".[3] Die Philister vermögen dieses Rätsel nur mit Hilfe von Simsons Frau zu lösen; es fordert im Grunde nicht Weisheit, sondern Wissen, und es ist weit entfernt von mythischer Deutung. Gerade zu diesem Rätsel gibt es aber Parallelen in der altnordischen Literatur, in den Rätselbüchern des Humanismus und in den Rätselsammlungen, die in den letzten Jahrzehnten in deutschen Landschaften zusammengetragen wurden.

Solche Zusammenhänge werfen die gleichen Fragen auf wie das Auftauchen ähnlicher Märchen an weit auseinanderliegenden Stellen der Erde. ANDREAS HEUSLER zählte die Rätselstoffe zu den Wandermotiven, „die sich vor den Zeiten literarischen Austausches über die Völker verbreiteten"; und gerade an der altnordischen Überlieferung vermag er das wahrscheinlich zu machen.[4] Andererseits wird man auch mit späteren Übertragungen rechnen müssen, mit Phasenverschiebungen zwischen verschiedenen Kulturkreisen und auch mit einem Absinkprozeß innerhalb einer Kultur. HERDERS Feststellung, alle Völker seien „auf den ersten Stufen der Bildung Liebhaber von Rätseln"[5], leuchtet nicht nur auf dem biogenetischen Umweg über die Vorliebe von Kindern für Rätsel ein, sie ist inzwischen auch durch einzelne ethnographische Sammlungen bestätigt. Aber Einzeluntersuchungen, wie sie zunächst ANTTI AARNE mit seinen vergleichenden Rätselstudien angestoßen hat, erwiesen doch auch die *literarische Verbreitung* mancher Rätsel, und man wird nicht immer unterstellen dürfen, daß die literarischen Varianten auf einer breiten volkstümlichen ‚Unterströmung' schwammen. Das bekannte Rätsel vom Schnee und der Sonne, das nach 900 in einer lateinischen Handschrift des Klosters Reichenau auftaucht, hat man auf Grund seiner heutigen Verbreitung schnell als „Volksrätsel" aufgefaßt, zumal

---

[2] HERBERT LEROY: Rätsel und Mißverständnis. Ein Beitrag zur Formgeschichte des Johannesevangeliums. In: Bonner Bibl. Beiträge (erscheint demnächst).

[3] Vgl. M. HAIN: Rätsel, S. 42 f.

[4] Die altnordischen Rätsel, S. 126 f.

[5] Werke, ed. Suphan, 12. Bd. S. 192.

da Kögel, Müllenhoff und Heusler eine althochdeutsche Stabreim-
fassung des „Vogel federlos" rekonstruierten. Aber Formulierung in
der einheimischen Sprache und Volkstümlichkeit ist nicht dasselbe;
Georg Baesecke konnte nachweisen, daß schon die angelsächsische
Urfassung der lateinischen Version „ein wahres Kunststück" war, „das
auf langer lateinischer Vorübung, auf dauerndem Trainieren in einem
geistigen Sport beruhte".[6] Für die Rätsel der mittelhochdeutschen Spruch-
dichter mit ihrem Akzent auf der Umschreibung von Abstrakta — Neid,
Lüge, Kunst u. ä. — zeigte Fritz Loewenthal, daß auch sie den Sammlungen von Bonifatius, Tatwine, Eusebius, also dem mittellateinischen
Rätsel, näherstehen als dem altgermanischen[7]; und es ist fraglich, ob
man überall dort, wo diese Dichter greifbare Gegenstände verrätseln,
gleich mit volkstümlichen Einflüssen operieren darf. Jedenfalls führen
uns die ältesten literarischen Belege überwiegend in den Bereich aus-
gefeilter Kunstübung oder aber in den pädagogischen Bezirk scherz-
hafter katechetischer Fragen; der abgründige Mythenernst bleibt ebenso
im vagen Dämmerlicht wie das „Volksrätsel".

Daß man beim Rätsel vielleicht noch vorbehaltloser als bei anderen
Kleinformen an die dauerhafte, tragende und autarke Grundlage einer
‚volksbürtigen' Gattung dachte, mag damit zusammenhängen, daß das
Rätsel seit ungefähr hundert Jahren als literarische Form nur noch
eine periphere Rolle spielt. Tatsächlich ging aber auch die Entdeckung
des Volksrätsels, die etwa in Abhandlungen Herders und Görres'
sichtbar wird, Hand in Hand mit einer schöpferischen Begeisterung für
diese Form. Goethe hatte eine ausgesprochene Vorliebe für Mystifikation
und Verrätselung; das Rätsel, das er in einem Maskenzug von 1810
präsentierte, rief nicht nur bei den Zeitgenossen verschiedene Deutungen
hervor, sondern beschäftigt auch noch immer die Forschung.[8] Schleier-
macher war ein Freund des Rätsels; von Schopenhauer stammen
raffinierte sprachspielerische Rätsel, Hebel schrieb Rätsel für eine
bürgerliche Kaffeerunde, die sich als Charadenzirkel bezeichnete.[9] Schon
dieses eine Beispiel zeigt, daß es *Verbindungslinien zwischen Literatur
und mündlichem Gebrauch* gab; es besteht Grund zu der Annahme,

---

[6] Das lateinisch-althochdeutsche Reimgebet (Carmen ad Deum) und das Rätsel
vom Vogel federlos. Berlin 1948, S. 42.

[7] Studien, S. 138.

[8] Vgl. Rudolf Unger: Zur Deutung eines Goethischen Rätsels. In: Festschrift
Theodor Siebs z. 70. Geburtstag, ed. W. Steller. Breslau 1933, S. 265—274.

[9] O. Jancke: Vom Rätsel, S. 11 f.

daß Volksrätsel damals nicht nur entdeckt, sondern auch erfunden wurden.

Auf der anderen Seite liefern freilich viele der damals entstandenen Rätsel doch die Folie, von der sich das Volksrätsel in klaren Konturen abhebt. Zwar wird man auch für das Volksrätsel die Möglichkeit gesunkenen Kulturguts nicht ausschließen dürfen; aber in seiner Form unterscheidet es sich recht deutlich vom *Kunsträtsel.* OSKAR JANCKE hat[10] — im Anschluß an PETSCH[11] — in diesem Sinne SCHILLERS kunstvolles Gedicht: „Kennst Du das Bild auf zartem Grunde?" einem Volksrätsel mit der gleichen Lösung gegenübergestellt. SCHILLER umkreist den gefragten Gegenstand in zahlreichen Versen, aus immer neuen Perspektiven, in üppig wuchernden Metaphern, ehe er die Antwort gibt:

> Es ist das Aug', in das die Welt sich drückt,
> Dein Auge ist's, wenn es mit Liebe blickt.

Das entsprechende Volksrätsel dagegen, das übrigens in ganz ähnlicher Form bei afrikanischen Pygmäen aufgezeichnet wurde, lautet ganz kurz: „Es ist eine kleine Tür, aber die ganze Welt kann da durch gehen." Der entscheidende formale Unterschied besteht nicht etwa in der prosaischen Form; auch im Volksrätsel sind Reim und Rhythmus zu finden — sie bilden oft Merkstützen, die verhindern, daß die Pointe des Rätsels verfehlt wird. Charakteristisch aber ist, daß es nur den *einen* Bezug in diesem Rätsel gibt, die *eine* überraschende Perspektive, das *eine* verschlüsselnde und erst durch das Lösungswort enthüllte Gleichnis.

Die Lösung deckt im Rätsel eine Verbindung auf, die nicht ohne weiteres sichtbar ist; die Verrätselung rückt das Gefragte in einen Zusammenhang, der überraschend und doch einleuchtend ist. Die Verrätselung kann dabei durch *sachlichen* Vergleich oder in *verbaler* Anspielung erfolgen; der Witz des Rätsels kann in der Sache oder im Wort liegen.[12] „Ein Haus voll Essen und die Tür vergessen" — hier wird das Ei durch einen gegenständlichen Vergleich umschrieben. Besonders häufig und wohl vor allem auch dem Kinderrätsel angemessen ist die Beseelung — sehr oft die Vermenschlichung — von Objekten: „Ein

---

[10] Ebd. S. 18 f.

[11] Volkskunde und Literaturwissenschaft. In: Die Vk. u. ihre Grenzgebiete. Berlin 1925, S. 139—184; hier S. 154 (nach W. Schultz).

[12] I. WEBER-KELLERMANN: Volksrätsel, S. 114.

langer langer Vater, eine lange lange Mutter, und viele viele Kinder" — gemeint ist die Leiter.

Im Vergleich mit diesen Sachrätseln ist das *Worträtsel* pointierter: „Ihrer drei spielten die ganze Nacht, und als sie aufhörten, hatten alle drei gewonnen" — es waren Musiker. Die Verschlüsselung liegt hier allein im doppelten Sinn des Wortes „spielen". Der Hörer geht dabei besonders leicht in die Irre, wenn seine Gedanken schon vorher beim Kartenspiel waren. Dieser *Assoziationsmechanismus* wird in einer kleinen Erzählung karikiert: Ein Dummer wurde gefragt, was EPS sei. Er wußte es — verständlicherweise — nicht; die Antwort lautete „Ein Paar Stiefel". Danach wurde ihm die Frage gestellt, was ZPS sei. Er paßte — und wurde belehrt: „Zwei Paar Stiefel". Auf die dritte Frage aber: „Um und um blau und in der Mitte ein Pflaumenstein" antwortete er: „Diesmal legst Du mich nicht herein — das sind drei Paar Stiefel!" Dieses Fortdenken in einer Wort- oder Bilderfolge, die einmal angestoßen ist, spielt bei der Wirkung des Rätsels eine wichtige Rolle — sei es, daß so der Verschlüsselungskniff im toten Winkel bleibt, oder sei es umgekehrt, daß die Lösung durch derartiges Assoziieren erleichtert wird, wenn beispielsweise unmittelbar nacheinander ganz ähnliche Gegenstände verrätselt werden.

Liegt bei dem zitierten Rätsel die Weiche — und damit die Möglichkeit des Sich-verirrens — im Zentrum des Satzes, so setzt die Verrätselung in anderen Fällen nicht beim Verb oder beim Subjekt an, sondern das Scharnier sitzt an irgendeiner unauffälligen Stelle. „Wonach schießt der Jäger?" Antwort: Nach dem Laden. Das „nach", das vom Hörer als Richtungskonjunktion aufgefaßt wird, ist also als zeitliche Konjunktion gemeint. Ein beliebter Trick ist es auch, wenn das Rätsel durch eine auffallende Vokabel die Aufmerksamkeit des Hörers anlockt und seine Überlegung, die anderswo ansetzen müßte, festbindet. „Warum trug Andreas Hofer grüne Hosenträger?" Die Gedanken kreisen um Tarnung, Kriegslist und Waldeslust; die Antwort dagegen lautet simpel: Damit ihm die Hosen nicht rutschten. In all diesen Fällen ist das Rätsel im Wort verankert; es handelt sich vielfach um *Sprachspiele* im engeren Sinn. Es ist einleuchtend, daß diese Gruppe für das Kunsträtsel eine besondere Bedeutung hat; von der Scharade, bei der die Teile eines Wortes getrennt verrätselt werden, über die Homonyme, die mit den verschiedenen Bedeutungen gleichlautender Wörter spielen, bis zu den verschiedenen

Buchstabenrätseln gibt es hier eine breite Skala von Rätselfragen, die
freilich zum Teil von vornherein ganz ans Papier gebannt sind und den
Bereich der Volkspoesie höchstens berühren.

Am Übergang zu einer Sondergruppe steht das folgende Rätsel, das auch
schon in einem deutschen Rätselbuch des frühen 16. Jahrhunderts
auftaucht[13]:

> Zwei Väter und zwei Söhne,
> Die schossen drei Hasen schöne —
> Ein jeder trug einen ganzen
> In seinem Ranzen ...

Die Antwort: es handelt sich um Großvater, Vater und Sohn. Die Frage
ist hier einerseits sprachlich im Begriff von Vater und Sohn verankert;
andererseits ist so etwas wie Verwandtschaftsmathematik gefordert. Es
geht um fixierbare Größen und Verhältnisse; insofern könnte dieses
Rätsel auch zu der Gruppe der *Rechen-* oder *Zahlenrätsel* gestellt
werden. Hierher gehören einfache, in kleine Geschichten eingekleidete
Rechenaufgaben, wie man sie in den Mathematikbüchern finden kann —
so zum Beispiel das Problem, wie ein Vater mit seinen beiden Jungen
den Fluß in einem Boot überquert, das nur ihn oder die beiden trägt,
oder das Zwiegespräch der Schäfer, von denen der eine ein Schaf vom
andern verlangt, damit er doppelt so viel habe, während der andere
ebenfalls eines fordert, damit er ebenso viel wie der andere besitzt.
Man wird dieser Gruppe aber auch alle sogenannten *Denksportaufgaben,*
alle in spezifischem Sinne logischen Rätselaufgaben zuordnen dürfen,
wobei freilich der Trick der Verrätselung und damit das Problem der
Auflösung prinzipiell oft nicht anders ist als bei den Worträtseln. Auch
hier wird oft der Akzent absichtlich verschoben, wird eine falsche
Fährte gelegt, von der aus man das eigentliche Problem aus den Augen
verliert. Ein Handwerksbursche kauft ein Paar Schuhe um 12 Mark.
Der Schuster kann ihm auf seinen 20-Mark-Schein nicht herausgeben;
er läuft zu seinem Nachbarn und läßt den Schein wechseln. Der Handwerksbursche bekommt 8 Mark heraus und zieht ab. Wenig später
protestiert der Nachbar — der 20-Mark-Schein war falsch. Der Schuster
muß ihm 20 Mark zurückgeben. Wieviel Geld hat er insgesamt verloren?
— Beim Versuch der Lösung wird man anfangen zu summieren, und es
liegt nur zu nahe, daß die — in Wirklichkeit doch nur zurückerstatteten

---

[13] Straßburger Rätselbuch Nr. 311. Vgl. M. HAIN: Rätsel, S. 51.

— zwanzig Mark dem Verlust der Schuhe und des Herausgabegeldes noch zugeschlagen werden, während sich in Wirklichkeit der Gesamtverlust genau auf 20 Mark beläuft.

Auch zu dieser Art des Rätsels gibt es *scherzhaft karikierende Geschichten*, in denen Rätsel nicht wie in manchen Märchen als Motiv unter anderen fungieren, sondern die aus einer langen Kette parallel laufender Rätselaufgaben bestehen. Dabei kann die komplizierte, weit ausholende Lösung vorgetragen werden wie in der schwierigen Beweisführung des Mannes, der sein eigener Großvater ist — es beginnt damit, daß sein Vater die erwachsene Tochter seiner zweiten Frau heiratet; und es folgt noch eine Reihe von weiteren Komplikationen, ehe das erstaunliche Verwandtschaftsverhältnis hergestellt ist. Die Geschichte kann aber auch aus einer fortlaufenden Kette irriger Lösungen bestehen, deren Unsinnigkeit spätestens durch das Endergebnis aufgedeckt wird. Dies ist beispielsweise bei dem Bericht über die Gehaltserhöhung der Fall; der Chef rechnet seinem — um Lohnaufbesserung bittenden — Angestellten vor, wie wenig er leistet: „Das Jahr hat 365 Tage. Davon schlafen Sie täglich 8 Stunden, das sind 122 Tage, bleiben also noch 243 Tage". Anschließend zieht er in der gleichen Weise die täglichen acht Stunden Freizeit, die tägliche Stunde für die Mahlzeit, die Sonntage, Feiertage und Urlaubstage ab; übrig bleibt schließlich — „ein Tag, und das ist der 1. Mai, an dem Sie auch noch freihaben!"

Der Vollständigkeit halber muß neben Sachrätsel, Worträtsel und Denkportaufgabe als eine vierte Gruppe das *Bilderrätsel* erwähnt werden. Zwar führen von der bildlichen Verschlüsselung viele Wege zur Literatur — etwa im Bereich der Symbole, der Embleme, der Metaphern —; aber die Volkspoesie streift sie nur am Rande. Man denkt beim Bilderrätsel zuerst an die Darstellungen, in denen mit Hilfe von Bildskizzen und zusätzlichen Angaben von Buchstaben ein Text verschlüsselt wird, wohl auch an die Vexierbilder, bei denen der gesuchte Gegenstand zeichnerisch an unauffälliger Stelle versteckt wird. Doch wird man auch pantomimische Aufgaben, die im Kinderspiel und im geselligen Spiel der Erwachsenen vorkommen, als eine elementarere Art bildlicher Verrätselung einbeziehen dürfen. Und man wird auf der anderen Seite auch hier die karikierende Form des scherzhaften Bilder-*Droodles* erwähnen müssen, das aus den angelsächsischen Ländern zu uns kam, inzwischen aber als *Drudel* eingedeutscht ist. Dabei handelt es sich um die nur knapp andeutende, aus ungewöhnlicher Perspektive entworfene Skizze von Gegenständen — so daß etwa das folgende kleine Bild „zwei ertrinkende Heilige" bezeichnet:

Dies führt hinüber zu den eigentlichen *Schreibrätseln,* die — als eine *nur* schriftliche Form — in einen anderen Bereich gehören, die aber doch nicht ganz ignoriert werden sollen, da sie heute weitaus zahlreicher und verbreiteter sind als alle anderen Gruppen. Bei diesen Rätseln werden die erfragten Gegenstände weder durch einen anschaulichen Vergleich noch durch einen sprachlichen Trick verschlüsselt; sie werden vielmehr umschrieben und definiert, wobei im allgemeinen die kombinierte Anordnung der Lösungsworte eine zusätzliche Hilfe bedeutet — so steht beim Silbenrätsel nur ein beschränkter Fundus von Silben zur Auswahl, und beim Kreuzworträtsel liegt die Buchstabenzahl der Lösungswörter, liegen bald aber auch immer mehr Buchstaben des gesuchten Wortes fest.

Diese Formen des Schreibrätsels und auch die ihnen nahestehenden des *Quiz* werden in der Literatur über das Rätsel häufig aggressiv kritisiert. Man rechnet sie zu „den zweifelhaften Unterhaltungsmitteln moderner Zivilisation"[14], bezeichnet sie „als letzte Stufe vor dem nackten Stumpfsinn"[15]; und auch in einem sonst sachlichen monographischen Abriß werden sie als „städtisch intellektuelle Formen" schnell beiseitegefegt.[16] Nun sollen die Unterschiede keineswegs verwischt werden. Neu ist der egalisierend-enzyklopädische Charakter; das innere Gewicht und der Rang der verrätselten Gegenstände sind gleichgültig, ja sie entstammen nicht selten einer relativ unwirklichen Laborwelt: im Kreuzworträtsel ist der Papagei mit drei Buchstaben häufiger als in allen exotischen Gefilden der Erde. Es gibt sogar Rätsel-Lexika, in Sachgebiete geordnet und nach Buchstabenzahl gruppiert, welche die Fertigteile zum Bau

---

[14] Liesl Hanika-Otto: Sudetendeutsche Volksrätsel. Reichenberg 1930, S. 14.
[15] Es steht hinterm Haus. Deutsche Rätsel, ed. J. Dahl. Ebenhausen o. J. (1963), S. 5.
[16] I. Weber-Kellermann: Volksrätsel, S. 106.

der Rätsellösung bereitstellen. Die lebendige Anschauung, so sagt man immer wieder, sei intellektuellem Wissen gewichen.

Gerade hier aber ist mit der Antikritik anzusetzen. Es gibt zu denken, daß auch eine verhältnismäßig große Gruppe des herkömmlichen Rätsels das Problem nicht im anschaulichen Vergleich, sondern in einem Sprachspiel verankert. Man hat sie gelegentlich als „unechte" Rätsel von den anschaulichen abgesetzt. Aber sind sie wirklich ‚unanschaulich'? Der Trick dieser Rätsel besteht ja doch darin, daß sie unangemessene Vorstellungen evozieren, daß sie zu Anschauungen verlocken, die den Rückweg zur nüchternen Betrachtung und Auflösung des sprachlichen Knotens verbauen. Wer hier eine zu starre Grenze zieht, verkennt letztlich KANTs Beobachtung, daß Anschauung und Begriff einander gegenseitig bedingen. Man wird zwar mit einigem Recht sagen können, daß der Grad der Abstraktion gewachsen sei, daß also etwa das Rätsel „Womit fängt der Tag an und endet die Nacht?" von aller kosmischen Anschaulichkeit wegführe und statt dessen auf eine abstrakte Chiffre, nämlich den Buchstaben t ziele. Aber aus der bloßen Anschauung, aus dem konkreten Umgang allein lebt kein Rätsel; auch die metaphorische Verschlüsselung ist bereits ein Akt der Abstraktion. Und auch darauf ist hinzuweisen, daß das Rätsel schon immer ganz bestimmte *Techniken*, bestimmte Arten der Verschlüsselung kannte; ohne Einblick in diese Techniken ist es selbst dem Klügsten unmöglich, Rätsel zu lösen. Schließlich traf auch das alte Rätsel eine bestimmte Auswahl unter den Gegenständen; das Ei zum Beispiel wurde in auffallend vielen Rätseln erfragt.

Freilich ist es nicht falsch, wenn das alte Rätsel in Bezug gebracht wird zu der geschlosseneren, übersichtlicheren Umwelt, in der die Menschen früher lebten. Es ist verständlich, daß das moderne Rätsel der Ausweitung der Horizonte einerseits durch enzyklopädische Offenheit, andererseits aber auch durch eine künstliche Geschlossenheit, beispielsweise also durch die Konvention einer besonderen Kreuzwortwelt, Rechnung trägt. Und es ist sicher kein Zufall, daß die alten Formen des Rätsels heute am ehesten in der immer noch einigermaßen übersichtlichen Welt des *Kindes* gedeihen. Hier hat die Frage nach den einfachen Bestandteilen der Natur ebenso ihren Sinn wie die nach kulturellen Alltagsphänomenen:

> Zigarettchen lag im Bettchen,
> hat sich selber krank gemacht.
> Kam der Doktor an sein Bettchen:
> Was fehlt Dir?

Dieses kleine Rätsel wird auch als Auszählreim verwendet; das Lösungswort „Feuer!" ist dann das entscheidende Stichwort. Solche Rätsel finden sich aber auch in den Schullesebüchern, in Kinderalmanachen, in Zeitschriften, und wohl stärker noch als bei anderen Formen der Volksdichtung ist hier eine charakteristische Umkehr eingetreten: Kinder geben diese Rätsel nicht selten im häuslichen Kreis den Erwachsenen auf.

Diese Funktionsumkehr und überhaupt das Absinken in die Kinderwelt[17] definieren das heutige Rätsel als *Unterhaltungsgut* — und dies ist manchmal ein zweiter Ansatzpunkt ausgesprochener oder impliziter Kritik. Im Zusammenhang mit der Ableitung des Rätsels aus dem Mythos entwickelte man eine genetische Reihe, die dem Rätsel in seinem Ursprung tödlichen Ernst beimißt, während es dann allmählich zum unverbindlichen und billigen Scherz absteigt. Die älteste Stufe verkörperte demnach etwa der aus dem Orient stammende Turandotstoff oder auch die Erzählung von der thebaischen Sphinx, deren tödliche Rätsel erst Ödipus erriet. Auf einer zweiten Stufe stünde das agonale Moment, der Ernst des Wettkampfes im Vordergrund; hierzu könnte man Simsons Rätsel, aber auch die eddischen Beispiele rechnen. Erst auf einer dritten Stufe wäre das Rätsel bloßes Spiel. Gegen diese Konzeption muß gesagt werden, daß sie ein Erzählmotiv zur bündigen Gattungsfunktion umstilisiert, daß sie das Extrem des „Halslöserätsels" verabsolutiert und so den Todesernst des Rätsels ebenso überschätzt, wie sie umgekehrt die Bedeutung und das Gewicht des Spieles unterschätzt. Faßt man Spiel mit HUIZINGA als ein Spannungsfeld von Freiheit und Bindung, so geht der verbissene Ernst ebenso wie das agonale Moment und der leichte Scherz in diesen Begriff ein — und gerade diese Mischung scheint die *funktionalen Möglichkeiten* des Rätsels am treffendsten zu charakterisieren.

LINDA SADNIK gibt eine Notiz über das Rätselraten in einem bulgarischen Dorf wieder[18], in der das Ineinander von Ernst und Scherz deutlich zum Ausdruck kommt:

> Wenn die Leute abends um das Feuer sitzen, sagt einer „Laßt uns einander anlügen!". „Gut, es sei", antworten ihm die anderen. Dann gibt einer von ihnen Rätsel auf, so z. B. „Ein graues Stierkalb geht unter der Erde; was ist das?" Weiß der Befragte keine Antwort oder errät er es falsch, dann sagt ihm der Fragesteller: „Gib mir ein Dorf!" Der andere nennt ihm irgendeines von den benachbarten Dörfern — sagen wir z. B. Kovačovica. Hierauf der Fragesteller: „Ich ging entlang des Dorfes

---

[17] M. WÄHLER: Das Leben, S. 265 f.
[18] Rätselstudien, S. 20 f.

Kovačovica, hinauf, hinab, nach allen Seiten. Ich ging, ich aß, ich trank, und bei der Heimkehr, als ich schon dabei war anzukommen, fand ich inmitten des Wegs einen krepierten, zersetzten, räudigen Hund (oder sonst etwas Ekelerregendes), ich nahm ihn und klebte ihn auf deinen Mund, und so konntest du nicht sagen: Die Pflugschar" (die Antwort auf das Rätsel).

Auch aus anderen Dörfern wurden ähnliche „Bestrafungen" berichtet; so mußte etwa derjenige, der die Lösung eines Rätsels nicht fand, in die kalte Nacht hinaus, um ein Glas Wasser zu holen, und dergleichen mehr. Dies erinnert an unsere Pfänderspiele; aber der Bericht aus den Balkandörfern bezieht sich doch noch auf eine vollere Form, an die sich mehrere Beobachtungen anschließen lassen: Die Grenzen zwischen Witz und Beschimpfung, zwischen Ernst und Scherz sind fließend. Das agonale Moment ist deutlich; dabei steht der einzelne im Grunde mit der ganzen Gruppe in Wettstreit. Er soll nicht primär geprüft, sondern überlistet werden. Diese Überlistung kann auch so angelegt sein, daß er auf eine bedenkliche Fährte gelockt wird; in den sogenannten obszönen Rätseln beispielsweise wird ein harmloser Gegenstand so verschlüsselt, daß der Ratende sich mit seinen weniger harmlosen Lösungsversuchen bloßstellt. Hier aber ist das Rätsel einfach zu schwierig; es ist vielleicht nicht schlechthin unlösbar, wenn man mit der Technik der Verschlüsselung und den bevorzugten Gegenständen vertraut ist, aber beinahe kann man sagen: man muß die Lösung *wissen* — erraten kann man sie nicht. Gefragt ist also Wissen, nicht so sehr Anschauungskraft und Scharfsinn — ähnlich wie beim Rätsel Simsons. Gerade das aber gibt dem Rätsel Initiationskraft: Wer die Lösung weiß, gehört dazu.

Auch hier also werden wir wieder an einen Punkt geführt, in dem die Kritik am modernen Rätsel und seiner Orientierung an bloßem Wissen problematisch wird. Und schließlich läßt sich die starre Grenzziehung zwischen „alten" und „modernen" Rätseln auch noch dadurch auflockern, daß auf die *Folklorisierung von Neuformen* verwiesen wird. Die Droodles sind in all ihren absurden Verzerrungen nicht etwa auf einen kleinen Kreis abstruser Liebhaber beschränkt geblieben; zumindest einzelne sind durchaus populär, werden, rasch auf Bierdeckel gemalt, Wirtshausrunden zum Lösen angeboten. Aus den oft sehr komplizierten Denksportaufgaben haben sich volkstümliche Ableger entwickelt, bei denen der Denksport gelegentlich in ein freies Testverfahren übergeht. So gibt es etwa eine Erzählung, in der sich fünf junge Männer jeder auf seine Weise um ein Mädchen bemühen; der Hörer hat die fünf in eine Rangordnung zu bringen und erfährt dann, daß er sich selber eingestuft hat, da die Männer nahezu allegorisch gemeint sind: Manfred verkörpert die Moral, Ludwig die Liebe, Wilhelm die Weisheit, Siegfried steht für Sex und Georg für Geldgier. Selbst das Quiz, der Prügelknabe enragierter Kulturkritiker, ist keineswegs nur das idiotische Spiel einiger Tatsachenmillionäre, das Tausende passiv anstarren. Hier kann die Frage nicht eingehend diskutiert werden, inwieweit nicht gerade bestimmte Massenmedien — insbesondere das Fernsehen — kräftige Impulse zur Folklorisierung ausüben. Jedenfalls haben sich aus und neben dem Showbusiness zahllose Spielarten des Quiz entwickelt — vom Bilderquiz bei Vereinsabenden bis zu den Quizratereien in kleinen geselligen Kreisen. Mit all diesen Bemerkungen soll nicht der Blick für Qualitätsunterschiede getrübt werden; aber es ist nicht unwichtig zu sehen, wieviel Leben und wieviel Variationsvermögen in einer kleinen Form steckt, die von vielen nur noch im imaginären Museum der guten alten Zeit gesucht wird.

Literatur:

Antti Aarne: Vergleichende Rätselforschungen. 3 Bde. (= FFC 26—28). Helsinki-Hamina 1918—1920.

Joseph Dünninger: Rätsel. In: Der Deutschunterricht, 15. Jg. 1963, H. 2, S. 51 bis 60.

Mathilde Hain: Rätsel (= Realienbücher für Germanisten M 53). Stuttgart 1966.

Andreas Heusler: Die altnordischen Rätsel. In: Zs. d. Ver. f. Vkde. 11. Jg. 1901, S. 117—149.

Oskar Jancke: Vom Rätsel des Rätsels. Eine Betrachtung über Sinn und Wert des Rätsels. München und Berlin 1944.

Fritz Loewenthal: Studien zum germanischen Rätsel. Heidelberg 1914.

Friedrich Panzer: Das Volksrätsel. In: Die deutsche Volkskunde, hg. von Adolf Spamer, 1. Bd. Leipzig 1934, S. 263—282.

Robert Petsch: Das deutsche Volksrätsel. Straßburg 1917.

Linda Sadnik: Südosteuropäische Rätselstudien. Graz—Köln 1953.

Archer Taylor: A Bibliography of Riddles (= FFC 126). Helsinki 1939.

Martin Wähler: Das Leben des Volksrätsels im Volke. In: Zs. f. Vk. 49. Jg. 1940, S. 260—273.

Ingeborg Weber-Kellermann: Über das Volksrätsel. Ein monographischer Abriß. In: Beiträge zur sprachlichen Volksüberlieferung (Festschrift Spamer). Berlin 1953, S. 106—120.

6. Witz

Vom Rätsel führen Verbindungslinien zu vielen anderen Formen der Volkspoesie. Es kann nicht nur in scherzhafte Erzählungen, in Anekdoten und Märchen eingefügt werden, es steht auch dem Spruch nahe, fungiert als Inschrift, ist in seiner Metaphorik mit der verschlüsselnden Sprache mancher Zauberformeln verwandt und geht in seinen assoziativen Bildern und Klängen leicht in den Bereich der Spielformeln über. Am engsten aber ist der Zusammenhang mit dem *Witz*. Der Witz steht an der Grenze zu den Erzählformen; das Epische schrumpft darin aber so zusammen, seine Struktur ist so sehr auf einen Punkt — auf die Pointe — ausgerichtet, daß es berechtigt scheint, ihn den Sprachformeln und dem Sprachspiel zuzuordnen. Gerade in dieser Pointierung aber steht er zumindest einem großen Teil der Rätsel nahe.

Der Zusammenhang und der Unterschied der beiden Formen läßt sich an einem Beispiel zeigen. Ein Scherzrätsel fragt: „Worin besteht der Unterschied zwischen Römern und Griechen?" Die Antwort lautet: Aus Römern kann man trinken, aus Griechen nicht; sie spielt also mit dem Doppelsinn des Wortes „Römer". Zu diesem Rätsel gibt es nun eine Fortsetzung, die das Ganze in einen Witz verwandelt. Ein Sachse nämlich, dem diese Lösung des Rätsels mitgeteilt wurde, soll darauf gesagt haben: „Das versteh' ich nich — warum soll man denn aus Griechen nich drinken gönnen?" Es kommt also noch ein zweites Sprachspiel hinzu: im sächsischen Dialekt wird zwischen „Griechen" und „Krügen" nicht unterschieden. Dieser Witz ist leicht wieder in ein Rätsel umzuformen; man könnte etwa fragen: „In welchem Land kann man nicht nur aus Römern, sondern auch aus Griechen trinken?" Das beweist die enge Verbindung zwischen Wort*rätsel* und Wort*witz*. Der Unterschied: Das Rätsel stellt eine Frage, die Antwort muß überlegt, muß wohl auch einmal sorgfältig abgewogen werden, die Irrwege gehören gewissermaßen zur erweiterten Struktur, zum Hof des Rätsels. Der Witz dagegen ist eine Antwort, die gleichzeitig ein Rätsel enthält; wird die Fragestellung nicht erkannt, so bleibt der Witz unverstanden. Sie muß schnell erkannt werden; der „Lustgewinn" beim Hören von Witzen hängt zusammen mit diesem blitzschnellen Erraten einer Beziehung, die im Witz verschlüsselt ist. Dabei ist die Verschlüsselung freilich oft charakteristisch verschieden. Während die metaphorische Umschreibung im Rätsel dem erfragten Gegenstand sehr nahe bleiben kann — man denke an die zitierten Sachrätsel oder auch an die gängigen Schreibrätsel —, muß der Witz zwangsläufig bei der Verschlüsselung Abstand von der gemeinten Sache halten.

Wie der Witz *funktioniert,* soll an einem Beispiel erläutert werden, das SIGMUND FREUD anführt[1] — seine Studie über den Witz ist noch immer unübertroffen, und an ihr kann auch derjenige nicht vorbeigehen, der ihre psychoanalytischen Voraussetzungen und Folgerungen nicht voll akzeptiert. Es handelt sich um eine Geschichte aus Amerika: Zwei skrupellose Geschäftsleute hatten ein großes Vermögen ergattert und suchten nun mit allen Mitteln ihren Platz in der guten Gesellschaft. Auf einer Soiree zeigten sie den Besuchern zwei große Porträts, auf denen sie sich von einem bekannten Maler hatten darstellen lassen. Ein führender Kunstkenner und Kritiker sah sich die Bilder an, deutete auf den freien Raum dazwischen und fragte: „And where is the Saviour" — und wo ist der Heiland? Dieser Witz ist vielleicht nicht ganz leicht zu verstehen; und wer ihn nicht versteht, kann zweierlei registrieren: daß das Überlegen, das Herumraten den Witz verdirbt, daß der Witz aber andererseits durchaus ein Rätsel enthält, dessen Lösung auftaucht, wenn der Witz verstanden wird. Sie liegt in einer verborgenen Beziehung zwischen den Bildern und dem Ausspruch des Kritikers: mit der Frage nach Jesus spielt er nämlich an auf die verbreiteten Kreuzigungsbilder, auf denen links und rechts vom Heiland die beiden Schächer zu sehen sind. Der Witz entwickelt also eine Spannung zwischen zwei verschiedenen Fakten oder Äußerungen. Diese Spannung wird als unbehaglich empfunden, wenn der Witz nicht verstanden wird; errät man aber ‚sofort' das tertium comparationis, so gleicht sich die Spannung aus — der verstandene Witz befriedigt.

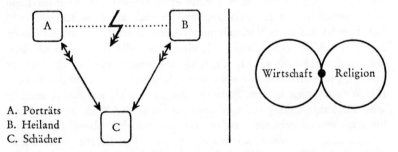

A. Porträts
B. Heiland
C. Schächer

Daß dieser Witz so aggressiv ist, hängt damit zusammen, daß hier zwei *ganz verschiedene Normbereiche* — das skrupellose Geschäftsleben und die Unbedingtheit des Religiösen — aufeinandertreffen. Die Grundstruktur des Witzes ist bestimmt durch den Zusammenstoß verschiedener

[1] Der Witz, S. 59 f.

Normbereiche — von hier aus sind dann auch die Qualitätskriterien festzustellen, ist die Ästhetik und die innere Form des Witzes genauer zu bestimmen.

Im wesentlichen entscheiden vier *Kriterien* über die *Qualität* eines Witzes: die Distanz der Normbereiche, die Verständlichkeit, das ‚Gewicht‘ der Normbereiche und die Pointierung.

1. Eine Dame mittleren Alters bittet einen Malermeister, über ihr einsames Bett „Cum deo" zu schreiben. Der Meister macht sich an die Arbeit; nachher findet die Dame die Inschrift vor: „Kumm, Theo!" Die Qualität dieses Witzes ergibt sich in erster Linie aus der *Distanz* zwischen den beiden Formulierungen: die geistliche Formel auf der einen, der mehr oder weniger erotisch zu verstehende Imperativ auf der anderen Seite. Es ist keine neutrale Distanz, sondern es handelt sich deutlich um ein Gefälle; was schon Hobbes und Kant als Merkmal der Komik hervorhoben, wird hier deutlich: sie degradiert.[2] Das Mißverständnis stellt die hohe Formel in Frage, enthüllt sie als mögliche Kompensation. Jean Paul bezeichnete den Witz als den verkleideten „Priester, der jedes Paar traut". Friedrich Theodor Vischer fügte hinzu: „die Paare am liebsten, deren Verbindung die Verwandten nicht dulden wollen".[3]

2. Wer „Cum deo" nicht übersetzen kann, wird in der Inschrift des Malers zwar einen komischen Fehler sehen, aber er sieht im Grunde den Witz nicht, weil ihm nicht beide Seiten *verständlich* sind. Nehmen wir noch ein anderes, wieder von Freud stammendes Beispiel.[4] Zwei Juden treffen in der Nähe des Badhauses zusammen. „Hast Du genommen ein Bad?" fragt der eine. „Wieso?" fragt der andere zurück, „fehlt eins?" Für uns ist das wohl nicht sehr viel mehr als eine leere Sprachspielerei, weil uns der sachliche Hintergrund fehlt: die Vorstellung eines „Bades", das man tatsächlich auch wegnehmen konnte, und auch die Vorstellung vom keineswegs nur hygienischen Charakter des Bades. Was für uns nur ein wohlfeiler Sprachwitz ist, lebt bei vollem Verständnis aus der Spannung zwischen dem ans Sittlich-Religiöse grenzenden Gedanken der Reinigung und der Banalität des Diebstahls.

[2] O. Rommel: Bemühungen, S. 164 u. S. 179. Vgl. Franz Jahn: Das Problem des Komischen in seiner geschichtlichen Entwicklung. Potsdam o. J. (1904), S. 15.
[3] S. Freud: Der Witz, S. 9.
[4] Ebd. S. 39—41.

3. Die beiden Seiten müssen aber nicht nur verständlich, im guten Witz müssen sie auch *gewichtig* sein. Nach dem letzten Krieg verbreiteten sich schnell die sogenannten „Flüchtlingswitze", die teils aggressiv teils freundlich das mangelnde Verständnis zwischen Einheimischen und Zuwanderern glossierten. In der Schule, so wurde erzählt, zeigte man den Kindern LUCAS CRANACHS Gemälde von der Ruhe auf der Flucht; die Kommentare der kleinen Jungen, welche das farbenprächtige Bild kritisch musterten, wurden in mehreren Varianten erzählt: „Typisch Flüchtlinge: keine Wohnung und nichts zu essen, aber für schöne Kleider haben sie Geld!"; oder: „Typisch Flüchtlinge: kein Stuhl unterm Hintern, aber sich malen lassen bei berühmten Malern!" Der Wert dieses Witzes liegt im Gewicht der beiden Welten, die hier zusammenstoßen: die biblische Darstellung, die religiöse Überhöhung, der an sich auch die schönen Farben dienen sollen, auf der einen Seite, und auf der anderen die alltägliche Not und die von Nächstenliebe weit entfernte Kritik an den Fremden. Man kann auch sagen: der Wert eines Witzes bemißt sich am *Widerstand*, den er bricht; wo gültige und starke Tabus angegriffen werden, besteht zwar die Gefahr der Entgleisung, aber auch die Chance für besonders zündende Witze. Dies zeigt auch das folgende Beispiel, das vor einigen Jahren in den „Simplizissimus" Eingang fand[5], aber auch allenthalben erzählt wurde:

> In einem bayerischen Ort muß ein junger Lehrer in einer 8. Mädchen-klasse für einen erkrankten Kollegen aushelfen. Um mit den Schüle-rinnen etwas vertraut zu werden, fragt er sie zu Beginn der ersten Unter-richtsstunde nach ihren Berufswünschen. Vom Mannequin bis zur Dol-metscherin ist schon alles da, als eine, der man bei weitem ihre 14 Jahre nicht mehr ansieht, erklärt, sie wolle Prostituierte werden. Dem jungen Lehrer stürzen krachend alle Ideale ein. Er ringt nach Luft und fragt entsetzt, wie sie auf diesen fürchterlichen Gedanken komme? Ach, meint sie lässig, die Mutter sei es auch, und außerdem sei es ein einträglicher Beruf, bei dem man nicht viel lernen müsse. Der Lehrer stürzt ins Rektorat und stammelt: „Herr Rektor, stellen Sie sich vor, in der 8. Mäd-chenklasse will eine Pro... Pro... — nein ich bringe dieses Wort nicht über meine Lippen!" Der Rektor, schon etwas ungeduldig: „Aber bitte, sprechen Sie es ruhig aus, ich bin auf das Schlimmste gefaßt." Der Lehrer, ganz gebrochen: „Sie will — Prostituierte werden!" Der Schulrat sinkt erleichtert auf einen Stuhl und murmelt: „Gott sei Dank! Ich dachte, sie wollte protestantisch werden!"

Auch hier liegt die Qualität in erster Linie im Gewicht der zusammen-stoßenden Normbereiche: ernster und bornierter Konfessionalismus

[5] Jg. 1954, Nr. 10, S. 3.

einerseits, lässigste Handhabung des Problems sittlicher Berufswahl andererseits.

4. Wenn an dem ‚bayerischen' Witz etwas auszusetzen ist, dann vielleicht eine gewisse Kompliziertheit in der Inszenierung der *Pointe*. Der Lehrer muß stottern — das ist nicht unmöglich, aber auch nicht sehr wahrscheinlich. Die französische Version, die in einer Klosterschule spielt, wählt einen anderen Regieeffekt: die Oberin fällt bei der ersten Silbe in Ohnmacht und wird nachher über ihr Mißverständnis aufgeklärt. Auch dies aber ist relativ umständlich, ist nicht primär spannungssteigerndes retardierendes Moment, sondern walzt die Pointe etwas aus. Je *direkter*, natürlicher und selbstverständlicher die beiden Welten zusammentreffen, desto besser ist der Witz. Der konstruierte Witz bringt die beiden Seiten zwar zusammen, aber er führt sie nur selten in einem Punkt, in einer Spitze zusammen; — das läßt sich an einer großen Zahl von politischen Witzen verfolgen. Von Hitler, der eine besondere Liebe zu Bayreuth hatte, erzählte man, er habe selber einen „Niegelungenzyklus" in vier Teilen geschrieben: „Keingold, Willkür, Niefried, Ghettodämmerung". Diese Wortspiele sind von geradezu tödlichem Gewicht; aber die Pointierung ist schwach, ist offensichtlich konstruiert — man wird an THEODOR REIKS Wort erinnert, wer einen Witz *mache*, mache keinen *Witz* mehr.[6]

Mit dem Vorrang des Unkonstruierten und damit des zunächst Unbewußten hängt es wohl auch zusammen, daß *die* Witze zu den überzeugendsten gehören, in denen der Held mehr oder weniger passiv ist, sich gehen läßt, die Kurven der Logik nicht zu nehmen vermag — in denen er versagt an den Normen der Welt. Das vielleicht bekannteste Beispiel ist *Graf Bobby*, der beim Anblick einer verwitweten Jugendfreundin feststellt: „Wann ich die geheirat' hätt', läg ich schon unterm Boden", — der im Theater die Gräfin Esterhazy zu sehen glaubt und, über deren Tod belehrt, nach einem Blick durch das Opernglas triumphierend meldet: „Eben hat sie sich aber bewegt", — der einen Storch sieht und sagt: „Dann gibt's den also doch?", — der fragt, ob Kinderlosigkeit erblich sei, — der mit einem viel zu langen Spazierstock herumläuft, ihn aber nicht kürzer machen lassen will wegen des schönen Silbergriffs, und der den Rat eines Freundes, den Stock unten abzunehmen, mit der Feststellung quittiert: unten sei er ihm nicht zu lang...

[6] Lust und Leid im Witz. Wien 1929, S. 73. Ähnlich schon FRIEDRICH SCHLEGEL in den Athenäums-Fragmenten: „Man soll Witz haben, aber nicht haben wollen; sonst entsteht Witzelei..." Krit. Schriften, S. 27.

Graf Bobby gilt als eine ganz und gar wienerische Gestalt: Er verkörpert den hilflosen, etwas vertrottelten Adligen; seine Geschichten spiegeln die Atmosphäre der endenden Monarchie, jene ziellose, sich auf der Stelle bewegende Geschäftigkeit, wie sie beispielsweise Musil in seinem Roman beschwor. Gegen diese Charakterisierung läßt sich sicherlich nicht viel einwenden. Sie darf aber nicht ohne weiteres in der Weise umgemünzt werden, daß alle Bobbywitze in einem ausschließenden Sinn als Wiener Witze reklamiert werden. Zu dem zuletzt angedeuteten Witz findet sich eine Parallele im „Philogelos" des Neuplatonikers Hierokles von Alexandrien,[7] der im 5. Jahrhundert lebte. Er erzählt von einem reichen Griechen, der einen großen Weinkrug versiegeln ließ; seine Sklaven bohrten ein Loch in den Boden des Krugs und tranken von dem Wein. Der Herr wunderte sich darüber, daß sein Wein verschwand; als ihm jedoch ein Freund riet, doch einmal nachzusehen, ob nicht von unten Wein entnommen werde, sagte er: „Du Narr, nicht der untere Teil verschwindet, sondern der obere." Die Pointe dieses Witzes beruht auf dem gleichen Prinzip wie die des Bobby-Witzes; die Parallele ist offenkundig.

Solche Ähnlichkeiten fördern das Mißtrauen gegen alles *Lokalisieren*. Die Menschen scheinen so verschieden nicht zu sein; die Typen wiederholen sich, die Konstellationen sind verwandt, der Motivschatz ist begrenzt. Mancher Witz, der als typisch sächsisch oder als typisch schwäbisch präsentiert wird, findet sich in den besonders reichen ostjüdischen Sammlungen; der ahnungslose und nationalstolze Kommentar, den ein amerikanischer Tourist vor dem römischen Kolosseum abgegeben haben soll, kam vor über hundert Jahren noch aus dem Munde eines Berliner Handwerksburschen[8]; und was Lützeler als Beleg für die derbe Wortgewandtheit der Kölner Marktfrauen anführt[9], sind zum Teil *Wanderwitze*, mit denen man auch anderswo den naiven Grobianismus der unteren Schichten verklärt. Das Lokale liegt eher als in der Motivik in der jeweiligen Auswahl, im Kolorit und in der Nuancierung; und auf der Suche nach solchen Akzenten bieten die Essays von Schöffler und Lützeler eine gute Hilfe.

Die antike Parallele stellt aber auch die Versuche *zeitlicher Eingrenzung* des Witzes in Frage; sie legt die Annahme nahe, daß auch hier alles schon dagewesen ist — und tatsächlich wird oft die Auf-

---

[7] Humor seit Homer (= ro-ro-ro Nr. 625). Hamburg 1964, S. 20.

[8] Franz Gaudy: Aus dem Tagebuch eines wandernden Schneidergesellen [1836]. München 1918, S. 95.

[9] Philosophie, S. 32.

fassung vertreten, der Witz sei „uralt", der Bart der Witze rausche
in die Tiefen der Vorzeit hinab. Nun wird man gewiß mit langen
Traditionsketten, mit der Weitergabe von einem Kulturbereich in den
anderen rechnen müssen; tatsächlich taucht die Geschichte vom angebohr-
ten Krug bei den barocken Predigern ABRAHAM A SANCTA CLARA und
JOANNES PRAMBHOFER auf.[10] Aber mehr noch als beim Rätsel erscheint
es beim Witz sinnvoll, die Phasenverschiebungen zu bedenken und seine
Entwicklung vor allem auch innerhalb eines Kulturbereiches, ja eines
Sprachbereiches zu untersuchen — zumal er ja unmittelbar mit der
Sprache zusammenhängt. Und da ist es aufschlußreich, daß sich der
deutsche Vorläufer der Bobby-Tat nicht als selbständiger Witz, sondern
als lehrhafte Narrengeschichte, als exemplarischer Bestandteil einer
Predigt präsentiert; und für den Überlieferungsstrang, der vom *Philogelos* zu ABRAHAM A SANCTA CLARA führt, sind Stichwörter wie
Mönchslatein und Renaissance gewiß wichtiger als Volksgut und mündliche Überlieferung.

Schon die *Begriffsgeschichte* des deutschen Wortes Witz[11] macht wahrscheinlich, daß es sich beim Witz um ein verhältnismäßig junges Produkt
handelt. Noch im 18. Jahrhundert bezeichnet Witz nicht die hier
behandelte objektive Gattung, sondern ein subjektives Vermögen. Dieser
Gebrauch hat sich bis heute in „Mutterwitz" erhalten. Allerdings wurde
„Witz" im 18. Jahrhundert geradezu Modewort; man versuchte damit
das französische „esprit" einzudeutschen, und für LESSING umfaßte das
„Reich des Witzes" auch die Poesie, ja das geistige Leben überhaupt.
In dem Wort Witz traf die rationale Komponente außerdem mit einer
irrationalen zusammen; Witz meinte auch das „ingenium", das Genie.
Es kann hier nicht gezeigt werden, wie der Begriff Ende des 18. Jahrhunderts von beiden Seiten kritisiert, sowohl von der Position des
klaren Verstandes wie des religiösen Gefühls in Frage gestellt wird;
wichtig ist, daß der Begriff ungefähr zur gleichen Zeit *objektiviert*
wird zur Bezeichnung einer besonderen sprachlichen Form.

Den Übergang markiert FRIEDRICH SCHLEGELs schon zitierter Aphorismus:
„Witzige Einfälle sind die Sprichwörter der gebildeten Menschen"[12]; das
Wort Witz gehört hier zwar noch auf die Seite der subjektiven geistigen
Ausstattung, aber es klingt doch bereits etwas an von der Variations-
breite des objektiven Witzes. GOETHE notiert 1828: „Viele sogenannte

10 ELFRIEDE MOSER-RATH: Predigtmärlein der Barockzeit, S. 62.
11 K. O. SCHÜTZ: Witz und Humor; H. BAUSINGER: Schwank und Witz,
S. 704 f.
12 Krit. Schriften, S. 27.

Berliner Witze und schnelle Erwiederungen kamen zur Sprache"[13] —
hier ist also Witz bereits eine Gattung, wobei die nähere Bestimmung
in die Großstadt und auf die Schlagfertigkeit und Agilität ihrer Bewohner weist. 25 Jahre später berichtet HEINE in seiner „Harzreise" über
das Gästebuch auf dem Brocken: „„Benebelt heraufgekommen und
benebelt hinuntergegangen' ist ein stehender Witz, der hier von
Hunderten nachgerissen wird".[14] Wenn vielleicht auch in GOETHES Zirkel
bereits Witze in unserem Sinne erzählt wurden, so erinnert seine Formulierung trotz der Skepsis, mit der er die Witze registriert, doch
noch an die subjektive Leistung, die Witze hervorbringt — HEINE
dagegen registriert einen ,stehenden Witz'; der Witz ist fixiert,
ist nicht mehr individueller Einfall, ist gewissermaßen demokratisierte
Scheidemünze geworden, die allgemein umläuft. Dem entspricht es,
daß um die gleiche Zeit — zunächst in England und Frankreich, dann
auch in Deutschland — *Witzblätter* entstehen, die sich nicht nur zum
Teil bis in unsere Gegenwart herein gehalten, sondern die vor allem
ihre Ableger, die Witzseiten, allmählich in fast allen Zeitschriften und
Zeitungen angesiedelt haben.

Die ungeheure Zahl von Witzen, die heute in Umlauf sind und immer
wieder neu in Umlauf gesetzt werden, ist mit der Möglichkeit globalen
Austausches und rascher Vermittlung nicht ausreichend erklärt. Offenbar
bietet die Wirklichkeit mehr Witze an oder legt die Formulierung von
Witzen doch näher, als es früher der Fall war; offenbar ist — so kann
man geradezu sagen — unsere Wirklichkeit *objektiv komischer* als die
früherer Zeiten. Nachzuweisen ist das beispielsweise an unserer Sprache,
in der die Witze ja verankert sind: während die frühere Sprachentwick-
lung Homonymen auszuweichen suchte, gibt es heute kaum mehr ein
Wort, das nicht mehrere, oft sehr entgegengesetzte Bedeutungen hat, deren
Gegenüberstellung allein schon Witze zu tragen vermag. *Birne* als Frucht,
Birne als Leuchtkörper, *Birne* als burschikose Bezeichnung des Kopfes —
daraus läßt sich schnell ein Witz konstruieren. Es gibt aber auch kaum
mehr Gegenstände, die nicht in ganz verschiedenen Funktionen stünden,
ganz verschiedenartigen Gebrauchsbezirken angehörten. Die *Urne* beim
Begräbnis und die *Urne* bei der Wahl — auch damit läßt sich ein Witz
zusammenbasteln. Und schließlich gibt es kaum einen Vorgang, der nicht
verschieden aufzufassen und mißzuverstehen wäre — man kennt die
Geschichte von der jungen Dame, die mit einem großen Hörrohr zur

[13] Werke (WA), III. Abt., 11. Bd. S. 206.
[14] Werke, 3. Bd. Berlin 1926, S. 56.

Kirche kam und vom Kirchendiener gewarnt wurde: „Wenn Sie auch nur einmal reinblasen, fliegen Sie 'raus!" Das ist eine nur andeutende Aufzählung, und es handelt sich um recht äußerliche, etwas bemühte Beispiele. Sie zeigen aber doch den wesentlichen Hintergrund für die *Konjunktur des Witzes,* die sich in den letzten hundert Jahren herausbildete: die *Pluralisierung der Normen.* Der Witz bezeugt, in wie vielen Bezugssystemen, Wertungsbereichen, Normbezirken der Mensch heute steht — in Bereichen, die er jeweils intensiv beachten muß, die aber doch nur relativ gültig sind. Wo es keine Überschneidungen von Normen gibt, sondern ein ausgeklügeltes, gewissermaßen kreuzungsfreies Normensystem wie in der Welt von „1984" — dort gibt es auch keine Witze.

Freilich wäre es falsch, die Häufigkeit der Witze allein damit zu erklären, daß unsere Wirklichkeit witzig sei. Der Witz ist vielmehr durchaus eine *modische Gattung* geworden; man stattet sich mit Witzen aus, hält sie fest, und man hält bezeichnenderweise auch die klassischen Witzkonstellationen fest, obwohl diese von der äußeren Umwelt vielfach überholt sind. Noch immer gibt es zahllose Witze ,aus Kindermund', obwohl es bei unserer Ahnungslosigkeit in weiten Bereichen des komplizierten heutigen Lebens dieser Kostümierung gar nicht bedürfte, noch immer unzählige Ehewitze, obwohl eine gewisse Liberalisierung des Erotischen ihren Reibungswiderstand und damit ihren Effekt verringert hat. Und immer noch gibt es die zugespitzten Erzählungen über Herrn Raffke oder Frau Neureich, obwohl — oder weil? — wir alle auf weiten Gebieten die Position des Parvenüs einnehmen.[15]

Die Pluralisierung der Normen, die Vielfalt der Bereiche und Bezüge, in denen wir zu leben haben, fördert nicht nur den Witz, sondern sie *schwächt* ihn auch *ab.* Wo wenige gültige Normen bestehen, ist auch der Zusammenstoß dieser Normen gewichtig — dies gilt etwa von dem Zusammenstoß kirchlicher und profaner Auffassungen in früherer Zeit. Der ,Pluralismus' macht die Überschneidung häufiger, aber er macht sie auch langweiliger und harmloser; sie sind wohl noch komisch, aber der Komik fehlt vielfach die Spannung, die nur aus gewichtigen Gegensätzen resultiert. Bestimmte Gruppen des modernen Witzes machen bezeichnenderweise den Versuch, mit spezifischen Mitteln eine neue, drastische Aufladung der komischen Spannung oder doch eine *Schärfung* des Witzes zu erreichen. Im wesentlichen handelt es sich um drei solche Versuche.

15 H. BAUSINGER: Das Pygmalionproblem. In: Volkskultur in der technischen Welt. Stuttgart 1961, S. 164—175.

Der erste ist im Kabarett und seinen Ausläufern zu beobachten. Das mangelnde Gewicht der komischen Aggressionen wird hier vielfach ausgeglichen durch die sprachliche Ziselierung und die geschliffene *Pointierung;* der Wortwitz steht im Vordergrund, seine formale Spitze täuscht darüber hinweg, daß diese Spitze nicht verwundet, daß die Angriffsflächen oft zu glatt sind zum Ansetzen. Mit dieser Bemerkung soll freilich nicht verheimlicht werden, daß es noch immer Tabus und damit gewichtige Spannungen gibt. — Der zweite Versuch der Schärfung setzt eben bei den *Tabugrenzen* an, die immer weiter hinausgeschoben werden. In den sogenannten Gruselwitzen etwa, die dem „black humour" verpflichtet sind, ist es vor allem das Tabu des Todes, das durchbrochen und makabren Spielereien überantwortet wird; repräsentativ sind dabei die „Mammi-Witze", bei denen einem Kind naive Ungeheuerlichkeiten in den Mund gelegt werden: „Mammi, darf ich mit Großmutter spielen?" „Nein, der Sarg bleibt zu!" — Diese Gruselwitze führen direkt an die Grenze des *surrealen Witzes,* der einen dritten Versuch demonstriert, das etwas müde gewordene Spannungsfeld der Komik aufzuladen. Während in anderen Witzen verschiedene Normen der Wirklichkeit zusammenstoßen, mißt der surreale Witz die Norm der Realität schlechthin am Anomalen; Gesetzlichkeiten unserer Wirklichkeit stoßen nicht mit anderen Gesetzlichkeiten dieser Wirklichkeit zusammen, sondern werden relativiert durch irreale Vorgänge; unsere Welt wird komisch, weil sie aus der Perspektive einer Märchenwelt gemustert wird.

Wo sich Kinder an solchen surrealen Witzen versuchen, kann es passieren, daß sie plötzlich aus der Märchenwelt nicht mehr hinausfinden, daß sie die eigentümliche Optik des Komischen verfehlen. Und dies gilt nicht ausschließlich für Kinder. Die zuletzt erwähnten Sonderformen des Witzes führen zumindest *an* — wenn nicht *über* — die Grenze des volkstümlichen Witzes, der sich am sichersten und am liebsten im Bereich handfester realer Anschaulichkeit bewegt und damit vielfach der Gattung des Schwankes nahesteht. Der Witz als weitverbreitete mündliche Gattung wurde hier für die letzten anderthalb Jahrhunderte beansprucht. Es gibt aber nicht nur literarische Vorformen — von den scholastischen Joca Monachorum über die lateinischen Facetien der Renaissance bis zu den Epigrammen und Aphorismen in Barock und Aufklärung —, sondern auch eine Vorform in der Volkspoesie: eben den *Schwank.* Der Witz erweist sich in vieler Hinsicht als die späte, formelhaft verkürzte Modifikation einer ausgeprägten Erzählform; das „System" unserer Einteilung soll die Zusammenhänge und die fließenden Übergänge nicht verdecken.

Literatur:

HERMANN BAUSINGER: Schwank und Witz. In: Studium Generale, 11. Jg. 1958, S. 699—710.

PAUL BÖCKMANN: Das Formprinzip des Witzes in der Frühzeit der deutschen Aufklärung. In: Formgeschichte der deutschen Dichtung, 1. Bd. Hamburg 1949, S. 471—552.

SIGMUND FREUD: Der Witz und seine Beziehung zum Unbewußten. Leipzig—Wien 1912 (= Fischer Bücher Nr. 193).

HANS-JOACHIM GAMM: Der Flüsterwitz im dritten Reich. München 1963.

SALCIA LANDMANN: Der jüdische Witz. Freiburg 1960.

HEINRICH LÜTZELER: Philosophie des Kölner Humors. Honnef [10]1955.

IMMANUEL OLSVANGER: Rosinkess mit Mandlen. Aus der Volksliteratur der Ostjuden. Basel [2]1931.

KURT RANKE: Schwank und Witz als Schwundstufe. In: Festschrift für W. E. Peuckert, München 1955, S. 41—59.

OTTO ROMMEL: Die wissenschaftlichen Bemühungen um die Analyse des Komischen. In: Dt. Vjschr. f. Litwiss. u. Geistesgesch. 21. Jg. 1943, S. 161—195.

HERBERT SCHÖFFLER: Kleine Geographie des deutschen Witzes. Göttingen 1955.

KARL-OTTO SCHÜTZ: Witz und Humor. In: Europ. Schlüsselwörter, 1. Bd. Humor und Witz. München 1963, S. 161—244.

ERNST WALSER: Die Theorie des Witzes und der Novelle nach dem de sermone des Jovianus Pontanus. Diss. Straßburg 1908.

ALBERT WELLEK: Zur Theorie und Phänomenologie des Witzes. In: Studium Generale 2. Jg. 1949, S. 171—182.

III. Erzählformen

1. Schwank

Während die Gattung des Witzes unmittelbar in die Gegenwart führt, verbinden wir mit dem Stichwort *Schwank* eher den Gedanken an altväterliche Behaglichkeit; es trägt uns in eine andere, weniger hastige Umwelt, es ruft historische Assoziationen hervor. Wir denken dabei etwa an Hans Sachs — und für diese Anknüpfung sprechen mehrere Gründe. Das Wort Schwank verbreitete sich im Zusammenhang mit der Neubelebung vor allem der dramatischen Werke von Sachs im Zeichen der Jugendbewegung[1]; bis dahin gab es keinen einheitlichen Begriff für die volkstümlichen lustigen Geschichten, sie wurden — und werden zum Teil immer noch — in den einzelnen Landschaften verschieden, aber immer mit neutralen Begriffen wie „Stückelcher", „Schnitz", „Schnurren" u. ä. bezeichnet. In der Zeit Hans Sachs' tritt uns zweitens eine besonders breite literarische Dokumentation des Schwankes entgegen. Die lustige Erzählung wird literarische Mode; immer neue Sammlungen erscheinen, mit charakteristischen Titeln wie „Wegkürzer", „Gartengesellschaft", „Schimpf und Ernst", „Nachtbüchlein". In diese Sammlungen geht die bis ins 16. Jahrhundert nicht allzu dichte literarische Schwanküberlieferung ein; sie nehmen aber gewiß auch Stücke aus der mündlichen Tradition auf, und sie bilden vor allen Dingen das große Quellbecken für die literarische und die mündliche Verbreitung vieler Schwänke in den späteren Jahrhunderten. Schließlich hat Hans Sachs selber viele Schwankstoffe bearbeitet. Ihm war die kurze Prosagattung nicht genug; er dramatisierte die Schwänke oder dehnte sie zu umfangreichen Reimerzählungen. Dabei läßt sich beobachten, daß der Schwank gegenüber solchen Formeingriffen verhältnismäßig unempfindlich ist; seine Komik ist im allgemeinen zu stoffgebunden, zu handfest, als daß sie eine formale Kostümierung nicht ertrüge. Daß dies nicht bei allen ‚Einfachen Formen' der Fall ist, wird aus vielen gereimten Märchennovellen ebenso deutlich wie aus gelegentlichen Versuchen, Witze in Versform zu bringen.

Der *Witz* erlaubt zwar auch eine gewisse verzögernde Ausmalung; aber seine Pointe muß schnell und selbstverständlich, muß scheinbar unabsichtlich kommen — eben dies aber verhindert im allgemeinen die Fügung in gereimten Versen. Der Schwank dagegen entfaltet sich in heiteren

---

[1] L. Schmidt: Volkserzählung, S. 299.

Bildern; es kommt bei ihm weniger auf die Formulierung, auf das
Wörtliche an. Allerdings trifft die Unterscheidung zwischen Wortkomik
und Sachkomik den Unterschied zwischen Witz und Schwank nicht ganz.
Der bekannte Schwank vom *Mann aus dem Paradiese* macht dies deutlich.
Er entstand nach JOHANNES BOLTES Vermutung im Kreis französischer
Fabliauxdichter[2]; dies würde die zentrale Wortverwechslung zwischen
Paris und *Paradies* erklären. Im 16. Jahrhundert wurde die Geschichte
in einige deutsche literarische Sammlungen aufgenommen; auch HANS
SACHS hat den Stoff zuerst in einem Meisterlied „Der farent schuler mit
der reich einfeltigen pewrin" und danach in dem bekannten Spiel
„Der farendt Schuler im Paradeiss" behandelt: Der fahrende Schüler aus
Paris kommt zu einer Bäuerin, deren Gedanken immer bei ihrem
verstorbenen ersten Mann sind, und die deshalb statt Paris *Paradies*
hört. Sie bittet den Schüler, ihrem toten Mann Kleider, Essen und Geld
zu überbringen. Ihr zweiter Mann hört davon; er reitet dem Studenten
nach. Der wechselt den Rock, wartet auf den Verfolger, sagt ihm, der
Gesuchte sei in den Wald geflohen, und erbietet sich, so lange das Pferd
zu bewachen. Mit dem Pferd und mit den Gaben der Frau macht er sich
dann davon. Man sieht: die Wortverwechslung ist ein recht wesentliches
Motiv, und wo der Schwank in andere Sprachbereiche überging, mußten
erst entsprechende Verwechslungen gefunden oder auch mühsam konstruiert werden: die finnischen Varianten operieren beispielsweise mit
einer Gemeinde *Taivassalo,* und das Gegenstück ist dann *taivaansali,*
der Himmelssaal, oder *taivaan ilo,* die Freude des Himmels; und in
dänischen Belegen werden dem *Himmerige* alle möglichen Orts- und
Landschaftsnamen gegenübergestellt.[3]

So entscheidend die Verwechslung aber als Motiv ist — sie ist nicht
Pointe. Daß sich von hier aus das Geschehen erst entfaltet, macht gerade
den Unterschied zwischen Schwank und Witz. In charakteristischer
Verdoppelung wird ein listiger Betrug mit seinen Folgen geschildert;
der Schwank besteht aus *anschaulichen Szenen.* Diese Ausweitung ins
Episch-Bildhafte erlaubt eine Fülle von Variationen. Während ein
Witz — prinzipiell gesprochen — fast nur auf eine einzige Art gut
und richtig erzählt wird, kann der Erzähler dem Schwank seinen
besonderen Stil mitgeben. Schwänke sind deshalb auch eher wiederholbar.
Beim Witz wird bezeichnenderweise gefragt: „Kennst Du den...?";
der Schwank dagegen ist variabler, ist auch gewissermaßen ‚vernünftiger'
als der Witz. Ein Witz kann ‚blöd' und doch gut sein; die formale

---

[2] G. Wickram's Werke, ed. J. BOLTE. 8. Bd. 1906, S. 316 f.
[3] Vgl. A. AARNE: Der Mann aus dem Paradiese.

Zuspitzung erlaubt das.[4] Der Schwank dagegen reiht Bilder aneinander, die zwar komisch, aber einleuchtend sind; und die Freude an diesen komischen, nicht selten derben Bildern ist sicherlich entwicklungsgeschichtlich und historisch älter als die an der überwiegend intellektuellen sprachlichen Zuspitzung.

Dem Versuch, den geschichtlichen Wegen der Gattung Schwank zu folgen, stellen sich freilich eine Reihe von Schwierigkeiten entgegen, die zum Teil eng miteinander zusammenhängen. Es ist nicht leicht, aus der absoluten Zeitfolge der Belege eine gegliederte Entwicklung zu erschließen, da die frühen Beispiele fast alle in den Bereich antiken Einflusses gehören und oft auch lateinisch geschrieben sind; es ist nahezu unmöglich, an den schriftlichen Belegen den Stand der mündlichen Tradition abzulesen; und es ist auch nicht einfach zu entscheiden, wo legitimerweise der Gattungsname Schwank benützt werden darf. Wenn PAULUS DIACONUS in seiner Langobardengeschichte im 8. Jahrhundert erzählt, die Heruler hätten auf der Flucht ein blühendes Flachsfeld für Wasser gehalten und seien hineingesprungen, so entspricht das einer Heldentat, welche die alten Inder dem „Affenkönig" und seinem Gefolge, spätere Jahrhunderte den Sieben Schwaben zuschrieben[5]; aber reicht das aus, um das Motiv einer sich durch die Jahrhunderte ziehenden ‚Unterströmung' mündlicher Tradition zuzuweisen? Mit einem Schwank im runden Wortsinn haben wir es jedenfalls noch nicht zu tun. Der vielleicht älteste Schwank, der uns auf deutschem Boden begegnet, ist allerdings auch ein Schwabenstreich. Es handelt sich um den *Modus Liebinc* der sogenannten Cambridger Sammlung aus dem 11. Jahrhundert; darin wird in lateinischen Versen die Geschichte von dem *„Schneekind"* erzählt, das eine wackere Schwäbin während der Seereise ihres Mannes angeblich dadurch empfing, daß sie ihren Durst im Schnee stillte — der Mann nimmt das Kind auf seine nächste Reise mit, verkauft es und sagt seiner Frau, der Schneegeborene, *nivis natus,* sei an der Sonne geschmolzen. Im 13. Jahrhundert tauchen die ersten deutschsprachigen Versschwänke auf, in großer Zahl und in verhältnismäßig geschliffener Form vom STRICKER aufgetischt mit offenkundiger Freude an krassen komischen Situationen: ein Ehemann läßt sich lebendig begraben, um seiner listigen Frau damit seine Willfährigkeit zu beweisen; ein anderer unterzieht sich dem Gottesurteil und trägt unbeschädigt das heiße Eisen,

---

[4] S. NEUMANN: Schwank und Witz, S. 331.
[5] FELIX LIEBRECHT: Beiträge zum Zusammenhang indischer und europäischer Märchen und Sagen. In: Orient und Occident insbesondere in ihren gegenwärtigen Beziehungen. 1. Bd. Göttingen 1862, S. 116—136; hier S. 130.

indem er heimlich einen Span unterlegt; ein Bote kommt durch ein Versehen nackt in einen geselligen herrschaftlichen Kreis; ein Dieb macht sich den Glauben an den heiligen Martin zunutze und stiehlt das Vieh aus dem Stall. Aber oft führen die heiteren Versnovellen des STRICKERS auch in ein seltsames Zwischenland, in dem sich Legende, Beispiel und Schwank nur schwer voneinander sondern lassen; dies gilt etwa für den Bericht von der eingemauerten Frau, die von ihrem Mann mit diesem radikalen Mittel nicht nur zur Vernunft, sondern sogar zur Heiligkeit gebracht wird, und es gilt auch für die Erzählungen um den ersten Schwankhelden der deutschen Literatur, den *Pfaffen Amis*, der nach allerhand raffinierten Betrügereien zum Abt aufsteigt und zum mildtätigen und frommen Mann bekehrt wird.[6] Die Fremdheit solcher Motive löst sich auch dann nicht auf, wenn das dominikanische Ideal der Prudentia als Leitbild des STRICKERS betrachtet wird[7]; sie deuten vielmehr wohl auf einen inneren, gattungsgeschichtlich bedeutsamen Bruch hin: die Form Schwank ist noch nicht emanzipiert, ist noch nicht ganz von ihrem religiös-moralischen Überbau gelöst; die komische Unangemessenheit eines Vorganges ist noch kein ganz tragfähiger Grund.

Dem entspricht es, daß uns eine ganze Reihe von Schwankmotiven zuerst im *geistlichen* Umkreis, eingefügt in einen theologisch-didaktischen Zusammenhang begegnen. Dieser kann sehr vordergründig sein; so warnte BERTHOLD VON REGENSBURG vor den Betrügern, die einfältigen Leuten sagen, sie kämen aus dem Himmel: „Man sol ouch den niht gelouben, die dâ jehent, daz sie ze himel varn oder ze helle..."[8]; der fahrende Schüler war also offenbar keine rein literarische Erfindung, sondern hatte seine realen Vorläufer. Der geistliche Zusammenhang kann aber auch allegorisch sein. Ums Jahr 1440 hielt der Augustinerchorherr BERNHARD FABRI eine Predigt zum Thema „Homo quidam erat dives"; darin drohte er den reichen Geizhälsen, es werde ihnen gehen wie den Bauern von Schildern im Ungarischen: diese seien einst so trunken gewesen, daß sie ihre eigenen Füße nicht mehr auseinanderfinden konnten; erst als der Schankwirt mit einem Kolben auf sie einhieb, hätten sie ihre Füße aus dem Knäuel gezogen. So aber sei es auch mit den Bösen: sie kennen ihre Füße, ihre eigene Schwäche nicht mehr, bis Christus mit dem Kolben des Todes kommen und auf sie

[6] HANNS FISCHER: Zur Gattungsform des „Pfaffen Amis". In: Zs. f. Dt. Alt. 88. Bd. 1958, S. 291—299.

[7] ERHARD AGRICOLA: Die prudentia als Anliegen der Strickerschen Schwänke. In: PBB. Weimar 1955, S. 197—220.

[8] BOLTE-POLIVKA (BP), 2. Bd. S. 441.

losschlagen wird . . . Was FABRI hier als Allegorie verwendet, ist ein Schwankstoff, der hundert Jahre später mehrfach greifbar wird: GRAF FROBEN CHRISTOPH VON ZIMMERN macht in seiner Chronik einen Ahnherren zum Helden der Geschichte und begründet so ihren Wahrheitsanspruch; BURKHARD WALDIS fügt den Schwank in gereimter Form seinen Äsopischen Fabeln hinzu; VALENTIN SCHUMANN erzählt die Geschichte in seinem Nachtbüchlein „von den bawren zu Ganßlosen im Würtenberger Land, ein meyl von Göppingen"; und schließlich bildet sie auch eine der komischen Taten der Schildbürger — im 29. Kapitel des Lalebuchs wird sie erzählt.[9]

Als Schwank wird die Geschichte also erst im 16. Jahrhundert manifest, und das gilt für eine ganze Anzahl von deutschen Schwänken. Die Nachfolger des Pfaffen Amis, die klerikalen wie der Kalenberger und Peter Leu, aber auch Neithart Fuchs und Eulenspiegel brauchen keine geistliche Entschuldigung mehr; die Moral hängt sich zwar noch an manche Schwänke an, aber sie ist jetzt vielfach nicht mehr als ein funktionsloser Appendix der *Gattung Schwank,* die nun entbunden und sich selbst überlassen ist. Verschiedene Umstände begünstigten ihre literarische Konjunktur. Der Buchdruck bot Möglichkeiten zur raschen und weiten Verbreitung; die lateinische Gattung der witzähnlichen Facetie bereitete dem deutschsprachigen Schwank den Weg; die räumliche Mobilität war besonders groß, Pilger und Kaufleute vermittelten orientalische Schwankstoffe; für das Unterhaltungs- und Bildungsbedürfnis des Stadtbürgertums reichten die abgesunkenen höfischen und geistlichen Stoffe nicht aus, und dieses Bürgertum nutzte die Schwänke auch als ein Mittel des Standesbewußtseins, sicherte sich damit gegen Hof, Klerus und Bauerntum ab. Wenn in den landschaftlichen Schwanksammlungen der letzten hundert Jahre nur verhältnismäßig wenige Themen und Stoffe auftauchen, die nicht schon in den Sammlungen der Renaissance erscheinen, so spricht dies einerseits für die beachtliche Konstanz gerade auch des heiteren Erzählguts; andererseits aber muß auch mit einem langsamen Prozeß des Absinkens, muß also damit gerechnet werden, daß viele dieser Erzählungen im Mittelalter Bestandteil des heiteren Mönchslateins waren, daß sie von Literaten, Fahrenden und Studenten im ausgehenden Mittelalter dem Bürgertum vermittelt wurden, und daß sie von dort — über gedruckte Sammlungen und vor allem auf den

---

[9] Vgl. JOSEPH KLAPPER: Beinverschränkung, ein Schildbürgerstreich. In: Mitt. d. Schles. Ges. f. Vk. 24. Bd. 1923, S. 147—152; H. BAUSINGER: Schildbürgergeschichten, S. 19 f.

verschiedenen Wegen mündlicher Infiltration — in die bäuerliche Provinz drangen.

Schon ein flüchtiger Blick in die landschaftlichen Schwanksammlungen zeigt, daß die *Gestalten, Stoffe* und *Motive* überall ähnlich sind, daß zwar gewisse Verschiebungen in der Rollenbesetzung registriert werden können, daß aber im wesentlichen das lebende und tote Inventar der früheren Schwankbücher wiederkehrt. GOTTFRIED HENSSEN fügte 1935 seiner Sammlung münsterländischer Sagen und Märchen[10] auch noch eine Abteilung „Schwänke und Schnurren" an; ein Dutzend Zwischenüberschriften bezeichnet die Unterabteilungen: Till Eulenspiegel — Der Alte Fritz und sein Kreis — Beckumer Anschläge — Schwänke von Ehepaaren — Von Frauen und Mädchen — Schwänke mit einem Mann als Hauptperson — Pfarrersschwänke — Pfarrer und Küster — In der Kirche — Allerlei Spott — Lügengeschichten — Schnurren und Anekdoten. SIEGFRIED NEUMANN edierte 1963 Volksschwänke aus Mecklenburg, die RICHARD WOSSIDLO zusammengetragen hatte. Er unterscheidet „Soziale Bereiche im Schwank" — Herren, Bauern, Knechte; Handwerker; In der Stadt; Obrigkeit und Untertanen; Geistliche —, „Schwankzyklen um Personen" — Eulenspiegel; König Fritz; Teterower —, und „Schwänke allgemeinmenschlichen Inhalts" — Liebe und Heirat; Ehe; Der Junge; Tanz und Trunk. Eine Besonderheit ist hier eigentlich nur der „Junge"; aber auch andere Landschaften kennen solche „ländlichen Allerweltsbengel"[11], denen alle möglichen lustigen Streiche und Aussprüche zugeschrieben werden. Andere Unterschiede heben sich auf: sowohl die Beckumer wie die Teterower sind die Schildbürger ihrer Landschaft; überall gibt es solche Fixierungen der Schildbürgerschwänke auf einen meist kleineren, abgelegenen Ort. Diese Schildbürgerschwänke wurden schon früh am eifrigsten gesammelt, weil man sie im Gegensatz zu den nicht lokalisierten Schwänken in die Nähe der Ortssagen rückte; insgesamt blieb der Schwank aber weitgehend im Schatten des Mythenernstes, der die Erzählforschung bestimmte. Regionale Unterschiede sind so häufiger solche der Forschungs- als solche der Erzähltradition. Dies gilt vermutlich sogar über die Sprachgrenzen hinaus: die Ähnlichkeiten überraschen auch beim Vergleich internationaler Schwanküberlieferungen, die in AARNES und THOMPSONS Klassifizierungssystem eine erste Ordnung gefunden haben.

Freilich macht die Einteilung gerade einer so lebendigen und auch wenig formempfindlichen Gattung große Schwierigkeiten. WILL-ERICH PEUCKERT,

[10] Volk erzählt. Münster 1935, S. 253—356.
[11] Volksschwänke aus Mecklenburg. Berlin 1963, S. XXI.

der oft auf die Vernachlässigung des Schwankes durch die Forschung hinwies, versuchte eine Gliederung, mit der er auch die historischen Entwicklungsstufen zu markieren glaubte.[12] Die erste Gruppe nannte er *„einspitzige"* Schwänke: sie erzählen eine einzelne listige Tat oder Antwort, oder sie weisen auf einen einzelnen Defekt. Hierher gehört nach PEUCKERT etwa die dem Witz nahestehende Geschichte von dem Knecht, der sich vom Feld nach Haus senden läßt, um zwei Hauen o. ä. zu holen, der aber zur Frau sagt, sie müsse ihm ihre beiden Töchter zum Schlafen geben; die Frau ruft ihrem Mann zu: „Soll ich sie ihm geben? Alle beide?" — und der Mann bejaht. Weitaus die meisten Schwankgeschichten konzentrieren sich so auf eine einzelne Episode. Von ihnen unterscheiden sich die zweigipfligen Geschichten, die *„Schwänke mit Nachhieb"*, bei denen entweder eine zweite parallele Episode angeschlossen wird wie in der Geschichte des fahrenden Schülers vom Paradies, oder bei denen sich plötzlich die Konstellation umkehrt, so daß der Betrüger zum Betrogenen, das Subjekt zum Objekt der List wird. Hierfür ist ein von MATTHIAS ZENDER aufgezeichneter Schwank charakteristisch: Ein Pastor half einem armen Teufel, indem er ihm einen angeblichen Wunderknochen gab und ihm empfahl, damit auf Krankenheilung zu gehen, bei den Kranken aber regelmäßig auf lateinisch zu sagen: Hilft es nichts, so schadet's nichts. Der Mann tat das und wurde in der ganzen Gegend bekannt, und als der Pfarrer ein Geschwür im Hals bekam, ließ seine Schwester den Wunderdoktor rufen. Als er beim Pastor in vollem Ernst sein Mittel anwandte, mußte dieser so lachen, daß das Geschwür platzte und er wieder gesund wurde.[13]

Diese einfache formale Unterscheidung PEUCKERTS ist bei allen Schwänken anwendbar; es ist verwunderlich, daß PEUCKERT die *Schildbürgergeschichten* nicht dieser Einteilung unterwirft, sie vielmehr gar nicht zu den Schwänken rechnet: „Hier wird nur gespottet, und das Objekt weiß häufig nicht einmal, daß es geschieht, hier sind wir auf einer anderen Ebene erzählerischen Könnens und Wollens." [14] Damit bringt PEUCKERT Beobachtungen zur Funktion, also andere Einteilungsmöglichkeiten ins Spiel. Tatsächlich kann jeder Schwank „angewandt", als Mittel freundlicher oder aggressiver Verspottung benutzt werden; allerdings bilden die Schildbürgerschwänke das Musterbeispiel dafür: malte man alle „Schildas" auf einer Karte auf, so ergäbe sich ein ziemlich dichtes

---

[12] Deutsches Volkstum, S. 161—167.
[13] Ebd. S. 166.
[14] Ebd.

Belegnetz, und zudem ist der Übergang zwischen den auf einzelne
Orte konzentrierten Schildbürgergeschichten und dem allgemein verbreiteten Ortsspott fließend. Aber gerade die Konzentration solcher
Geschichten auf einzelne reale Orte gibt diesen Geschichten paradoxerweise wieder die Irrealität und Allgemeinheit des Schildbürgerbuches
zurück; was den *Teterowern* und *Beckumern,* den *Schöppenstedtern*
und *Schwarzenbornern,* den *Kleinenbergern* und *Blombergern,* den
Dettelbachern und *Bopfingern* nachgesagt wird, das ist so faustdick,
daß jeder Realitätsanspruch zusammenbricht; es geht diesen Schwänken —
mag man auch gemeinsame historische Züge und soziale Bedingungen
in den verschiedenen Schildbürgerorten feststellen — nicht um Charakterisierung, sondern um die Komik.

Ähnliches läßt sich an den Schwänken beobachten, die auf *einzelne
Persönlichkeiten* gemünzt sind. In einigen Fällen läßt sich hier der
Übergang aus der historischen Realität in die Erzähltradition verfolgen; das gewissermaßen klassische Beispiel ist der Baron Münch-
hausen, dessen Lügenschwänke noch zu seinen Lebzeiten als Buch
erschienen, aber auch der tolle Bomberg oder der schlesische Hocke-
wanzel sind solche Gestalten, deren Taten und Aussprüche noch während
sie lebten in die literarische und mündliche Erzähltradition eingingen.
Selbst für zentrale Witzfiguren wie die Hamburgerin Klein-Erna hat
man ein Urbild aufzufinden versucht.[15] Andere *„Kristallisationsgestalten"*
— so hat sie LEOPOLD SCHMIDT in seinem wichtigen Abriß genannt[16] —
sind verschiedene Herrscher, wobei schon die Auswahl ein bezeichnendes
Licht auf das volkstümliche Geschichtsbild wirft. Mindestens in Norddeutschland steht Friedrich II. an erster Stelle. Dabei haben wir es zum
Teil mit Anekdoten, mit wirklich charakterisierenden Erzählungen zu
tun; aber zum anderen, insgesamt wohl größeren Teil ist auch Friedrich
der Große nur ein neutraler Kristallisationspunkt, der alte derbe Neid-
hartmotive genau so anzieht wie neuere witzige Aussprüche; er annektiert
immer neue Motive, und er wird für immer neue Geschichten annektiert.[17] Die Kristallisation um eine Person ist bei Schwank und Witz
ein Ausgleich zum isolierten Charakter dieser Erzählungen; und sie
liefert gewissermaßen einen Formelbestandteil, da man den Typus kennt:
so schrankenlos die Annexionstendenzen sind — von Friedrich dem

---

[15] HELMUTH THOMSEN: Materialien zur Entstehungsgeschichte von „Klein-Erna".
In: Beiträge z. dt. Volks- und Altertumskunde, 7. Bd. Hamburg 1963, S. 43—68.
[16] Volkserzählung, S. 306—308.
[17] H. BAUSINGER: Schwank und Witz, S. 702.

Großen erwartet man doch anderes als von Graf Bobby, von Eulenspiegel anderes als von den Schildbürgern.

Der Unterschied zwischen den Streichen Eulenspiegels und denen der Schildbürger liegt in der besonderen *Perspektive der Komik.* Die Komik kann aus der List oder aus der Dummheit entstehen, kann aktiv bewirkt oder passiv erlitten werden.[18] In beiden Fällen aber sympathisieren wir mehr oder weniger mit dem Helden. Der Meisterdieb der KHM handelt rechtswidrig, aber er hat unsere Sympathie; der Knecht in der erwähnten Erzählung („Alle beide?") würde in der Wirklichkeit als Sittenstrolch angeprangert, während in der Schwankgeschichte nur sein Verdienst zum Ausdruck kommt: das Verdienst, eine komische Situation erzeugt zu haben. Dieses Verdienst kommt aber auch den Versagern zu; sie geben dem Hörer gleichzeitig die Möglichkeit des Gefühls distanzierender Überlegenheit *und* freundlicher Identifikation. Es ist gut möglich, daß die Abfolge Eulenspiegel — Schildbürger repräsentativ ist, daß wir es also bei der mehr oder weniger sympathetischen Beschwörung des Dummen — bis hin zu den Irren der sogenannten Idiotenwitze — mit einer jüngeren Form zu tun haben.

Bei diesen allgemeineren Betrachtungen können Schwank und Witz ruhig zusammengefaßt werden. Das Prinzip ist in beiden Fällen ähnlich: auch im Schwank stoßen verschiedene Normbereiche, *verschiedene ,Welten'* zusammen. Aber sie treffen nicht nur in einem Punkt aufeinander, sondern überschneiden sich in breiten Flächen; und die Oppositionen sind insgesamt begrenzter, sind leichter überschaubar. Noch immer nimmt der die ältere Schwanküberlieferung fast ganz beherrschende Gegensatz *kirchlicher* und *außerkirchlicher,* geistlicher und profaner Auffassung einen breiten Raum ein. Zu den wichtigsten Schwankgestalten gehört bezeichnenderweise der Küster oder Kirchendiener. Er kennt beide Welten; er wirkt in der Kirche, die für ihn aber eben nicht nur und vielleicht nicht einmal primär geistlicher Raum ist, sondern vordergründig konkreter Arbeitsplatz. Seine Schwankfunktion ist es, den feierlichen Ton zu durchbrechen, mitten im Pathos des Sakralen die banale Alltäglichkeit zur Geltung zu bringen und durch diesen Kontrast das Lachen zu erregen. Am Pfingstfest, als der Pfarrer unten auf die Heilig-Geist-Taube wartet, ruft der Mesner herunter: „Den heiligen Geist hat die Katz' gefressen!" — und ein solcher Ausspruch stellt noch

---

[18] OTTO ROMMEL: Komik und Lustspieltheorie. In: Dt. Vjschr. f. Litwiss. u. Geistesgesch. 21. Jg. 1943, S. 252—286; hier S. 271 f.

keineswegs das Äußerste an scheinbarer, aber durch die Legitimierung des Komischen abgefangener Blasphemie dar. Oft sind es auch betont unanständige Worte oder Taten, die dem Sakralen in wirklicher oder gespielter Naivität entgegengesetzt werden.

Dies ist die zweite wichtige Opposition, aus der die Schwänke leben: die festen und oft engen Vorschriften der Sitte, und der vitale Ausbruch, der die Grenzen des Erlaubten und des Möglichen in der Erzählung spielerisch hinausrückt. Grobianische Motive spielen eine wichtige Rolle im Schwank, und die *erotischen* Erzählungen waren und sind weit häufiger, als es die oft sorgfältig zensierten Sammlungen zumal der letzten hundert Jahre erwarten lassen. Für die Untersuchung dieses Schwankguts ist noch nicht viel geleistet; doch zeichnen sich einige wesentliche Teilgruppen deutlich ab. In einer großen Zahl dieser Schwänke wird der — oder meistens *die* — Unerfahrene hinters Licht geführt; allgemeiner gesagt: Ahnungslosigkeit und erotisches Wissen stoßen zusammen. Es ist wohl nicht nur ein koketter Gegensatz zur vorschnellen Etikettierung „Zote", wenn diesen Erzählungen eine relativ wichtige aufklärende Funktion zugeschrieben wird. Eine zweite Gruppe von Schwänken könnte man die priapische nennen; in ihnen werden die Grenzen sexueller Potenz so weit hinausgeschoben, daß der Eindruck des Komischen unvermeidlich ist. Sie steigern sich oft bis ins Groteske — und es darf an dieser Stelle ganz allgemein gesagt werden, daß eine gewisse Freude an der horrenden Übertreibung, am Grotesken und auch am Absurden durchaus nicht auf die obersten Bildungsschichten beschränkt ist. Schließlich ist, in einer dritten Gruppe, die große Bedeutung des Skatologischen auffallend. Es ist sehr wahrscheinlich, daß die sexuelle Prüderie eines verhockten Bürgertums zur Verbreitung und Bewahrung dieser Stoffe beigetragen hat; sie bildeten gewissermaßen ein Reservat der Unanständigkeit, das zugänglich blieb. Andererseits besteht für diese Gegenstände schon eine ausgeprägte kindliche Bereitschaft; Kinder freuen sich ungemein über Erzählungen, in denen einer ‚muß', aber keine günstige Örtlichkeit zur Verfügung hat. Und endlich — ganz entsprechend zu dieser Beobachtung — handelt es sich dabei vielfach um besonders alte und verbreitete Überlieferungen; man braucht in diesem Zusammenhang nur an die berühmteste aller Neidhart-Erzählungen zu erinnern, wonach er das erste Veilchen auf der Wiese mit seinem Hut schützte, um es seiner Herrin zu zeigen, die Bauern aber das Veilchen mit ihrem Kot zudeckten und Neidhart so der Schande preisgaben.

In diesem im späten Mittelalter immer wieder, zum Teil auch dramatisch bearbeiteten Neidhartschwank[19] spielt freilich nicht nur der Gegensatz stilisierter Festfreude und deftiger Körperlichkeit eine Rolle, sondern
auch der *soziale Gegensatz* zwischen höfischer und bäuerlicher Welt.
Solche gesellschaftlichen Oppositionen sind die dritte wesentliche
Grundlage des Schwankes. In den alten literarischen Schwänken trium-
phiert vielfach der gebildete, das heißt meistens der des Lateins kundige
Kleriker oder Student über ungebildete Bürger und Bauern, die ihre
Bildungsmängel oft nicht einmal bemerken; charakteristisch ist etwa
die Erzählung von dem Gänsediebstahl der Studenten: der Eigentümer
meldet vor Gericht, daß er zwei der Diebe namhaft machen könne —
er habe nämlich die kurzen Zurufe „Habes?" und „Habeo!" gehört.
Es gibt aber auch die Umkehrung, Schwänke, in denen wirkliches oder
vorgebliches Bildungswissen an den elementaren Forderungen des Alltäglichen scheitert. Man könnte hier eine breite Linie ziehen von der
Geschichte des heimkehrenden Bauernsohns, der mit seinem Wissen
prahlt, sich über altes Herkommen wegsetzt, aber von seinem Vater
zurechtgewiesen wird — diese Geschichte hat wohl schon auf WERNHERS
Helmbrecht abgefärbt —, bis hin zu den Schnurren vom zerstreuten
Professor, der sein Hemd ins Bett und sich über die Stuhllehne legt.
Auch die mannigfachen Erzählungen vom Bauern in der Stadt, der
beispielsweise im Warenhaus so vielen komischen Mißverständnissen
erliegt, daß er zuletzt die Flucht ergreift, gehören hierher. In all diesen
Fällen wird ein fester ordo vorausgesetzt, der gottgewollt ständische
Gesellschaftsaufbau, der das Mittelalter lange überdauerte, oder eine
präzise Trennung zwischen Gebildeten und Ungebildeten, zwischen
Stadt und Land. Die sozialen Grenzen werden vorausgesetzt; gerade an
ihnen entzündet sich die Komik.

Nun hat neuerdings vor allem SIEGFRIED NEUMANN betont, daß es sich
im Schwank nicht nur um Konflikte handelt, die eben *auch* eine
soziale Grundlage haben, daß er vielmehr oft *soziale Konflikte* in
einem spezifischen Sinne austrägt.[20] NEUMANN geht von Mecklenburger
Geschichten aus, und es mag sein, daß die ungewöhnliche soziale Rück-
ständigkeit Mecklenburgs noch zu Beginn unseres Jahrhunderts diesen
Akzent besonders nahelegt; aber er ist sicher nicht auf diese Landschaft
beschränkt. Allenthalben finden sich die Geschichten, in denen ein kluger
Knecht seinen Herrn zum Besten hat, in denen soziale Unterdrückung

---

[19] KONRAD GUSINDE: Neidhart mit dem Veilchen (= Germanist. Abhandlungen
XVII). 1899.
[20] Der mecklenburgische Volksschwank.

Schwank

und Belastung durch einen komischen Effekt entlarvt wird. Regelrecht
aggressiv werden solche Erzählungen aber nur durch gezielte, etwa
genau lokalisierende Zusätze; die Schwänke in der herkömmlichen
Form berühren die Sozialverhältnisse nur, sie zeigen soziale Grenzen,
aber sie tasten diese im Grunde nicht an. Gewiß: Lächerlichkeit kann
töten; aber die behagliche Abrundung der Schwankerzählungen läßt
oft eher an eine beschwichtigende Funktion des Lachens denken. Anders
gesagt: die spezifische Perspektive der Komik orientiert sich zwar an
der Realität und ihren Mißverhältnissen; aber es kommt ihr letztlich
nicht auf die Realität an, sondern auf den komischen Effekt. Deshalb
werden soziale Situationen im Schwank konserviert, die in Wirklichkeit
längst überholt sind; der Bauer im Schwank steht noch immer den
komischen Helden barocker Zwischenspiele näher als dem Traktoren-
landwirt von heute. Deshalb auch steht der Schwank bei aller Realistik in
den Details doch in engster Beziehung zu den Lügengeschichten, den
Münchhauseniaden und dem Jägerlatein; und deshalb ist er auch nicht
allzu weit entfernt vom Märchen.

Literatur:

ANTTI AARNE: Der Mann aus dem Paradiese in der Literatur und im Volksmunde. Eine vergleichende Schwankuntersuchung (= FFC. 22). Hamina
1915.

HERMANN BAUSINGER: Schildbürgergeschichten. In: Der Deutschunterricht, 13. Jg.
1961, H. 1, S. 18—44.

HERMANN GUMBEL: Zur deutschen Schwankliteratur im 17. Jahrhundert. In:
Zs. f. dt. Philol., 53. Bd. 1928, S. 303—346.

GERHARD KUTTNER: Wesen und Formen der deutschen Schwankliteratur des
16. Jahrhunderts. Berlin 1930.

SIEGFRIED NEUMANN: Der mecklenburgische Volksschwank. Sein sozialer Gehalt
und seine soziale Funktion. Berlin 1964.

SIEGFRIED NEUMANN: Schwank und Witz. In: Lětopis, Festschrift für Friedrich
Sieber. Bautzen 1964, S. 328—335.

WILL-ERICH PEUCKERT: Deutsches Volkstum in Märchen und Sage, Schwank und
Rätsel. Berlin 1938.

KURT RANKE: Der Bettler als Pfand. Geschichte eines Schwankes in Occident
und Orient. In: Zs. f. dt. Philol., 76. Bd. 1957, S. 149—162.

LUTZ RÖHRICH: Erzählungen des späten Mittelalters und ihr Weiterleben in
Literatur und Volksdichtung bis zur Gegenwart. 2 Bde. Bern und München
1962, 1967.

HEINZ RUPP: Schwank und Schwankdichtung in der deutschen Literatur des
Mittelalters. In: Der Deutschunterricht, 14. Jg. 1962, H. 2, S. 29—48.

LEOPOLD SCHMIDT: Die Volkserzählung. Märchen — Sage — Legende —
Schwank. Berlin 1963.

2. Märchen

Die unbekümmerte, letztlich nicht an die Realität gefesselte Entfaltung von Bildern rückt den Schwank in die Nähe des Märchens. Viele Märchensammlungen, angefangen mit den KHM, enthalten auch Schwänke, und diese fallen um so weniger aus dem Rahmen, als eine Mischgattung die Brücke zum Märchen schlägt: *Schwankmärchen* wie die Erzählung vom tapferen Schneiderlein, die Übernatürliches enthalten — die Riesen —, die aber vor allem mit dem Wunderbaren spielen — die Tricks des Schneiders. Damit ist bereits der Gegensatz angedeutet zwischen den Gattungen Schwank und Märchen, die LUDWIG FELIX WEBER schon 1904 in einer stilkritischen Untersuchung verglich. Er stellte funktionale Unterschiede heraus: das Märchen gehört in den häuslichen Umkreis und wird von der Frau „verwaltet", der Schwank dagegen ist Männersache. Außerdem trennt die „innere Welt" die beiden Formen: „Das Märchen scheidet stets gut und schön von böse und häßlich und endet mit dem Siege des Guten; der Schwank kennt solche Sonderung und solches Ziel nicht, sondern setzt sich über alle Schranken des Rechts und der Sitte hinweg". Vor allem aber: „Die übersinnliche Welt, die im Schwank nur Lüge ist, ein Spuk, an den nur die Dummen glauben, ist die Welt des Märchens".[1]

Dieser degenerative Zusammenhang läßt sich am Beispiel verdeutlichen. In einem russischen Volksmärchen, im 19. Jahrhundert aufgezeichnet, wird eine Frau schwanger, indem sie eine Schneeflocke ißt, und das Kind, das sie zur Welt bringt, muß vor der Sonne gehütet werden, damit es nicht schmilzt.[2] Was im Schwank vom Schneekind 800 Jahre früher als komische Ausrede entlarvt wird, bleibt im Märchen verbindlich. Das Beispiel zeigt wieder, daß die absolute Zeitfolge der Belege für die genetische Interpretation nicht entscheidend zu sein braucht: die ‚aufgeklärte' Haltung der lateinischen Bildungsschicht des Mittelalters ist gewiß „jünger" als der Märchenernst. Aber auch so ist es keine eindeutige Entwicklungsreihe; denn Märchen und Schwank lassen sich als Ausdruck verschiedener Geistesbeschäftigungen verstehen, die durchaus nebeneinander bestehen und je nach Bedarf und Gelegenheit aktiviert werden. Und es handelt sich im Märchen um *spielerischen* Ernst — das Motiv ist zwar uneingeschränkt gültig, aber es braucht keineswegs Bestandteil des herrschenden Volksglaubens zu sein. WALTER BERENDSOHN hat dies so ausgedrückt: „Für die Erzählerkunst des

---

[1] Märchen und Schwank, S. 78 f.
[2] W. E. PEUCKERT: Deutsches Volkstum, S. 158 f.

Märchens ist es gleichgültig, wo und wann die einzelnen Jenseitsmotive enstanden sind und ob sie geglaubt werden; denn sie werden künstlerisch verwandt: sie machen eine Welt aus, die unabhängig ist von dem Geschehen der alltäglichen Wirklichkeit".[3]

Jedenfalls macht das Beispiel noch einmal deutlich, daß ein und dasselbe Motiv in ganz verschiedenen Formen auftauchen kann. Es gibt zwar Stichwörter und leitende Motive, die mit einiger Sicherheit in bestimmte Erzählformen hineinführen: „Pfarrer und Küster" — das läßt einen *Schwank* erwarten; „die böse Stiefmutter" entrückt uns in die Welt des *Märchens;* „eine christliche Grafentochter und ein heidnischer König" — wir denken an *Legenden;* „ein tyrannischer Gutsverwalter" — wir sind in den Umkreis der *Sage* versetzt. Aber es ergibt sich bei genauerem Zusehen, daß es sich dabei bereits um aufgeladene, um in einer bestimmten Richtung gelagerte Motive, um Sprachgebärden im Sinne von JOLLES handelt. Anders gesagt: die angeführten Stichwörter enthalten, mindestens andeutend, bestimmte Konstellationen, die für verschiedene Formen typisch sind. Wenn wir „böse Stiefmutter" sagen, so ist damit nicht nur eine Person bezeichnet, sondern es ist mindestens eine weitere Person mit im Spiel — und zwar ist es im allgemeinen die arme und geplagte Stieftochter. Was aber hier reales Verwandtschaftsverhältnis ist, gilt im übertragenen Sinne für alle Motive: sie stehen in ganz bestimmten Verwandtschaftsbeziehungen, und es gibt solche Motive, die fast nach allen Seiten ihre Verbindungen haben, während andere, kontaktärmer, im immer gleichen Zusammenhang auftauchen. Neuerdings hat vor allem der ungarische Märchenforscher GYULA ORTUTAY auf diese Gesetzmäßigkeiten der „*Affinität*" hingewiesen.[4] Er überträgt damit auf das Märchen eine Fragestellung, die von HERMANN SCHNEIDER[5], VIKTOR SCHIRMUNSKI[6] und anderen vor allem im Umkreis der Heldenepik erprobt wurde. Es ist damit zu rechnen, daß die Frage nach der „zwangsläufigen Motivfolge", in der stoffliche und formale Betrachtung zusammenstoßen, künftig zu wesentlichen Aufschlüssen über das Märchen führt.

Bei der Variation, der Umformung und Verschmelzung von Märchen spielen die Affinitätsverhältnisse eine entscheidende Rolle. Im Streit um die Festigkeit und Konstanz des Märchens machte man verschiedent-

[3] Grundformen, S. 35.
[4] Principles, S. 220 passim.
[5] Deutsche und französische Heldenepik. In: Zs. f. dt. Philol. 51. Jg. 1926, S. 207 u. 237.
[6] Vergleichende Epenforschung I. Berlin 1961, S. 21 f.

lich auch Experimente mit Nacherzählungen — teils um die Zerbrechlichkeit und Gefährdung aller mündlichen Überlieferung zu zeigen, teils aber auch, um im Gegenteil das gute Gedächtnis und die Treue der Erzähler zu beweisen. Bei einem derartigen Versuch erzählte ein kleines Mädchen von Schneewittchen im Schloß — und plötzlich sagte es: „Über dem Schloß fliegen Schwäne" und ließ sich von diesen Schwänen zu einer ganz anderen Märchengeschichte tragen.[7] Die Assoziation führte also weg von Schneewittchen; aber man wird nicht ohne weiteres sagen dürfen, daß die Assoziation rein zufällig war — offenbar besteht eben zwischen dem Mädchen im Schloß und wunderbaren Schwänen *auch* eine Affinität. In einem andern Fall hängten Kinder den eindrucksvollen Triumphgesang, der den Schluß der Erzählung vom Wolf und den sieben Geißlein bildet, an das Märchen vom Rotkäppchen. Interessanterweise setzten sie mit dieser Übertragung von „Der Wolf ist tot!" lediglich fort, was die Brüder GRIMM schon begonnen hatten: sie hatten nämlich den Schluß des Geißleinmärchens entlehnt, um dem französischen „Chaperon rouge" ein glückliches Ende zu geben.[8] Dieses Beispiel, mag es auch nur ein peripheres Motiv betreffen, führt also vom Experiment schon hinüber in den Bereich der tatsächlichen Traditionswandlungen. Die zahlreichen historisch-geographischen Märchenuntersuchungen führen gerade an den Nahtstellen und Abzweigungen verschiedener Typen und Untertypen zum Problem der Affinität hin; und vielleicht darf man hoffen, daß eine genauere Erörterung dieses Problems die weit auseinanderlaufenden Märchenmonographien künftig etwas enger zusammenschließt.

Die Frage der Affinität — oder sagen wir allgemeiner: der *Motivkomplexe* hat aber auch für die Literaturgeschichte ihre besondere Bedeutung. Auf den märchenhaften Charakter eines großen Teils der mittelalterlichen deutschen Literatur ist immer wieder hingewiesen worden; für diese Zusammenhänge ist JOHANNES BOLTES und GEORG POLIVKAS Abhandlung „Zur Geschichte der Märchen" im vierten Band ihrer Anmerkungen immer noch wertvoll. Wie die Mythenwelt der Edda ist auch die heroische Epik „mit märchenhaftem Beiwerk umkleidet und ausgeschmückt". HERMANN SCHNEIDER stellte fest, der Märchenkenner fühle sich in der Jung-Siegfried-Dichtung Schritt für Schritt auf

---

[7] KAROLINE SCHMITZ: Über das anschauliche Denken und die Frage einer Korrelation zwischen eidetischer Anlage und Intelligenz. In: Zs. f. Psychol. 114. Bd. 1930, S. 314 f.
[8] ELISABETH HEIMPEL: Gedanken über das Märchen. In: Die Sammlung, 4. Jg. 1949, S. 723.

bekanntem Boden.[9] Die Artusepen erinnern nicht nur in ihrem Aufbau an BERENDSOHNS bewußt allgemein gehaltene Definition des Märchens als einer „Liebesgeschichte mit Hindernissen, die ihren Abschluß in der endgültigen Vereinigung des Paares findet"[10], sondern sie enthalten auch ausgesprochene Märchenzüge, Motivgruppen märchenhafter Prägung. Alle diese Dichtungen sind gewiß keine Märchen im heutigen Sinne; sie enthalten aber auch nicht nur spezielle ‚Märchenmotive', sondern sie haben mit einzelnen Märchen ganze Entwicklungsreihen gemein. KURT WAGNER spricht von *„Schemata"*, welche „die wesentlichen Züge zum Aufbau einer geschlossenen Erzählung in sich" tragen, aber eben noch keine solche abgerundete Erzählung darstellen.[11] Im Hinblick auf das Märchen ist nicht nur zu fragen, ob nicht manche der märchenhaften Schemata vor allem der spätmittelalterlichen Literatur aus orientalischer Quelle stammen oder „als internationale Jongleurerfindung des 12. und 13. Jahrhunderts anzusehen" sind — dies hat BOLTE angenommen[12] —, sondern auch, ob überhaupt mit dem Hintergrund ausgeformter und geschlossener Märchenerzählungen gerechnet werden darf. Vieles weist darauf hin, daß jene Schemata ihre unabhängige Existenz hatten und sich je nach ihrer Affinität verschiedenen Entwürfen einfügten, daß also ‚das Märchenhafte' hier eine typisierende Bezeichnung bestimmter topischer Erzählelemente, nicht aber ein Ahnennachweis ist.

Wie immer man sich aber die Form der Präexistenz vorstellt — als *selbständige literarische Gattungsform* tritt das Märchen jedenfalls noch später und zögernder hervor als der Schwank. Man könnte sogar sagen, daß es sich zunächst nur in Begleitung des Schwanks herauswagt. Der STRICKER, die Meistersänger und Satiriker des späten Mittelalters tragen Schwankmärchen vor; und auch in den Sammlungen des 16. Jahrhunderts spielt das Märchen fast nur in dieser Mischform eine Rolle. MARTIN MONTANUS allerdings placiert mitten unter seine derben Schwänke nicht nur die Schauergeschichte „Adam Stegmann erwürgt seyne zwey Kinder", die auf eine wirkliche Begebenheit von 1556 zurückgeht, sondern auch — unter dem Titel „History von einer Frawen mit zweyen Kindlin" — das schlicht erzählte Märchen vom Margretlin, das im Wald ausgesetzt wird, dort aber im Haus eines „Erdkühleins"

[9] Germanische Heldensage, 1. Bd., S. 169.
[10] Grundformen, S. 35.
[11] Wirklichkeit und Schicksal im Epos des Eilhart von Oberg. In: Archiv f. d. Studium d. neueren Sprachen, 170. Bd. 1936, S. 161—184; hier S. 167.
[12] BP 4. Bd., S. 171.

jede erdenkliche Hilfe findet. Es handelt sich um ein Märchen vom Typ „Einäuglein, Zweiäuglein, Dreiäuglein", das dem Aschenputtelmärchen nahesteht. Dieser Beleg zeigt, daß wir nicht *nur* an schwankartige und sagenähnliche Geschichten zu denken haben, wenn ein Augsburger Kritiker des Montanus 1558 äußert, „aus lauter Weibertheding oder Kindermerlein" könne jeder Bauernknecht ein Buch machen.[13]

Wenige Jahre vorher (1550—1553) waren in Venedig Francesco Straparolas „Ergötzliche Nächte" erschienen; dieses Werk, in dem durchaus Fabulierlust und Märchenfreiheit spürbar ist, begründete in Europa die Tradition des abgerundeten, einer Kurznovelle verwandten literarischen Märchens, die — vor allem über das (1634—1636 posthum erschienene) sogenannte Pentameron des Neapolitaners Giambattista Basile — auch auf die deutsche Märchendichtung einwirkte. Stärker noch war freilich zunächst der französische Einfluß: Charles Perraults Erzählungen vom Ende des 17. Jahrhunderts sowie die Contes des fées der Madame d'Aulnoy und ihrer Epigonen wurden in Deutschland — freilich mit einigen Jahrzehnten Verspätung — ebenso bekannt gemacht wie die Sammlung „Tausendundeine Nacht", in welcher Jean Antoine Galland orientalische Märchenüberlieferungen frei bearbeitete. Die bekannteren Versuche deutscher Märchendichtung und -bearbeitung im 18. Jahrhundert, an der Spitze diejenigen Wielands, stehen im Zeichen dieser kunstvollen, mitunter auch erkünstelten Poesie; die Form des Märchens ist hier zierliche Kostümierung, die Märchenlandschaft eine raffiniert aufgebaute Szenerie. Wenn Goethe die orientalischen Märchen später, in den Noten und Abhandlungen zum West-östlichen Divan, als „Spiele einer leichtfertigen Einbildungskraft" charakterisiert, die „keinen sittlichen Zweck haben und daher den Menschen nicht auf sich selbst zurück, sondern außer sich hinaus ins unbedingte Freie führen und tragen" — dann trifft diese Charakteristik nicht bloß auch einen Teil seiner eigenen Märchen, sondern mehr noch jene Dichtungen des Rokoko und dann wieder einen Teil der romantischen Kunstmärchen, die im Geiste der höheren Ironie jegliche Bindung verneinen.

Vom naiven „Ammen-Mährchen, im Ammen-Ton erzählt"[14], distanzierten sich Wieland und andere Freunde märchenartiger Erzählungen. Solche Äußerungen sollten aber nicht darüber hinwegtäuschen, daß sich im zweiten Glied der Poeten die Popularisierungstendenzen verstärkten. Wielands Bemerkung von 1789 wird überhaupt erst begreiflich vor

---

[13] Ebd. S. 59.
[14] Vorrede zu Dschinnistan; Werke Ak.Ausg. I, 18. Bd. S. 9.

dem Hintergrund der Tatsache, daß einerseits ausländische Märchenstoffe in nachlässigen Übersetzungen und volkstümlichen Bearbeitungen auf den deutschen Buchmarkt kamen und sicherlich auf die mündliche Tradition einwirkten, daß aber auch deutsche Volksmärchen nun dichterisch ausgestaltet wurden — hier ist in erster Linie an den von WIELAND freilich hochgeschätzten MUSÄUS zu erinnern, dessen Märchennovellen 1782—1786 erschienen. Schon im Verlauf des 18. Jahrhunderts bahnte sich eine Annäherung von künstlerischem und vereinzelt auch wissenschaftlichem Interesse und volkstümlicher Märchenüberlieferung an, die in einzelnen frühromantischen Märchen eine Steigerung, in der Sammlung der Brüder GRIMM ihre Krönung fand.

Die KHM von 1812 wurden zum regelrechten Hausbuch und sind es bis heute geblieben. Die Brüder GRIMM regten die vielen landschaftlichen Märchensammlungen des letzten und unseres Jahrhunderts an, wobei ihre These, daß in den gefälligen Märchen echtes Mythengold verstreut sei, nicht wenige Sammler beflügelt hat. Die GRIMMs formten aber auch den *Märchentypus*, der im allgemeinen Bewußtsein die Gattung überhaupt repräsentiert. „Man könnte beinahe sagen, allerdings auf die Gefahr hin, eine Kreisdefinition zu geben: ein Märchen ist eine Erzählung oder eine Geschichte in der Art, wie sie die Gebrüder Grimm in ihren Kinder- und Hausmärchen zusammengestellt haben". So schreibt JOLLES[15], und er geht zunächst ganz bewußt von der *„Gattung Grimm"* aus. Dies ist freilich eine liberalere Abgrenzung, als es zuerst scheinen mag. Die Brüder GRIMM stellten ihre Sammlung ohne orthodoxen Gattungspurismus zusammen, und zumindest nach der Seite des Schwanks, aber auch der Fabel und der Legende blieben die Türen offen. Dies entsprach der Funktion, dem „Sitz im Leben", den diese Erzählungen einnahmen; sie wurden auch im Volk nicht klar voneinander abgegrenzt, und die Versuche, die Kategorien zur Trennung der Formen ausschließlich aus Kommentaren der Erzähler zu gewinnen, blieben unzulänglich. Nur eine sorgfältige Stiluntersuchung konnte herausarbeiten, was für das „eigentliche Märchen" charakteristisch ist.

MAX LÜTHI hat, die Ansätze von BERENDSOHN und anderen ausbauend, diese Formbeschreibung in vorbildlicher Weise geleistet. Ausgangspunkt war seine Untersuchung über „Die Gabe im Märchen und in der Sage".[16] Darin zeigte er, daß die ganz verschiedenartige Funktion des Geschenks in wesentlichen Gattungsunterschieden begründet ist. Mit dem Blick

---

[15] Einfache Formen, S. 219.
[16] Diss. Bern 1943.

auf die Gegenwelt der Sage unternahm es Lüthi dann, Form und Wesen des Volksmärchens genauer zu beschreiben.[17] Die erste und in vieler Hinsicht entscheidende Kategorie, die er herausstellt, ist die *„Eindimensionalität"*: die Gestalten des Märchens erleben alles Jenseitige ohne Befremden; es gibt kein Verwundern, und es gibt, tritt man nicht von außen an die Märchen heran, auch keine Wunder. Man könnte zur Erläuterung, wenn auch nicht ohne die Gefahr des Mißverständnisses, an Leibniz' Unterscheidung zwischen „le merveilleux particulier" und „le merveilleux universel" erinnern: die Märchenwelt ist als ganzes wunderbar; wer in ihr lebt, registriert kein besonderes Wunder mehr. Mit dieser Eindimensionalität hängen die anderen Bestimmungskategorien zusammen. Die „Flächenhaftigkeit" des Märchens zeigt sich in der figuralen Darstellung der Märchengestalten: Innenwelt und Umwelt spielen keine Rolle, die Dimension der Zeit ist mehr oder weniger ausgeschaltet — die wirkungslosen hundert Jahre im „Dornröschen" sind symptomatisch. Das Märchen hat einen „abstrakten Stil", der ihm „Wirklichkeitsferne" verleiht. Der Verzicht auf Beschreibung, die Technik der bloßen Benennung, die Wolfgang Schmidt auch als Charakteristikum der Ballade herausgestellt hatte[18], „läßt die Dinge automatisch zu einfachen Bildchen erstarren". Scharfe Konturen und scharf getrennte Stationen sind für das Märchen ebenso bezeichnend wie die Präzision des Gelingens: „Im Märchen ‚klappt' alles". Die Märchenfiguren „lernen nichts, sie machen keine Erfahrungen"; aber gerade in ihrer extremsten Isolation sind sie beziehungsfähig nach allen Seiten: „Isolation und Allverbundenheit". Schließlich kennzeichnen „Sublimation" und „Welthaltigkeit" das Märchen, es entwirklicht und entmächtigt das Mythische, das Magische, das Numinose ebenso wie alle profanen Motive; und in die so geschaffene spielerische Sphäre vermag es alle wesentlichen Elemente des menschlichen Seins aufzunehmen: „in den Glasperlen des Märchens spiegelt sich die Welt;" es ist ein Sinnbild des menschlichen Daseins.

Die zahlreichen konkreten Hinweise und Interpretationen Lüthis können hier nicht aufgeführt, hier kann nur das Gerüst seiner Strukturbetrachtung angedeutet werden. Der Vorwurf, der bei morphologischen Darstellungen naheliegt, und den jüngst Karel Horalek gegen Schklovskij und Propp erhob: solche Versuche seien „nichts anderes als die in die Poetik projizierte anthropologische Theorie vom Ursprung des Mär-

---

[17] Das europäische Volksmärchen; Zitate S. 26, 31, 38, 75.
[18] Die Entwicklung der englisch-schottischen Volksballaden. In: Anglia, 57. Bd. 1933, S. 1—77 und 113—207; hier S. 171.

chens"[19] — dieser Vorwurf trifft LÜTHI schon deshalb nicht, weil er sich ausdrücklich beschränkt auf das *europäische Volksmärchen,* wie es in den Sammlungen der letzten anderthalb Jahrhunderte präsentiert wird, während er sich auf Vermutungen über andere Traditionsbereiche nicht einläßt. Der Einwand allerdings, daß sich LÜTHI allzusehr am GRIMM-schen Märchen, vielleicht auch überhaupt am *schriftlich fixierten* und zumindest in den Prinzipien der Fixierung von den KHM beeinflußten Volksmärchen orientiere, läßt sich nicht ohne weiteres beiseiteschieben.

Im Nachlaß BRENTANOS fand man die *Urfassungen* einer Reihe von Märchen, wie sie JACOB und WILHELM GRIMM aufgeschrieben hatten. Dabei handelt es sich meist um karge, am Stoff orientierte, manchmal stenogrammartige Skizzen, die bestätigen, was schon ARNIM den Brüdern schrieb, als sie sich auf ihre treue Wiedergabe der Volkserzählungen beriefen: „ich glaube es Euch nimmermehr, selbst wenn Ihr es glaubt, daß die Kindermärchen von Euch *so* aufgeschrieben sind, wie Ihr sie empfangen habt, der bildende fortschaffende Trieb ist im Menschen gegen alle Vorsätze siegend und schlechterdings unaustilgbar".[20] JACOB GRIMM freilich verstand die Treue nicht als „eine mathematische"; es kam ihm nur darauf an, daß nichts Fremdes hinzugefügt werde: „Du kannst nichts vollkommen angemessen erzählen, so wenig Du ein Ei ausschlagen kannst, ohne daß nicht Eierweiß an den Schalen kleben bliebe... Die rechte Treue wäre mir nach diesem Bild, daß ich den Dotter nicht zerbräche". Diese Treue aber sei in dem Märchenbuche da: „in der Sache ist durchaus nichts zugesetzt oder anders gewendet". WILHELM GRIMM ging weiter; er räumte ein, daß er natürlich auch seine eigenen Empfindungen zum Ausdruck gebracht habe: „Drum hab ich mir in den Worten, der Anordnung in Gleichnissen und dergleichen gar keine Schwierigkeiten gemacht, und so gesprochen, wie ich in dem Augenblick Lust hatte". WILHELM aber war es, der die KHM in erster Linie niederschrieb. Ein Vergleich mit den Urfassungen in der sogenannten Ölenberger Handschrift und mit anderen Vorlagen zeigt die gewichtigen stilistischen Eingriffe; WILHELM SCHOOF hat hierzu wesentliche Beobachtungen mitgeteilt.[21]

---

[19] Einige Bemerkungen zur Theorie des Märchens. In: Beiträge z. Sprachwiss., Vk. u. Literaturforschung (Steinitz-Festschrift). Berlin 1965, S. 157—162; hier S. 157.

[20] Vgl. zu der Auseinandersetzung K.-E. GASS: Idee der Volksdichtung; A. JOLLES: Einfache Formen, S. 221—226.

[21] Beiträge zur Stilentwicklung.

Da jedoch schon die „Urfassungen" von der mündlichen Erzählung im Stil, wenn wohl auch nicht in der Sache abwichen, wird der besondere *Ton* WILHELM GRIMMS noch offenkundiger, wenn wir die späteren Fassungen der KHM mit der möglichst „mathematisch" getreuen Wiedergabe eines Volksmärchens mündlicher Überlieferung vergleichen — selbst wenn wir dabei mehr als ein Jahrhundert überspringen. Vor etwa dreißig Jahren zeichnete ELLI ZENKER im ungarischen Schildgebirge die Märchen einer deutschen Erzählerin, der *Pallanik-Ahnl*, auf. Im folgenden, auf S. 164—167, stelle ich einige Teile ihrer Niederschrift des Aschenputtelmärchens[22] neben die entsprechenden Partien der beiden Druckfassungen des *Aschenputtel* in den KHM von 1812 und 1819.

Schon die Eingangssätze verraten wesentliche Unterschiede. Die mündliche Erzählung beginnt karg, mit der knappen und banalen Bezeichnung einer alltäglichen Konstellation. In der ersten Fassung der KHM sind nicht nur die Worte gediegener; die Rede wird auch gleich in musikalischen Fluß gebracht. Dies steigert sich in der Zweitfassung zu einem Strömen, dem sogar die hochsprachliche Syntax geopfert wird; die Poetisierung führt ‚zurück' zu volkssprachlichen Fügungen. So könnten Satz für Satz und Abschnitt für Abschnitt die Unterschiede gezeigt werden; wir müssen jedoch auf einen detaillierten Vergleich verzichten. Ich fasse nur einige allgemeinere Beobachtungen zusammen:

1. Die Umarbeitung WILHELM GRIMMS zielt auf einige stilistische Züge, die LÜTHI als Merkmal des Volksmärchens hervorhebt. Die Zweitfassung ist vielfach abstrakter; sie arbeitet mit Wiederholungen; die — wirklichkeitsfernen — Verse werden stärker in den Mittelpunkt gerückt; die schärfere Präzision wird bei der Schilderung der Schuhprobe ganz deutlich. Nimmt man nun die mundartliche Fassung aus Ungarn hinzu, so zeigt sich, daß diese Züge dort nur zum Teil ausgeprägt sind. Bei der *Pallanik-Ahnl* sind es drei verschiedene Fruchtarten, die in die Asche geschüttet werden: Fisoln, Waz und Trad — also Bohnen, Weizen und Korn; in der GRIMMschen Erstfassung werden nacheinander Linsen, Wicken und Erbsen ins Spiel gebracht; und erst die Zweitfassung ersetzt die variierende durch die typisierende Wiederholung: hier sind es dreimal Linsen. Damit wird freilich nur formal potenziert, was ohnehin im Gang der Erzählung steckt, und vielfach wird man sagen dürfen, daß WILHELM GRIMM lediglich Stilzüge *verstärkt* hat, die *ohnehin*

[22] Eine deutsche Märchenerzählerin aus Ungarn. München 1941, S. 50—54.

angelegt waren.[23] In der Darstellung der Schuhprobe steht die End-
fassung WILHELMS der ungarndeutschen Aufzeichnung sogar näher als
der ersten Formulierung; während Aschenputtel in dieser erst etwas
drücken muß, um in den Pantoffel zu kommen, verzichtet die zweite
Fassung auf diese Beschreibung, welche die Präzision des Vorgangs eher
abzuschwächen droht.

2. Gerade solche Übereinstimmungen aber lassen die wesentlicheren
Unterschiede besonders deutlich hervortreten. Die *Pallanik-Ahnl* erzählt
den Ablauf im *Ton naiver Selbstverständlichkeit;* sie holt das Märchen-
wunder herein in ihre alltägliche Sprache, die dadurch zwar heiter und
freundlich wird, aber im Grunde nicht in einen anderen Zustand mutiert.
Der Ton der KHM dagegen ist *sentimentalisch,* und wenn sich auch die
Märchenfiguren nicht direkt wundern, so stellt doch jeder Satz dem
Leser das Wunderbare und Ungewöhnliche der Märchenwelt zwar
unaufdringlich, aber deutlich vor Augen. Es ist ein „kunstvoll gefeilter
Volkston", wie ADOLF SPAMER einmal sagt.[24] In diesen Ton geht bruchlos
das *Pädagogische* ein; gerade auch das Aschenputtelmärchen zeigt, in
wie vielen Wendungen WILHELM GRIMM — wiederum: unaufdringlich,
aber deutlich — die Kinder an der Hand nimmt und zu den Vorgängen
hinführt.

3. Der alltäglichen Sprache im Aschenputtelmärchen der *Pallanik-Ahnl*
entspricht die *alltägliche Welt,* die darin vorgestellt wird. Sie fällt
gerade dort auf, wo der Inhalt des Märchens eigentlich von dieser Welt
wegführen müßte. Der Geliebte Aschenputtels ist in der ersten Fassung
der KHM ein Prinz — das ist poetisch und allgemein; es ist, wenn man
so will, eine fast abstrakte Vokabel für das Hohe, normalerweise nicht
Erreichbare. In der Umarbeitung wird daraus ein Königssohn — das ist
zugleich archaisch und für Kinder verständlicher, aber keineswegs
realer. In dem ungarndeutschen Märchen ist es „a junger Graf" — und
das gehört gerade noch in die eigene Umwelt. Er tut Aschenputtel auch
nicht „königliche Ehre" an oder nimmt sie kindlich an der Hand; er
„hat sich eingehängt und hat s' nimmer ausglassen" — wie ein Bursche
im Dorf sein Mädel.

Die KHM und ihre Trabanten — zu erwähnen sind hier vor allem
die Märchen BECHSTEINS und ANDERSENS — haben im Verlauf der

---

[23] Diese Beobachtung berührt sich mit der von MAX LÜTHI neuerdings erörterten
fruchtbaren Hypothese einer ‚entelechischen Zielform' des Märchens: Aspekte
des Volksmärchens und der Volkssage. In: GRM. N.F. 16. Bd. 1966, S. 337—350.
[24] Volkskunde. In: Germanische Philologie. Ergebnisse und Aufgaben (Festschrift
f. O. Behaghel). Heidelberg 1934, S. 435—481; hier S. 445.

KHM 2. Auflage:

Einem reichen Manne, dem wurde seine Frau krank, und als sie fühlte, daß ihr Ende herankam, rief sie ihr einziges Töchterlein zu sich ans Bett und sprach „liebes Kind, bleib fromm und gut, so wird dir der liebe Gott immer beistehen, und ich will vom Himmel auf dich herabblicken und will um dich sein." Darauf that sie die Augen zu und verschied. Das Mädchen ging jeden Tag hinaus zu dem Grabe der Mutter und weinte, und blieb fromm und gut. Als der Winter kam, deckte der Schnee ein weißes Tüchlein auf das Grab, und als die Sonne im Frühjahr es wieder herabgezogen hatte, nahm sich der Mann eine andere Frau.

KHM 1. Auflage:

Es war einmal ein reicher Mann, der lebte lange Zeit vergnügt mit seiner Frau, und sie hatten ein einziges Töchterlein zusammen. Da ward die Frau krank, und als sie todtkrank ward, rief sie ihre Tochter und sagte: „liebes Kind, ich muß dich verlassen, aber wenn ich oben im Himmel bin, will ich auf dich herab sehen, pflanz ein Bäumlein auf mein Grab, und wenn du etwas wünschest, schüttele daran, so sollst du es haben, und wenn du sonst in Noth bist, so will ich dir Hülfe schicken, nur bleib fromm und gut." Nachdem sie das gesagt, that sie die Augen zu und starb; das Kind aber weinte und pflanzte ein Bäumlein auf das Grab und brauchte kein Wasser hin zu tragen, und es zu begießen, denn es war genug mit seinen Thränen.

Der Schnee deckte ein weiß Tüchlein auf der Mutter Grab, und als die Sonne es wieder weggezogen hatte, und das Bäumlein zum zweitenmal grün gewor-

Pallanik-Ahnl:

Da war a Mann und a Weib und die habn a Madl ghabt. Die Mutter is noch einmal gstorbn. Hat der Mann noch einmal gheirat und die hat zwei Madl ghabt. No und so habn sich die zwei Madl mit dem andern net vertragn. Habn s' nur in Aschnpudl genannt, weil s' alle schmutzige Arbeit hat müssn machn, alle dreckige Arbeit, was war im Haus. So haben s' gar ka Lust ghabt mit ihr, habn ihr ka Gwand eingschafft und so is sie halt so verdächtig rumgangen, allweil traurig.

den war, da nahm sich der Mann eine andere Frau.

Aschenputtel setzte sich betrübt auf den Heerd und schüttete die Wicken aus. Da flogen die Tauben wieder herein und thaten freundlich: „Aschenputtel, sollen wir dir die Wicken lesen?" „Ja, —

die schlechten ins Kröpfchen,
die guten ins Töpfchen."

Pick, pick! Pick, pick! gings so geschwind, als wären zwölf Hände da. Und als sie fertig waren, sagten die Tauben: „Aschenputtel, willst du auch auf den Ball gehen und tanzen?"

Als sie die zwei Schüsseln Linsen in die Asche geschüttet hatte, ging das Mädchen durch die Hinterthür nach dem Garten und rief „ihr zahmen Täubchen, ihr Turteltäubchen, all ihr Vöglein unter dem Himmel, kommt und helft mir lesen,

Die guten ins Töpfchen,
die schlechten ins Kröpfchen."

Da kamen zum Küchenfenster zwei weiße Täubchen herein und danach die Turteltäubchen, und endlich schwirrten und schwärmten alle Vögel unter dem Himmel herein und ließen sich um die Asche nieder. Und die Täubchen nickten mit ihren Köpfchen und fingen an pik, pik, pik, pik, und da fingen die übrigen auch an pik, pik, pik, pik, und lasen alle guten Körner in die Schüsseln.
Und eh eine halbe Stunde herum war, waren sie schon fertig, und flogen alle wieder hinaus. Da trug das Mädchen

No is wieder a Ball wordn, da sind wieder alle eingladn gwest, Vater und Mutter und die Kinder. Sind s' wieder alle gangen und ihr habn s' a Simperl voll Waz (Weizen) in die Aschn gschütt: sie soll 's ausklaubn.

Und sie is wieder außegrennt zu ihrer Mutter ihrn Grab auf'n Friedhof und hat dort gweint und zont (geweint). Is wieder der Vogl kommen und hat ihr a Schachtl abgschmissn. Dort war noch a viel schöners Gwand drin. Und sie is heimgrennt damit und hat sich hingsetzt zum Wazaußerklaubn. Da sind wieder so viel Vögl kommen und Taubn und habn ihr gholfn außerklaubn. Das war in an Nu gschehn und sie hats sich wiederum gwaschn und anglegt und is auch aufs Ball gangen.

die Schüsseln zu der Stiefmutter, freute sich und glaubte nun dürfte es mit auf die Hochzeit gehen.

Der Königssohn kam ihm entgegen, nahm es bei der Hand und tanzte mit ihm. Er wollte auch sonst mit niemand tanzen, also daß er ihm die Hand nicht los ließ, und wenn ein anderer kam, es aufzufordern, sprach er „das ist meine Tänzerin."

Der Prinz aber sah den Wagen vor dem Thor halten und meinte eine fremde Prinzessin käme angefahren. Da ging er selbst die Treppe hinab, hob Aschenputtel hinaus und führte es in den Saal. Und als da der Glanz der viel tausend Lichter auf es fiel, da war es so schön, daß jedermann sich darüber verwunderte, und die Schwestern standen auch da und ärgerten sich, daß jemand schöner war wie sie, aber sie dachten nimmermehr, daß das Aschenputtel wäre, das zu Haus in der Asche lag. Der Prinz aber tanzte mit Aschenputtel und ward ihm königliche Ehre angethan. Er gedachte auch bei sich: ich soll mir eine Braut aussuchen, da weiß ich mir keine als diese.

Und dort war a junger Graf. Der hat schon das erste Mal allweil auf sie a Aug ghabt und wie s' kommen is, is er gleich auf sie zu, hat sich eingehängt und hat s' nimmer ausglassn. Hat sich mit ihr unterhaltn die ganze Zeit

Und sie is gar net erschrockn, hat sich hingsetzt und hat den Schuh anglegt und er hat ihr akrat (akkurat) paßt. Nachher hat er gsagt: „Komm nur, du bist die Richtige. Du ghörst jetzt mein!" Nachher is gangen und hat sich gwaschn und anglegt, ihr schöns Gwand, wo s' das erste Mal hat anghabt aufs Ball. Habn ihre Schwestern erst gschaut.

Da ward Aschenputtel gerufen und wie es hörte, daß der Prinz da sey, wusch es sich geschwind Gesicht und Hände frisch und rein; und wie es in die Stube trat, neigte es sich, der Prinz aber reichte ihr den goldenen Pantoffel und sagte: »probier ihn an! und wenn er dir paßt, wirst du meine Gemahlin." Da streift es den schweren Schuh von dem linken Fuß ab, setzt ihn auf den goldenen Pantoffel und drückte ein klein wenig, da stand es darin, als wär er ihm angegossen.

Er wollte es aber durchaus haben, und Aschenputtel mußte gerufen werden. Da wusch es sich erst Hände und Angesicht rein, ging dann hin und neigte sich vor dem Königssohn, der ihm den goldenen Schuh reichte. Dann setzte es sich auf einen Schemel, zog den Fuß aus dem schweren Holzschuh und steckte ihn in den Pantoffel, der war wie angegossen.

letzten hundert Jahre die mündliche Märchentradition immer mehr *abgedrängt*. Gewiß ist die Vorstellung falsch, daß es früher in jedem Dorf Dutzende von Märchenerzählern gab; aber ihre Zahl hat sich doch ganz entschieden verringert. LUTZ MACKENSEN vertritt noch die Ansicht, daß man von der Wirkung der KHM auf „die Bildungsgesetze des volkstümlichen Erzählgutes" überhaupt schließen könne: „wir erleben am konkreten Beispiel, wie auch in früheren Zeiten durch Predigtmärlein, Schwankbuch und Roman der Märchenschatz um- und neugeschichtet worden ist".[25] Aber das Buchmärchen *ersetzt* neuerdings vielfach die mündliche Erzählung; es ist auffallend, daß die besten Erzähler der letzten Jahrzehnte vielfach entweder Analphabeten oder doch nicht sehr bewandert in der Lektüre waren. Dies darf für frühere Zeiten nicht unbedingt unterstellt werden; die stofflichen Anregungen aus der Literatur konnten früher wohl leichter auf den Erzählschatz einwirken, während die Brüder GRIMM das Märchen auf eine stilistische Höhe entrückten, von der gewissermaßen kein Weg zurückführt.

Dabei spielt ihre *Entwirklichung* des Märchens eine entscheidende Rolle. Die von ihnen nicht beeinflußten Volksmärchen wurden in ihrer Szenerie stets der jeweiligen Umwelt angenähert; in lebendiger Märchenüberlieferung tauchen auch technische Gegenstände auf, werden Auto und Telefon verwendet. Schon in den KHM aber werden entsprechende Verschiebungen nicht mehr zugelassen, die historischen Züge werden zugunsten der „Naturform" Märchen abgeschnitten; und man braucht nur die sterile Flut zweitklassiger *Kunstmärchen* anzusehen, die seit ungefähr 1850 entstanden, um Auswirkung und Ausmaß dieser *Requisiterstarrung*[26] zu erkennen. Sie beeinflußte aber auch viele Volksmärchensammlungen, zumindest was die Auswahl und was den Stil betrifft.

All diese Erörterungen schieben freilich LÜTHIS Beschreibung des Volksmärchens nicht beiseite. Die Faszination seiner Kategorien erweist sich schon darin, daß sie zur Auseinandersetzung zwingen; und seine morphologische Wesensschau zeichnet gewissermaßen einen Idealtyp, ein Bild des „reinen" Märchens, von dem die Erzähler verschieden weit abrücken, von dem sie sich aber nicht völlig lösen. Dabei muß mit ganz unterschiedlichen *Erzählerpersönlichkeiten* gerechnet werden. Es gibt nicht nur den in der Forschung mehrfach betonten Gegensatz zwischen den bewahrenden Erzählern, denen es nur auf die möglichst wortgetreue Wiedergabe einer Überlieferung ankommt, und den Fabulier-

[25] Zur Märchenforschung, S. 346 f.
[26] H. BAUSINGER: „Historisierende" Tendenzen im deutschen Märchen seit der Romantik. In: Wirkendes Wort, 10. Jg. 1960, S. 279—286.

freudigen, die Neues hinzufügen, Motive ausgestalten, Szenerien ausmalen und wohl auch einmal die ganze Handlung verbiegen. Mindestens
unter der keineswegs seltenen zweiten Sorte gibt es die verschiedensten
Spielarten des Vortrags. *Anton Krukenfelner* schob, als er das Stichwort
von der bösen Stiefmutter brachte, eine psychologische Erklärung über
die Schwierigkeiten von Zweitehen ein und durchbrach so den flächenhaften Stil. ANGELIKA MERKELBACH-PINCK berichtet, daß einer ihrer
besten Erzähler seine Zuhörer aufmerksam machte: „Jetzt kommt die
Spannung!" oder „Jetzt kommt der Knoten" — ein Hinweis auf die
erzählerische Distanz und die gewissermaßen dramatische Darstellung,
die sich auch in lebhaften, oft mimisch beflügelten Dialogen äußern
kann; diese Dramatisierung durchbricht vielfach den abstrakten Stil
und mindert die Isolation. Die Allverbundenheit ist nicht immer gegeben;
es gibt genügend Märchen mit schlechtem Ausgang — LUTZ RÖHRICH
hat darauf ausdrücklich hingewiesen[27] —, und manches Volksmärchen
nähert sich der Sage. Die Sublimation findet ihre Grenze, wo einzelne
gewichtige Motive auf den vollen Ernst des Volksglaubens treffen, oder
wo die Frömmigkeit mit handfesten religiösen Vorstellungen das
leichte Märchenspiel überdeckt — auch Märchen und Legende sind
einander nicht fremd. Die strenge Typologie der Gattungsformen löst
sich in der lebendigen Tradition vielfach auf; aber das Vorhandensein,
ja sogar das Überwiegen von Mischtypen führt eine Typologie noch
nicht ad absurdum. Es ist möglich, daß wir in den Begriff des Märchens
zwangsläufig manches hineinnehmen, was erst durch die Brüder GRIMM
geschaffen wurde; aber dies entspricht der unerhörten Wirkung der
KHM, von denen eine Betrachtung des deutschen Volksmärchens nicht
absehen kann.

Literatur:

WALTER BERENDSOHN: Grundformen volkstümlicher Erzählerkunst in den KHM
der Brüder Grimm. Hamburg 1921.

JOHANNES BOLTE — GEORG POLIVKA: Anmerkungen zu den KHM der Brüder
Grimm, 5 Bde. Leipzig 1913—1932.

Fabula. Zeitschrift für Erzählforschung, hg. von KURT RANKE. Berlin 1958 ff.

Handwörterbuch des deutschen Märchens, hg. von LUTZ MACKENSEN. 2 Bde.
(A—G) Berlin und Leipzig 1930—1940.

FRIEDRICH VON DER LEYEN— KURT SCHIER: Das Märchen. Heidelberg [4]1958.

MAX LÜTHI: Märchen (= Realienbücher für Germanisten M 16). Stuttgart [2]1964.

[27] Märchen und Wirklichkeit. [2]1964; zunächst in: Hess. Bl. f. Vk. 49./50. Jg.
1958, S. 236—248.

Max Lüthi: Das europäische Volksmärchen. Form und Wesen. Bern und München ²1960.

Lutz Mackensen: Zur Märchenforschung. In: Zs. f. dt. Bildung. 6. Jg. Frankfurt 1930, S. 339—353.

Märchen der Brüder Grimm. Urfassung nach der Originalhandschrift der Abtei Ölenberg im Elsaß. Hg. von Joseph Lefftz. Heidelberg 1927.

Gyula Ortutay: Principles of Oral Transmission in Folk Culture. In: Acta Ethnographica, 8. Jg. 1959, S. 175—221.

Kurt Ranke: Betrachtungen zum Wesen und zur Funktion des Märchens. In: Studium Generale, 11. Jg. 1958, S. 647—664.

Lutz Röhrich: Märchen und Wirklichkeit. Wiesbaden ²1964.

Stith Thompson: The Folktale. New York ²1951.

Jan de Vries: Betrachtungen zum Märchen besonders in seinem Verhältnis zu Heldensage und Mythos. (= FFC 150). Helsinki 1954.

Ludwig Felix Weber: Märchen und Schwank. Eine stilkritische Studie zur Volksdichtung. Diss. Kiel 1904.

3. Sage

Wie die erste wirklich bedeutende Märchensammlung, so geht auch die erste große Sammlung deutscher Sagen auf die Brüder Grimm zurück. Die „Deutschen Sagen", deren Bände zuerst 1816 und 1818 erschienen, waren freilich von vorn herein weniger als Hausbuch konzipiert; sie galten eher dem gelehrten oder doch gebildeten Liebhaber, dem sie mythologische und historische Beiträge liefern sollten, „Spuren und Trümmer" der „Vorzeit".[1] Während noch im 18. Jahrhundert der Begriff Sage vor allem das unwahrhaftige Gerücht bezeichnete, und während sich auch uns bei der Definition zunächst das *objektiv Unwahre* aufdrängt, trat dieses negative Moment für die Grimms fast ganz zurück — ihnen stellte sich nicht die Frage nach der „irdischen", sondern nach der *„geistigen Wahrheit"* der Sage[2], und sie sahen in ihr die Dämmerung, mit welcher der Tag der Geschichte beginnt und vielleicht auch verklingt. In diesem Sinne setzten sie die Sage auch vom Märchen ab: „Das Märchen ist poetischer, die Sage historischer; jenes stehet beinahe nur in sich selber fest, in seiner angeborenen Blüte und Vollendung; die Sage, von einer geringern Mannigfaltigkeit der Farbe, hat noch das besondere, daß sie an etwas Bekanntem und Bewußtem hafte,

---

[1] Vorrede der Brüder Grimm zum 2. Band der Deutschen Sagen. Ausgabe Darmstadt 1956, S. 19.
[2] Ebd. S. 20.

an einem Ort oder einem durch die Geschichte gesicherten Namen".[3] Diese oft zitierte Gegenüberstellung könnte zunächst den Eindruck erwecken, daß es sich bei der Sage um die bestimmtere, festere Form handle; tatsächlich aber kann man geradezu sagen, daß die Sage in ihrer Vagheit den Halt einer festen Örtlichkeit braucht, damit sie nicht ganz zerfließt, während das in sich geschlossenere Märchen durch eine feste Bindung eher gestört oder zerstört wird: wie die durchsichtig-klare Seifenblase an jedem Ästchen zerbrechen kann, während sich der Nebel dicht ans Gesträuch hängt. Das *Vage, Unbestimmte* gehört zu den wesentlichen Charakteristika der Sage, *Prägnanz* statt der Präzision des Märchens, das *Verschwimmende* statt fester Konturen.

Aber begründen diese Merkmale eine Einheit, reichen sie aus, die spezifische Gattung „Sage" abzugrenzen? Mehr noch als bei den anderen Gattungen der Volksdichtung scheint es sich um einen Sammelbegriff für sehr Verschiedenartiges zu handeln. Die *Inhalte* laufen weit auseinander. Da wird erzählt von einem, der seinen eigenen Tod vorhersah, von einem Haus, in dem es nicht geheuer ist, von einem längst Verstorbenen, der umgehen muß. Von einer Frau ist die Rede, die als Hexe berüchtigt ist, und die in Gestalt einer Katze dem Vieh Unglück brachte; von einem zauberkundigen Mann, der mit Hilfe besonderer Bücher — etwa des 6. und 7. Buches Mosis — helfen und schaden kann; vom Teufel in seinen mannigfachen Verwandlungsformen. Von Elementargeistern wird erzählt, vom Wassermann und von Luftgeistern, von Zwergen und Riesen; — aber auch von Rittern und Räubern, von besonderen Kriegsereignissen, von Naturkatastrophen, von der Gründung und mehr noch vom Untergang einzelner Ortschaften, von Schätzen, die an geheimnisvollen Orten verborgen sind und nur unter schwierigsten Bedingungen gehoben werden können. All dies — und noch vieles mehr — läuft unter dem Namen *Sage*. Auch ist die Haltung des Erzählers keineswegs immer gleich; sein Engagement kann recht verschieden sein. Die Skala reicht von der kurzen sachlichen Erklärung über den ausmalenden, aber distanzierten Bericht bis zur unmittelbaren, beteiligten Wiedergabe. Gibt es nun wirklich eine überzeugende Verbindung zwischen dem kargen Hinweis, daß in einem bestimmten Waldstück ein Mann ohne Kopf umgehe, und der breit ausgemalten Erzählung von der Zerstörung einer Burg durch die Raubritter?

Es wird richtig sein, zunächst einmal eine *Ordnung* des vielfältigen Materials zu versuchen und die Teile genauer zu bestimmen, ehe zusam-

[3] Vorrede zum 1. Band; ebd. S. 7.

menfassend von *der* Sage die Rede ist. Für diese Ordnung gibt es bisher sehr viel weniger Vorarbeiten als beim Märchen; während dieses geradezu zum Vorzugsobjekt vergleichender Studien wurde, schien die örtliche Bindung der Sage den Vergleich zunächst zu verbieten. In Wirklichkeit besteht die örtliche Bindung aber überwiegend in der Lokalisierung von Wandermotiven, und neuerdings versucht man konsequenterweise auch die Sagentypen und -motive in ein Katalogisierungssystem zu bringen. Die Ansätze dazu sind allerdings zum Teil noch verwirrend[4]; vor allem werden in vielen Gliederungsversuchen die Entstehungsursachen von Sagen auf einer Ebene mit ihrem spezifischen Inhalt behandelt: eine konkurrierende Gegenüberstellung von „Erlebnissagen" und „Dämonensagen" verkennt beispielsweise, daß ja doch der Gegenstand eines sagenbegründenden Erlebnisses dämonologisch sein kann und in vielen Fällen ist. Es gilt also, die *genetischen Voraussetzungen* und die *motivische Ausprägung* auseinanderzuhalten.

Tatsächlich ist das Erlebnis oder, wie wir noch etwas vorläufiger sagen wollen: eine *subjektive Wahrnehmung* eine der möglichen Voraussetzungen für die Entstehung einer Sage; man braucht nur an die Angstvisionen eines nächtlichen Wanderers zu denken, um dies zu erkennen. Der Sage kann aber auch ein bestimmtes Ereignis, also ein *objektives Geschehen*, zugrundeliegen — eine seltsame Naturerscheinung etwa oder ein kriegerisches Gefecht, eine Seuche oder ein Mordfall. Schließlich können Sagen aber auch zurückgehen auf irgendeine Objektivation, auf eine *gegenständliche Realität,* welche eine Erklärung herausfordert: eine Ruine etwa, eine seltsame Felsbildung, ein Feldkreuz, — ganz entsprechend aber auch: ein Name, eine Redensart, ein Brauchrequisit. All das sind jedoch nur Ausgangspunkte für die Sage, Ausgangspunkte verschiedener Valenz — von einer Ruine führt eher ein Weg zur Sage als von einem neuen Wohngebäude, von einem Mord wohl eher als von einer Hochzeit. Aber keiner dieser Ausgangspunkte bildet bereits die Sage. Diese entsteht erst in zwei weiteren Schritten: durch die interpretierende Erfassung oder Ausdeutung und durch das Weitererzählen. Beide Schritte aber werden bestimmt durch den *umgreifenden Vorstellungshorizont,* anders gesagt: durch die herrschenden kollektiven Glaubensvorstellungen und die damit verbundenen motivischen Muster. Dies soll an einzelnen Beispielen gezeigt werden.

Auf den engen Zusammenhang von *Sage und Erlebnis* hat schon 1912 FRIEDRICH RANKE hingewiesen. Dabei berief er sich nicht auf Sagen, die

---

[4] Vgl. die Kritik bei L. SCHMIDT: Vor einer neuen Ära.

gewissermaßen aus einem einzigen unscharfen Bild bestehen und so leicht auf Täuschungen zurückgeführt werden können; vielmehr griff er einen ausgeprägteren Sagentypus, den der „Luftfahrt mit dem wilden Heer", heraus. RANKE zitiert zwei parallele Sagen, von denen die eine im 19. Jahrhundert in Bayern, die andere im 16. in der Schweiz aufgezeichnet wurde; in beiden wird ein Mann, da er die gängigen Vorsichtsmaßregeln nicht beachtet, vom wilden „Gejäg" in die Luft gehoben und viele Meilen fortgetragen in ein entferntes Gebiet, wo er sich nach Tagen oder Wochen findet. RANKE bringt nun diese Berichte in Zusammenhang mit pathologischen Erlebnissen; er bezeichnet die imaginäre Luftfahrt als „die Reise eines Epileptikers in seinem Dämmerzustand".[5] Die Halluzinationen, die psychische und sensorielle Aura des Epileptikers könnnen nach RANKE solche Erlebnisse auslösen. Diese Interpretation FRIEDRICH RANKES ist später mehrfach angegriffen worden, wobei der Widerspruch wohl mitunter dadurch verschärft wurde, daß hier ein für die Germanistik seit den romantischen Anfängen sakrosanktes objektives Mythologem in subjektiven Wahnvorstellungen aufzugehen drohte. Sieht man genauer hin, so wird deutlich, daß RANKE diese Auflösung doch nur zum Teil anstrebt. Er legt der Sage zwar ein Erlebnis zugrunde; aber er stellt auch fest: „die Erzählung davon wird zur Sage, weil schon der Erlebende selbst sich sein Erlebnis mit Hilfe von Aberglaubensvorstellungen zurecht legt: er glaubt selber vom wilden Heer entführt zu sein; und weil diese Erzählung zur Bekräftigung bestimmter Aberglaubenssätze ernsthaft gläubig weiter überliefert wird".[6] RANKE verwischt diesen Befund, indem er auch die Aberglaubensvorstellung, die „ältere Sage", auf ein „weiter zurückliegendes Erlebnis" zurückführt[7]; und damit gerät er in die Gesellschaft von LUDWIG LAISTNER und anderen, die mit Nebelerlebnissen und Alpträumen die ganze Sagenwelt zu erklären suchten. Demgegenüber gilt es die Priorität der „Aberglaubensvorstellung", anders gesagt: die prägende Kraft des vorgegebenen Sinnhorizonts festzuhalten. Dieser Horizont wirkt in mehreren Phasen: er formt bereits das subjektive Erlebnis; der Erlebnisbericht wird im Zeichen der vorhandenen kollektiven Vorstellungen stilisiert; und im Weitererzählen wird der Bericht immer entschiedener dem Angebot überlieferter Bilder und Vorstellungen angepaßt.

[5] Volkssagenforschung, S. 29.
[6] Ebd. S. 33.
[7] Ebd. S. 34 Anm.

Der schwedische Folklorist C. W. von Sydow legte eine begriffliche Trennung dieser verschiedenen Phasen nahe[8]; vor allem wollte er den subjektiven, mit unmittelbarer Beteiligung vorgetragenen Bericht von der ausgeformten Sage trennen — er sprach von *Memoraten* und *Fabulaten*. Aber die hier behandelte Gattungsform überwuchert in ihrer Lebendigkeit solche begrifflichen Schranken. Die längst objektivierte, ausgeformte Sage wird nicht selten beim Weitererzählen ‚okkupiert‘, angeeignet; Will-Erich Peuckert bringt neuerdings wieder illustrative Beispiele von Sagen, bei denen der Erzähler plötzlich unvermittelt in die erste Person fällt, mit „ich" oder „wir" erzählt, obwohl er das Erzählte keineswegs miterlebt hat.[9] Vor allem aber ist der Übergang vom Memorat zur Sage fließend; die Memorate sind ja nicht selten von Vorstellungen traditioneller Art bestimmt, und so wurde in einer Diskussion der Begriffe durch Gunnar Granberg erwogen: „Vielleicht sollte man Erzählungen dieses Typus nicht Memorate nennen".[10] Zum tragenden, klar umgrenzten Begriff wurde Memorat jedenfalls nicht; denn — so drückt es Josef Dünninger aus — „zwischen dem unmittelbaren Erlebnisbericht und der festgeformten Weitergabe als Traditionsgebilde besteht nur ein mehr oder weniger formaler Unterschied. Die Frage, wo die Sage beginnt, ist doch dahin zu beantworten, daß sie in dem Augenblick schon vorhanden, greifbar ist, da ein numinoses Erlebnis oder geschichtliches Ereignis in die mehr oder weniger stereotypen Bilder eingeht, mit ihnen interpretiert wird, da das Erlebnis und Ereignis konkretes Bild wird".[11]

Damit kommt nun auch wieder die zweite der vorher genannten Voraussetzungen ins Spiel: neben das Erlebnis tritt das *Ereignis,* das objektive Geschehen. In der Sagenüberlieferung vieler deutscher Landschaften spielt der Dreißigjährige Krieg eine zentrale Rolle; fast überall gibt es Erzählungen, welche die unerhörte Not, das Sterben und Verderben dieser Jahre festhalten. Diese Erzählungen aber sprechen nicht allgemein von der Verminderung der Bevölkerung; und sie berufen sich auch nicht auf die Kirchenbücher, aus denen die Einwohnerzahlen oft exakt erschlossen werden können. Sie drängen diese allgemeineren Daten vielmehr ins konkrete Bild: „In Mittelstadt am Neckar lebten zur

[8] Kategorien der Prosa-Volksdichtung, S. 261 f.
[9] Sagen, S. 15 f.
[10] Memorat und Sage, S. 122.
[11] Fränkische Sagen vom 15. bis zum Ende des 18. Jahrhunderts. Kulmbach 1964, S. 13.

Zeit des dreißigjährigen Kriegs nur noch zwei Menschen und die besaßen nur noch ein einziges Pferd; das hütete immer Einer, während der Andere auf den Kirchthurm stieg und zusah, ob der Feind nicht etwa komme. Merkte er, daß Schweden im Anzuge waren, so ließ er die Uhr schlagen, worauf dann der Andere sogleich heimeilte und sich selbst neben seinem Pferde verbarg."[12] Auch vom Hunger ist nicht allgemein die Rede; die Erzählungen pointieren vielmehr, wobei die Pointe durchaus auch einmal ins Scherzhafte zielen kann. So wird an viele Orte und Burgen die Belagerungssage geknüpft, wonach die schon völlig Ausgehungerten das letzte Schlachttier mästeten und scheinbar achtlos über die Mauer warfen, oder wonach sie auf noch drastischere Weise den vorgeblichen Überfluß den Belagerern zeigten, so daß diese abzogen. Handelt es sich bei der zitierten, von Ernst Meier niedergeschriebenen Überlieferung um die teils verdichtende, teils ausmalende Konkretisierung eines realen Sachverhalts, so gliedert sich hier dem Faktum Belagerung eine ins Heitere spielende Arabeske an, die aber eben doch auch das Faktum Hungersnot konkretisiert. In beiden Fällen bildet das schon ziemlich fern gerückte Ereignis zwar den Ausgangspunkt der Sage; diese entsteht aber erst dadurch, daß dieses Ereignis in vorgegebenen Bildern interpretiert und tradiert wird.

Als dritte mögliche Voraussetzung nannten wir *Objektivationen,* welche die Erklärung herausfordern. Ein Feldkreuz, irgendwo in der Flur, reizt zur Deutung — und auch dort wird dann von Unglücksfällen oder Verbrechen erzählt, wo *kein* derartiges Ereignis nachgewiesen werden kann. Eine merkwürdige Ausformung im Gestein eines Felsens, die an einen mächtigen Fußabdruck erinnert, fordert eine Erklärung — es entstehen Sagen über Riesen oder Teufelsbündler. Ein merkwürdiges, zunächst unverständliches Bild in einer Kirche provoziert Interpretationen — in Erzählungen wird das im Bild nur Angedeutete ausgesponnen. Auch in diesen Fällen formt natürlich nicht der vorhandene Gegenstand die Sage — das Entscheidende ist vielmehr die wiederum im allgemeinen Vorstellungshorizont verankerte Ausdeutung, die von dem Gegenstand lediglich provoziert wird. Neben gegenständlichen Objektivationen kommen hier auch *Namen* in Betracht, und solche sagenhaften Namensdeutungen stellen keineswegs erst eine spielerische Spätform dar; mit Recht wird in einer schwedischen Arbeit über Ortsnamensagen auf deren prinzipiellen Charakter hingewiesen: „Begäret

[12] Ernst Meier: Deutsche Sagen, Sitten und Gebräuche aus Schwaben. Stuttgart 1852, S. 355 f.

att förklara ortnamnen är lika gammalt som ortnamnen själva"[13] —
die Tendenz zur Erklärung ist so alt wie die Namen selbst.

JOHANN FOLKERS stellte die *„explikative Tendenz"* als den wichtigsten
Faktor der Sage heraus[14] — diese Tendenz knüpfe an Lokalitäten und
Namen an, aber auch an Sprichwörter und Bräuche, an genealogische
und heraldische Daten, an Kunstwerke und Bauten, an Steine, Tiere und
Pflanzen, an astronomische Fakten, an Gegenstände aller Art und an
körperliche Charakteristika. Tatsächlich verbirgt sich das Erklärungs-
prinzip auch oft in Sagen, die von einem Erlebnis oder Ereignis auszugehen scheinen. Der zuvor zitierten Sage aus dem Dreißigjährigen
Krieg hängt MEIER die Bemerkung an, aus jener Zeit habe man „auch
noch den Kinderspruch: Der Schwed ist kommen, Hat alles weggnommen,
Hat d' Fenster eigschlagen, Hats Blei wegtragen, Hat Kugeln draus
gossen / Und d' Leut mit verschossen". Wer mit Sagen vertraut ist,
wird selbst hier fragen, ob nicht dieser Spruch das auslösende Moment
für die vorausgegangene Sage war; jedenfalls gibt es viele Sagen, die
nach der Erzählung eines Ereignisses nur beiläufig und am Ende auf
jene Spuren zu sprechen kommen, die tatsächlich die ganze ausdeutende
Erzählung provozierten. Von zwei Dörfern bei Tübingen wird erzählt,
daß an einem Kirchweihtag im einen Dorf ein Bettler reich beschenkt,
im anderen dessen Kumpan aber sehr kurz gehalten wurde. Die beiden
Bettler hatten vereinbart, am Abend zu teilen; wegen des ungleichen
Ergebnisses gerieten sie aber in Streit, und einer wurde erschlagen.
„Wegen dieses Ereignisses beschlossen die Weilheimer, niemals wieder
eine Kirchweih zu halten. Nach anderen wurde dies Fest ihnen unter-
sagt, weil sie an demselben einen Bettelmann hatten verhungern
lassen".[15] Diese Wendung der Geschichte läßt, zumal in ihrer doppelten
Interpretation, den Schluß zu, daß der Ausgangspunkt das Fehlen der
Kirchweih in diesem Dorf war — eine negative Objektivation also
gewissermaßen, von der aus sich die erklärende Geschichte entwickelte.

Die Erörterung der verschiedenen *Anlässe* — dies ist wohl richtiger als
,*Ursachen*'! — hat nun doch bereits zur Skizzierung verschiedener
Typen oder besser Großgruppen der Sage geführt. Wenn ein Erlebnis
zur Sage hinleitet, dann im allgemeinen wegen seines übernatürlichen
Inhalts; dem Erlebnis ist also in erster Linie die *dämonische Sage*

---

[13] JÖRAN SAHLGREN: Ortsnamnsägner. In: Saga och Sed, 1945, S. 8—16; hier
S. 8.
[14] Zur stilkritk, S. 31.
[15] E. MEIER: Dt. Sagen, Sitten und Gebräuche, S. 359.

zugeordnet. Ein Ereignis, ein Geschehen entspricht von vornherein einer — in freilich recht weitem Sinne — geschichtlichen Konzeption; die zugehörige Sagengruppe ist also überwiegend die der *historischen Sagen*. Dazu tritt als dritte Gruppe die der ausgesprochenen Erklärungssagen, für die auch andere Begriffe wie Ursprungssagen oder *aitiologische Sagen* verwendet werden. Der Überblick über die Herausbildung bestimmter Sagengruppen läßt sich also folgendermaßen schematisieren:

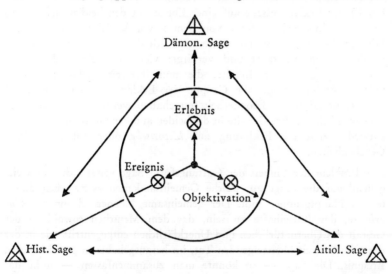

Es handelt sich freilich nur um ein Schema — und die Querverbindungen zwischen den einzelnen Gruppen sind sehr wichtig. Die Brüder GRIMM teilen in ihrem Sagenbuch die Erzählung „Doktor Luther zu Wartburg" mit — nach einer gedruckten Quelle, aber daneben auch nach der mündlichen Tradition: „Doktor Luther saß auf der Wartburg und übersetzte die Bibel. Dem Teufel war das unlieb und hätte gerne das heilige Werk gestört; aber als er ihn versuchen wollte, griff Luther das Tintenfaß, aus dem er schrieb, und warf's dem Bösen an den Kopf. Noch zeigt man heutigestages die Stube und den Stuhl, worauf Luther gesessen, auch den Flecken an der Wand, wohin die Tinte geflogen ist".[16] Ist dies nun primär eine historische Sage, die ein — vielleicht fingiertes — Ereignis aus dem Leben LUTHERs schildert; ist es eine Teufelssage, also eine dämonische Sage, die aus einem Erlebnis LUTHERs erwuchs; oder ist es die aitiologische Erklärung des noch

---

[16] Deutsche Sagen, Nr. 562.

„heutigestages" gezeigten Tintenflecks? Die Sage bietet Typisierungsversuchen entschiedeneren Widerstand als alle anderen Gattungen der Volksdichtung.

Eine Korrektur muß aber an der vorgeschlagenen Einteilung jedenfalls angebracht werden. Die Gruppen der dämonischen, der historischen und der Erklärungssage haben sich aus der produktiven Tendenz der verschiedenen Voraussetzungen ergeben. Verwenden wir aber den Begriff der Erklärungssage auf einer Ebene mit den beiden anderen, so sind wir nicht weit entfernt von dem zuvor kritisierten Fehler. Die Schwierigkeit liegt nicht nur darin, daß sich der Anstoß zur Erklärung in den Sagen oft tarnt und verbirgt; vielmehr zielt Erklärung ja jeweils auf bestimmte Inhalte, die nun ihrerseits definiert werden müssen. Anders gesagt: die Gruppe der Erklärungssagen kann zwar in ihrer prinzipiellen Besonderheit festgehalten werden; sie gliedert sich aber im Blick auf ihre Gehalte in die beiden anderen Großgruppen auf — entweder zielt die Erklärung auf *historische* oder auf *dämonische* Gegebenheiten.

Das Problem der Einheit der Gattungsform Sage spitzt sich also weitgehend auf die Frage zu, welche Gemeinsamkeiten es zwischen diesen beiden Hauptgruppen gibt. Der gemeinsame Nenner scheint *das Unerhörte*, das Rätselhafte zu sein, das dem Menschen sowohl in der Gestalt des Übernatürlichen und Unerklärlichen entgegentritt wie in der das Übliche weit übersteigenden Tat, im herausgehobenen geschichtlichen Ereignis. Die Sage — so könnte man zusammenfassen — sucht das Unerhörte und Unerklärliche, das die alltäglichen Normen Übersteigende in die erklärenden Kategorien und Formen zu bannen, die vom Volksglauben und in überlieferten motivischen Mustern bereitgestellt sind. Das Unheimliche wird also in der Sage nicht nur erfahren, sondern auch beschworen und *gebannt*. LÜTHI[17] — und ähnlich PEUCKERT[18] — hat neuerdings auf diese doppelte Funktion wieder hingewiesen: „Die Sage verfremdet das Dorf, die Landschaft. Unvertrautes, Unheimliches wird hineingewoben." Aber zugleich mache sie die Landschaft „erst eigentlich zur Heimat".

Alle diese Überlegungen gelten freilich nur der *Volks*sage. In Anbetracht des ebenso gängigen wie unscharfen Sagenbegriffs empfiehlt es sich, wenigstens zwei Mißverständnisse ausdrücklich zu verhindern. Der

[17] Gehalt und Erzählweise der Volkssage. In: Sagen und ihre Deutung, S. 11—27; hier S. 25.
[18] Sagen, S. 100 f.

Name Sage wird oft auch auf die *Heldensage* angewandt, und die
Brüder GRIMM, für die „Sage" der Quellgrund aller Poesie und Geschichte
war, griffen in ihrer Sammlung dementsprechend auch auf die Stoffe
der Heldensage zurück. Tatsächlich aber sind diese Heldensagen —
mögen sie auch einst ihren Platz in der mündlichen Überlieferung
gehabt haben — doch nur greifbar als Gegenstände der hohen Dichtung;
und diese Dichtungen fungieren zwar als „Sagenmagnet", wie es ADOLF
SPAMER ausgedrückt hat[19], sind aber nicht eigentlich Sage im Sinne der
‚volkspoetischen' Gattungsformen. Für einen zweiten Irrweg ist JOLLES
verantwortlich; er orientierte sich bei seiner Beschreibung der Sage fast
ausschließlich an der Tradition der nordischen *Geschlechtersagen*, so daß
er die einfache Form Sage einer Geistesbeschäftigung zuwies, „in der sich
die Welt als Familie aufbaut".[20]

Der Abstand von diesen umfassenderen Gattungen der Dichtung ergibt
sich schon daraus, daß die Volkssage im allgemeinen eine *einepisodische*
Erzählung ist; aber auch ihre sonstigen strukturellen und stilistischen
Merkmale[21] unterscheiden sie deutlich von jenen anderen „Sagen".
Die Sage im hier behandelten Sinn ist wesensmäßig wenig konturiert;
sie ist unscharf und beläßt den Dingen ihr Geheimnis. Die epische
Technik der Benennung gibt es auch hier, aber sie hebt die Gegenstände
nicht in die „Flächenhaftigkeit", sondern deutet ihre Tiefe an. Die
Wirklichkeit wird in der Sage nicht sublimiert oder abstrakt aufgefaßt;
sie bleibt in ihrem Recht, und ihre Abgründe werden sichtbar gemacht.
Die meist nur kurze Handlung steht nicht selten in einem schmucklosen
Rahmen. Entweder wird darin — am Anfang oder Ende — ein
Wahrheitsbeweis vorgetragen, also etwa der Gewährsmann in seiner
Glaubwürdigkeit charakterisiert; oder aber die allgemeinere Vorstellung
wird ausgesprochen, die in dem Sagenbericht exemplifiziert wird oder
wurde: dieser dient als neues „Zeugnis" für die alte „Grundsage" —
zwischen beiden herrscht, wie HEINRICH BURKHARDT sagt, ein Verhältnis
„reziproker Fundierung".[22] Der Zeugnischarakter kommt manchmal
auch in exakten Lokalisierungen oder Terminierungen zum Ausdruck;
aber dem exakten Detail steht meist die verschwimmende Kontur des
Ganzen gegenüber. FRIEDRICH-WILHELM SCHMIDT nennt in seiner ästhe-

---

[19] Volkskunde. In: Germanische Philologie. Festschrift f. O. Behaghel. Heidelberg 1934, S. 345—481; hier S. 440.
[20] Einfache Formen, S. 74.
[21] Vgl. M. LÜTHI: Märchen und Sage. In: Volksmärchen und Volkssage,
S. 22—48.
[22] Zur Psychologie, S. 61 (BURKHARDT verdankt die Formulierung W. KELLER).

tischen Untersuchung der Volkssage *primäre* und *sekundäre* „*Skizze*" als Vorstufe der Sage[23]; tatsächlich gehört aber das Skizzenhafte zur Sage schlechthin. „Das Tastende der Erzählung ist dem tastenden Vorstoß in eine andere Welt gemäß", schreibt LÜTHI.[24] Diesem *Tasten*, dieser Vorsicht und Unsicherheit entsprechen im Inhaltlichen die „Doppellesarten". In der aus der Mitte des 18. Jahrhunderts stammenden Niederschrift einer fränkischen Sage heißt es: „Das Factum wird insgemein von denen Scribenten folgender Gestalt, doch in Nebenumständen diversimodo angegeben".[25] In der mündlich überlieferten Sage heißt es entsprechend — ich habe ein Beispiel dafür bei der Kirchweihsage zitiert — „andere sagen", „es heißt aber auch" oder ähnlich. Stilistischer Ausdruck der tastenden Unsicherheit sind die Füllwörter, Partikel, welche die mangelnde Genauigkeit gleichzeitig kaschieren und anzeigen und der Sage „das fluctuierende Wesen" verleihen, von dem JACOB GRIMM einmal spricht.[26] Wörter wie „kaum", „fast", „beinahe" zeigen, daß sich hier nicht eins ins andere fügen will; sie signalisieren das zwangsläufige Mißlingen. In diesen Zusammenhang gehört auch der geringe Wortschatz, die Formelhaftigkeit der Sage — das, was die Brüder GRIMM mit einem berühmten Wort ihre „Armutseligkeit" nannten.[27] „Dort hat so eine Frau gewohnt", kann es in der Sage heißen; das „so eine" rückt sie in die Perspektive unbestimmter Geheimnisse, das im Verlauf der Sage nirgends variierte „die Frau" läßt viele Möglichkeiten offen und tendiert eben deshalb zur Sphäre des Unheimlichen, ja des Grauens. Zugleich aber verleiht solche Wiederholung — zusammen mit den knappen, oft stammelnden Sätzen — der Sage das Charakteristikum, das man als wesentlichstes herausstellen könnte: *Kargheit.*

Freilich gibt es auch hier Abweichungen vom Typus, gibt es Tendenzen zur geschwätzigen Ausmalung, zur bunteren Charakteristik, zur bemühten Präzision. Während aber die Wendung des Märchens ins Konkretere gerade der mündlichen Volksüberlieferung angehört und deshalb herausgestellt werden mußte, ist das eifrige Kolorieren der Sage eine Eigenheit vor allem der Sagen*schreiber* — das heißt freilich auch mitunter der Sagen*sammler*. Man könnte zur Bezeichnung dieses Genres von „*Lesebuchsagen*" sprechen, da für die Schulbücher vielfach — in Verkennung

---

[23] Volkssage als Kunstwerk, S. 133.
[24] Gehalt und Erzählweise, S. 23.
[25] Fränkische Sagen, S. 90.
[26] Über den altdeutschen Meistergesang. Göttingen 1811, S. 115.
[27] Deutsche Sagen. Vorrede zum ersten Band, S. 11.

des Wesens der Sage und auch in erstaunlicher ‚Ortsblindheit' — die „schönsten" Sagen aus verschiedenen landschaftlichen Bearbeitungen ausgewählt werden. Freilich muß man gerechterweise hinzufügen, daß die Lesebuchsage nicht nur das Ergebnis einer pädagogischen Fehlleistung ist, daß sie vielmehr mit der Tradition der Sagensammlungen zusammenhängt. Schon für frühere Jahrhunderte ist der Einfluß schriftlicher Überlieferung auf die Sagentradition nicht zu unterschätzen. Während sich aber noch in den Chroniken des 16. Jahrhunderts „authenticum" und „fabulosum" — die beiden Seiten von „*Geschichte*" — bruchlos vermischen[28], während auch in den Prodigien- und Kuriositätensammlungen der folgenden Jahrhunderte die Sagenstoffe trotz manchen kritischen Einwänden naiv vorgetragen werden, kommt mit der Sammlung der Brüder GRIMM ein sentimentalischer, ja manchmal fast schon sentimentaler Ton ins Spiel. Die GRIMMS entnehmen ihre Sagen nicht nur alten Chroniken und anderen nüchterneren Niederschriften, sondern auch der mittelalterlichen Dichtung, und hier behielten sie mitunter ⸱den poetischen Wortschatz in künstlicher Archaisierung bei. Auch in der Biedermeierzeit bildet die Sage nicht nur den Vorwurf für autonome Poesie, sondern das Poetische wird, umgekehrt, auch über viele Sagensammlungen ausgebreitet. Von diesen Büchern führt ein breiter Weg bis zu den noch immer zahlreichen *Bearbeitungen* „für die Jugend", die oft dem beschriebenen Charakter der Sage geradezu entgegengesetzt sind: „Die schönste Kemnate seiner Burg wies er der Gefangenen als Wohnung an, und die Frau des Torwarts ward ihr als Dienerin beigesellt mit dem Auftrag, ihr alle billigen Wünsche ehrfürchtig zu erfüllen. — Gertrud war eben aus langer Ohnmacht erwacht, als man sie in der Kemnate unterbrachte. Wirr vor Entsetzen weinte und schluchzte sie verzweiflungsvoll. Mit gleisnerischen Worten suchte ihr der Raubritter alle Furcht auszureden. Da, beim hellen Schein der Lampe, sah er erstmals so recht, welch holde Züchtigkeit, innige Anmut und strahlende Schönheit diese Jungfrau schmückten. Eine wilde Leidenschaft loderte in ihm auf. Sein Weib sollte sie werden, willig oder mit Gewalt. — Den Raubgenossen zu Gefallen wurde nun im Palas der Burg ein üppiges Trinkgelage veranstaltet. Oben an dem langen Eichentisch saß der Raubritter selbst, ein mittelgroßer Mann von gedrungener Gestalt. Das verzerrte Gesicht und der unstete Blick der grauen Augen verrieten die niederen Triebe seines Gemüts."

[28] Vgl. ANNEMARIE KLEINER: Untersuchungen zum volkstümlichen Glaubensleben des 16. Jahrhunderts auf Grund der Zimmerischen Chronik. Mschr. Diss. Tübingen 1961, S. 12.

Diesem Auszug aus einer schwäbischen Sagenbearbeitung[29] sei eine
Geschichte gegenübergestellt, die ein alter Bauer erzählte, und die
K. W. GLAETTLI in seine Sammlung „Zürcher Sagen" aufnahm: „Man
weiß nicht mehr, ob es Kaiserliche oder Franzosen waren. Sie bestiegen
die Bäume, hieben mit den Säbeln die Äste ab und verspeisten die
Kirschen am Boden".[30] Man kann diese knappe Aussage — die freilich
im Zusammenhang mit anderen Berichten aus der „Franzosenzeit"
gesehen werden muß — abtun als banales Gerede, kann ihr die
Bezeichnung Sage streitig machen. Aber es ist doch wohl nicht nur über-
triebene Einfühlung, wenn wir in diesen traumbildhaft eindringlichen
Sätzen das ganze Elend und die ganze Not des Krieges verdichtet sehen,
in dem man sich nicht mehr um künftiges Wachstum kümmert, und
der nicht nur Fronten erzeugt, sondern auch ein unheimliches Niemands-
land, so daß es gleichgültig ist, wer jene Untat vollbrachte. Gerade die
Kargheit der Sage bringt sie also zum Sprechen, gibt ihr Gewicht und
Bedeutung.

Die geschichtliche Sage bleibt freilich vielfach auch dort *ungenau*, wo
diese Ungenauigkeit keinen so offenkundigen Sinn hat wie hier. Sie
verschiebt Jahrhunderte, indem sie beispielsweise vorgeschichtliche Be-
festigungen als „Schwedenschanzen" interpretiert; sie verwechselt Herrscher und Dynastien; und sie erzählt mitunter Vorgänge, die nie passiert
sind. Mißt man die Sage an der positiven Geschichte, so fällt sie ab,
erscheint als dürftige Vorstufe. Aber es war ein Historiker, HEINRICH
VON SYBEL, der sich gegen diese Auffassung der Sage wandte und
betonte, sie sei „ganz eigentümlichen Wesens" und verkörpere die
leitenden Vorstellungen „in plastischen Dichtungen" — „man erzählt,
dies und jenes sei geschehen, weil man überzeugt ist, es müsse so
geschehen sein".[31] Allein schon der Katalog der vorherrschenden Themen
zeigt, daß die Sage eine Art *Gegengeschichte* entwirft. Soziale Spannungen spielen eine große Rolle, aber auch Pestzeiten und Kriegszeiten —
diese jedoch in anderer Weise als in der geschriebenen Historie: die
Sage erzählt nicht so sehr von großen Taten als von großen Leiden;
sie registriert nicht die Kämpfe und Grenzkorrekturen im großen,
sondern die Wirkungen in der Landschaft, im Dorf — eben darin liegt
ihre Wahrheit. Dies schließt nicht aus, daß auch der Einzelne, der

---

[29] GEORG STÜTZ: Sagen der Heimat (= Gmünder Hefte I). Schwäb. Gmünd 1950,
S. 51.
[30] Zürcher Sagen. Zürich 1959, S. 64.
[31] Geschichte des ersten Kreuzzuges. Zit. bei W. L. HERTSLET: Der Treppenwitz
der Weltgeschichte. Berlin 1927, S. 15.

große oder der furchtbare Herrscher, in der Sage seinen Platz hat; ja die Verwechslungen kommen oft gerade aus dem Bedürfnis, weit auseinanderliegende Fakten auf einen einzigen Mächtigen zu konzentrieren. Die meisten Menschen, so hat man es einmal ausgedrückt, können wie die lateinische Sprache „entstehen" und „gemacht werden" (fieri) nicht unterscheiden; für alles Entstandene suchen sie „einen Verfertiger oder wenigstens einen leitenden Meister".[32]

Das Bild des Mächtigen in der Sage — des grausamen Grundherrn[33], des leutseligen Herrschers, des rücksichtslosen Feldherrn — ist zugleich eine der Übergangsstellen von der historischen zur *dämonischen Sage*. Die soziale Distanz wird oft ins Übernatürliche gesteigert; die Idee des Gottesgnadentums und der Gottgewolltheit der Stände fand ihre handfeste Ausprägung in Sagenvorstellungen, nach denen Fürsten etwa mit der Kraft des Feuerbanns begabt waren — aber sie fand auch ihr Gegenstück in Teufelsbundgeschichten und ähnlichen Sagen. Die Dämonie reicht hier ins Menschliche herein; es handelt sich um Sagen, die aus der von PEUCKERT so bezeichneten „zaubrischen" Bewußtseinslage[34] entspringen — sie stehen insofern auf einer Ebene mit den zahlreichen Geschichten um Hexen und Zauberer. Diesen „zaubrischen" oder, wie man mit einem freilich allzu häufig und nicht immer richtig verwendeten Ausdruck sagen könnte: *magischen* Sagen schließen sich die Sagen um die mannigfachen Erscheinungen der *Toten* an, die anderen Gesetzen als den menschlichen unterliegen, die aber einmal menschliche Wesen waren und sich in der Sage vielfach fast wie im Leben gebärden. Der Terminus „dämonische Sage" schließt jedoch auch die Sagen der „*mythischen*" Bewußtseinsebene ein, deren Akteure zwar mit der Menschenwelt in Berührung kommen, ihr aber nicht angehören oder angehörten: Riesen und Zwerge, Elementargeister und vereinzelt wohl auch göttliche Gestalten.

Dies ist der eine Pol der dämonischen Sage; und so fragwürdig es ist, schlechterdings ein mythisches Zeitalter zu postulieren, das dann von einem magischen und endlich von einem rationalen abgelöst worden wäre, so spricht doch vieles dafür, daß mehr und mehr der Antworten, die der Mensch auf die ihn bedrängenden Fragen sucht, der mythischen und dann auch der magischen Sphäre entrückt wurden. Die Dämonie freilich dauert fort. Vor etwa zwanzig Jahren hörte ich zum erstenmal

---

[32] HERTSLET ebd. S. 9.
[33] Vgl. GISELA BURDE-SCHNEIDEWIND: Herr und Knecht. Antifeudale Sagen aus Mecklenburg. Berlin 1960.
[34] Sagen, S. 124 passim.

die Geschichte von der falschen Krankenschwester, die in einem Waldstück stand und sich als Anhalterin mitnehmen ließ. Der Fahrer — mir
wurde damals ein Tierarzt namentlich benannt — sah unterwegs, daß
die ‚Schwester' starke, behaarte Hände hatte, und auch ihre Stimme
gefiel ihm nicht. Er täuschte eine Panne vor und bat die Schwester,
anzuschieben — und in diesem Augenblick brauste er davon, direkt
zur nächsten Polizeiwache, wo er den kleinen Koffer der Krankenschwester ablieferte, in dem sich ein langes blutiges Messer fand ...
Nichts Übernatürliches spielt in diese Geschichte herein, und doch ist
es eine Wandersage — die übrigens sogar in einem Handbuch für
Volkswagenfahrer erwähnt wird.[35] Zur gleichen Zeit, in der „das
sogenannte Böse" als eine Konstellation fehlgeleiteter Instinkte entlarvt wird, behauptet doch auch die volle Dämonie dieses Bösen ihr
Recht — unheimlich und unberechenbar, eine haarige Hand, die überall
aus den Fugen des glatten Alltags herausgreifen kann.

Literatur:

HERMANN BAUSINGER: Lebendiges Erzählen. Diss. Tübingen 1952.

HERMANN BAUSINGER: Volkssage und Geschichte (Die Waldenburger Fastnacht).
In: Württembergisch Franken, 41. Bd. 1957, S. 107—130.

HEINRICH BURKHARDT: Zur Psychologie der Erlebnissage. Zürich 1951.

LINDA DÉGH: Processes of Legend Formation. In: IV. International Congress for
Folk-Narrative Research in Athens. Lectures and Reports, ed. Georgios
A. Megas. Athen 1965, S. 77—87.

JOHANN FOLKERS: Zur stilkritik der deutschen volkssage. Diss. Kiel 1910.

GUNNAR GRANBERG: Memorat und Sage. Einige methodische Gesichtspunkte. In:
Saga och Sed. Årsbok 1935, Uppsala 1936, S. 120—127.

GERHARD HEILFURTH — INA-MARIA GREVERUS: Bergbau und Bergmann in der
deutschsprachigen Sagenüberlieferung Mitteleuropas. Band I — Quellen.
Marburg 1967.

MAX LÜTHI: Volksmärchen und Volkssage. Zwei Grundformen erzählender
Dichtung. Bern und München 1961.

WILL-ERICH PEUCKERT: Sagen. Geburt und Antwort der mythischen Welt.
Berlin 1965.

FRIEDRICH RANKE: Volkssagenforschung. Vorträge und Aufsätze. Breslau 1935.

LUTZ RÖHRICH: Die deutsche Volkssage. Ein methodischer Abriß. In: Studium
Generale, 11. Jg. 1958, S. 664—691.

[35] ARTHUR WESTRUP — KLAUS PETER HEIM: Besser fahren mit dem Volkswagen.
Bielefeld — Berlin — Stuttgart [5]1956, S. 147.

Sagen und ihre Deutung. Beiträge von MAX LÜTHI, LUTZ RÖHRICH und GEORG
   FOHRER. Mit einem Geleitwort von WILL-ERICH PEUCKERT (= Evangelisches
   Forum Heft 5). Göttingen 1965.

FRIEDRICH-WILHELM SCHMIDT: Die Volkssage als Kunstwerk. In: Niederdt. Zs.
   f. Vkde. 7. Jg. 1929, S. 129—143 und 230—244.

LEOPOLD SCHMIDT: Vor einer neuen Ära der Sagenforschung. In: Öst. Zs. f.
   Vkde. 68. Bd. 1965, S. 53—74.

ALBERT WESSELSKI: Probleme der Sagenbildung. In: Schweiz. Archiv f. Vkde.,
   35. Bd. 1936, S. 131—188.

4. Legende

Wie schon die vorangegangenen Formbeschreibungen muß auch die der
Legende abgesetzt werden gegen einen vageren und weiteren Begriff
dieses Wortes; und gerade bei der Legende vermag diese Abgrenzung
nicht nur den inneren Bereich, den Kern der Form genauer zu bestimmen,
sondern sie zeigt auch den Hof, der sich um den Kern lagert, die
charakteristischen Ausweitungsmöglichkeiten und Spannungen dieser
Form. Das *Wort* Legende taucht hin und wieder im politischen Teil
unserer Zeitungen auf — und zwar meistens dann, wenn von irgendeiner Stelle eine Behauptung als unbegründet und unwahr zurück-
gewiesen wird; Legende ist hier also der nicht beglaubigte Bericht, die
bloße Erfindung. Dieser Wortgebrauch setzt die kritische Verneinung
der hier gemeinten Form Legende voraus. Man kann ihn zurückdatieren
bis in die Zeit der Reformation, in der LUTHER ironisch die Frage stellte,
„wer der Heiligen Lügenden ... mit jren Wundern aufbracht".[1] ADELUNG
faßt Ende des 18. Jahrhunderts in seinem Wörterbuch Legende als
„Lebensbeschreibung eines Heiligen"; aber er fügt hinzu: „Weil diese
Lebensbeschreibungen sehr häufig aus frommen Erdichtungen bestehen,
so pflegt man im gemeinen Leben auch wohl ein jedes Märchen, oder
eine erdichtete Erzählung, eine Legende zu nennen".[2] Während also
LUTHER sich mit seinem Wortspiel noch ganz an der frommen Legende
orientiert, und während ADELUNG den Zusammenhang mit dieser noch
ausdrücklich angibt, hat sich dieser Gegenbegriff im jüngeren Sprachgebrauch nahezu verflüchtigt: unter dem Zugriff strikt rationaler Kritik
löst sich die Erzählform Legende auf in bloße Unwahrheit.

Bezeichnenderweise gibt es aber auch den umgekehrten Weg der Auflösung, einen Weg nicht der Reduktion, sondern der Ausweitung und

---

[1] LUTHERS deutsche Schriften, Th. 8, S. 36; zit. in Dt. Wb. 6. Bd. Sp. 535.
[2] Grammatisch-kritisches Wb. der hochdeutschen Mundart. Leipzig 1796, S. 1972.

Steigerung. JOSEPH GÖRRES spricht in seiner viel gerühmten, aber selten gelesenen Schrift „Die teutschen Volksbücher" von 1807 davon, daß frühere Zeitalter in ihren Traditionen „die ganze Geschichte zur großen Legende machten".[3] Gewiß bezieht sich diese Bemerkung auf die poetische Sagenwelt; aber sie setzt doch auch allgemein eine Weltschau und Geschichtsauffassung voraus, die an HERDERS Wort vom „Gang Gottes über die Nationen" oder an SCHELLINGS Entwurf des dichtenden Weltgeistes erinnert. Legende löst sich hier nicht auf in leere Erfindung, sondern in die Fülle und Größe des Seienden und des Werdenden. Es ist kein Zufall, daß GÖRRES vom „heiligen Geiste, der im Volke wohnt" spricht[4]: wo die Welt sakralisiert wird, ist alles Legende.

Diese extremen *Grenzwerte* markieren zugleich den geistigen Raum der ‚eigentlichen' Legende. Noch einmal könnte man hier „le merveilleux particulier" und „le merveilleux universel" einander gegenüberstellen. Die Legende lebt nicht vom universellen Wunder der Schöpfung, sondern vom Wunderbaren in einem spezifischen Sinn. Vielleicht sollten wir vorsichtiger sagen: von der *Ausnahme*, denn das *Wunder* ist nur der eine Pol der Legende. Der andere innere Pol ist die *Tugend*. Legende ist die Erzählung vom *Leben und Wirken eines Heiligen*. Seine Heiligkeit, seine Nähe zu Gott drückt sich aus in einem Höchstmaß von Tugenden und wird unmittelbar dokumentiert in wunderbaren Handlungen; aber dieser Satz läßt sich auch umkehren: durch ein Höchstmaß an Tugenden wird ein Mensch zum Heiligen, rückt in die Nähe Gottes und erhält die Kraft zu Wundern.

Es gibt Legenden oder zumindest Fassungen einzelner Legenden, in denen das Wunder ganz an den Rand rückt. Auf seiner Schweizerreise 1799 ließ sich GOETHE von einer Frau aus dem Münstertal die *Alexiuslegende* erzählen, und in seinem Brief vom 11. November referiert er diese Erzählung.[5] Alexis hatte Christus Keuschheit gelobt; als ihn seine reichen Eltern einer schönen Jungsfrau vermählen wollten, ließ er zwar die Trauung vollziehen, floh aber dann mit einem Schiff von Rom nach Asien, wo er als Bettler lebte. Durch eine Stimme wurde der Bischof auf Alexius aufmerksam; da floh er wieder mit dem Schiff und kam in seine Heimatstadt. „Der heilige Mann habe hierin einen Wink Gottes gesehen und sich gefreut eine Gelegenheit zu finden, wo er die Selbstverläugnung im höchsten Grade zeigen konnte" — er lebt

---

[3] Heidelberg 1807 (Neudruck ed. L. Mackensen, Berlin 1925), S. 16 f.
[4] Ebd. S. 7.
[5] Werke (WA.), 19. Bd. S. 279—285.

unter der Treppe des elterlichen Hauses und wird von einem Bedienten mit Abfällen gerade so am Leben gehalten. „Der heilige Mann, anstatt sich dadurch irre machen zu lassen, habe darüber erst Gott recht in seinem Herzen gelobt, und nicht allein dieses, was er so leicht ändern können, mit gelassenem Gemüthe getragen, sondern auch die andauernde Betrübniß der Eltern und seiner Gemahlin über die Abwesenheit ihres so geliebten Alexis mit unglaublicher und übermenschlicher Standhaftigkeit ausgehalten". Dies ist der eigentliche Höhepunkt der Legende; erst im Tod und nach dem Tod des Alexis bestätigt sich seine wirklich „übermenschliche" Kraft: als er stirbt, ertönt plötzlich während des päpstlichen Gottesdienstes feierliches Totengeläute; ein „Papier" mit seiner Lebensbeschreibung vermag nur der Papst dem Toten aus der Hand zu nehmen; und Kranke werden gesund, wenn sie den Leichnam des Heiligen berühren.

Sicher ist es nicht ganz zufällig, daß GOETHE gerade diese Legende mitteilte. Sie bezeugt zwar nicht nur übermenschliche, sondern geradezu fragwürdige Askese — Alexius' Verhalten wurde in neuerer Zeit mehrfach moraltheologisch diskutiert! —, aber im ganzen handelt es sich wohl mehr um eine „humane" als eine wunderbare Legende. Wollte man GOETHE aber einen Akt der Entmythologisierung unterstellen, so ginge das nicht nur vorbei an der Objektivität, welche seine Briefe und Berichte aus jener Zeit auszeichnet, sondern auch an wesentlichen Zügen der Legendenüberlieferung. Zunächst ist dabei an die *Genese* der Legenden zu erinnern. Den Legenden gehen die authentischen Passionsakten voraus, die historisch beglaubigten, freilich durch die Optik fanatischer Religiosität gesteigerten Berichte vom Leben und Sterben der Märtyrer. Schon in Konstantinischer Zeit drangen in die *„Passiones"* Wunderberichte ein, mehr noch aber in die *Viten der „Bekenner"*, auf die zunächst der Begriff der Legende beschränkt war — ihre Errettung bot dem Wunderbaren mehr Möglichkeiten als die Standfestigkeit der Märtyrer. Vielfach wurden Wunder, die nach dem Tod des Heiligen in Erscheinung getreten waren, in seinen Lebenslauf hineingenommen, oder aber Wandermotive von Wundern wurden von einer Legende auf die andere übertragen. In frühen Ausprägungen sind diese Motive vielfach nur Zusätze, ja Arabesken; allmählich aber verschmelzen sie mit der Vita und formen sie um — in diesem Sinn hat JOST TRIER „kurzfristige" und „langfristige" Legenden unterschieden.[6]

[6] Der heilige Jodokus, sein Leben und seine Verehrung (= Germanist. Abhandlungen 56). Breslau 1924.

Aber es läßt sich auch beobachten, wie Legenden nach einer Zeit
geradezu orgiastischer Wunderentfaltung zurückgeholt werden in den
Bereich schlichterer Darstellung: die innere Dialektik von Tugend und
Wunder bleibt ein wesentlicher Bestandteil der gesamten Legendentradition.

Die einseitige Betonung des *Wunders* droht nicht nur dem Prinzip der
Imitatio die Antriebskraft zu nehmen, sie gefährdet auch die religiöse
Hierarchie und droht den Heiligen an den Platz Gottes zu rücken.
Schon AUGUSTINUS warnte im Blick auf die Übersteigerung des
Stephanuskultes unmittelbar nach der Auffindung der Reliquien in
Jerusalem: „Stephanus conservus noster, non pro Deo colendus".[7] Im
hohen Mittelalter häufen sich die Warnungen vor der Überschätzung
der Wunder. Der Mönch CAESARIUS VON HEISTERBACH schränkte, obwohl
— oder weil? — er selber eine große Zahl kurioser Wunder ausgebreitet hatte, die Bedeutung des Wunders nachdrücklich ein: „Miracula
vero non sunt de sanctitatis substantia, sed quaedam sanctitatis indicia" —
Wunder nicht als Wesen, sondern als Anzeichen der Heiligkeit.[8] THOMAS
VON CELANO wies um die gleiche Zeit darauf hin, daß Johannes der
Täufer kein Wunder gewirkt habe, und daß doch keiner der Wunder-
täter heiliger gewesen sei als er[9]; und in einer Handschrift, die sich mit
den Kanonisationsprozessen befaßt, wird ausdrücklich gesagt, man
achte in der Kurie mehr auf die „laudabilitas vitae" als auf die Wunder,
die ja doch zuweilen menschliche Schlauheit, zuweilen auch „demoniaca
illusio" hervorbringe.[10]

Hört man solche theologischen Ermahnungen — die man auch aus
späteren Jahrhunderten beibringen könnte —, so ist man versucht zu
schließen, daß das Volk in unbegrenzter Wundersüchtigkeit die Legenden
ausgeschmückt habe, daß die Kirche hingegen den Wunderglauben
mühsam zu bändigen suchte. Tatsächlich hat man so ähnlich argumentiert;
aber bezeichnenderweise auch ziemlich genau umgekehrt, und auch für
diese entgegengesetzte Ansicht ließen sich Belege anführen: die ‚politischen' Kämpfe um Reliquien, der kirchliche Wettstreit um die Wunder-
tüchtigkeit einzelner Heiliger, die sehr bewußte Redaktionstätigkeit

---

[7] MATTHIAS ZENDER: Räume und Schichten mittelalterlicher Heiligenverehrung
in ihrer Bedeutung für die Volkskunde. Düsseldorf 1959, S. 230.
[8] Zit. nach ORTRUD REBER: Die Gestaltung des Kultes weiblicher Heiliger im
Spätmittelalter. Hersbruck 1963, S. 126.
[9] Ebd. S. 127.
[10] Ebd.

der Hagiographen.[11] Vermutlich liegt der Fehler in der starren Opposition von „Volk" und „Kirche", die sich ja doch immer intensiv beeinflußten, und die vor allem beide der prägenden Kraft geschichtlicher Einflüsse unterliegen. Gewiß gibt es Dominanten, und es läßt sich mit einigem Recht sagen, daß die ‚einfachen Leute' im Durchschnitt immer etwas sensationslüstern waren; aber wichtiger als eine solche verallgemeinernde Feststellung schiene mir die Frage nach den historischen Gezeiten und ihrem Einfluß auf die Form Legende. *Ein Ansatz dazu könnte die Beobachtung der heutigen Situation sein.* In den Traktaten und Heftchen, die das Leben der Heiligen heute vielfach vermitteln, werden diese dem Leser oft im eigentlichen Sinne nahegerückt, werden hineingestellt in Bedingungen, die denen des Alltags vergleichbar sind: „Notburga war ein Handwerkerkind, die Tochter eines Hutmachers. Achtzehnjährig trat sie auf einem Schloß in Dienst. Fleißig war die junge Magd, sparsam und folgsam, bieder, treu und ehrlich. Schon bald stellte man sie an die Spitze des Gesindes und übertrug ihr die Leitung der gesamten Wirtschaft. Voll füllte sie den Posten aus, auf dem sie stand". So wird die Legende der heiligen Notburga in einem schmalen Heft eingeleitet, das den charakteristischen Titel „Heilige aus dem Bauernstande" trägt. Dieser *Alltagston,* der Versuch der Realistik, die historische Begründung, das Abrücken von süßlicher Frömmigkeit ist ein zwar nicht ganz durchgängiges, aber doch wichtiges Merkmal der heutigen Legende. Indessen ist es kaum möglich zu sagen, ob die Kirche mit diesem Ton dem Bedürfnis und der Einstellung einer nüchterner denkenden Generation folgt, oder ob sich die Leute mitziehen lassen zu dieser kargeren Form der Legendenfrömmigkeit, die freilich in einer bewußten Entfaltung des Rituals ergänzt wird. Die Frage müßte wohl auch für einzelne Landschaften und vor allem für einzelne Schichten und Gruppen der Gesellschaft ganz verschieden beantwortet werden — und gerade dies weist wiederum darauf hin, daß es die Naturform „Volk", die nach fortdauernden Gesetzen agiert, nicht gibt.

Eins freilich darf für die Legende im Gegensatz zu den anderen Formen der ‚Volksdichtung' weitgehend in Anspruch genommen werden: der *Primat des geschriebenen Worts* und damit freilich — auch wenn man die Wirkung der Nachfrage auf das Angebot anerkennt — eine gewisse Dominanz des kirchlich-oberschichtlichen Einflusses. „Die Bezeichnung ‚Legende' ist" nach LEOPOLD SCHMIDT „die einzige nichtdeutsche

11 Vgl. K. SCHREINER: Wahrheitsverständnis.

Benennung einer Erzählungsgattung, und sie besagt sogleich deutlich, daß es sich bei ihr ursprünglich nicht um ein zu ‚Sagendes‘, sondern um ein zu ‚Lesendes‘ gehandelt habe".[12] *Legenda* — zuerst ein neutrum pluralis, erst sekundär als femininum singularis aufgefaßt — bezeichnete die „zu lesenden" Stücke über das Leben der Heiligen, die während der Gottesdienste oder in klösterlichen Gemeinschaften vorgetragen wurden als Verlängerungen der biblischen Heilsgeschichte in die Gegenwart hinein. Der *liber legendarius* umfaßte bis ins hohe Mittelalter nur die Lektionen über die Bekenner, während die Märtyrerviten im *liber passionarius* zusammengefaßt waren. Dann aber verwischte sich der Unterschied; man verstand unter Legende die Heiligen-Vita schlechthin, wie andererseits das „Passional", eine mittelhochdeutsche Versdichtung, neben dem Leben Jesu auch Märtyrer und Bekenner berücksichtigte. Mit der Erwähnung des Passionals stehen wir schon mitten in der reichen literarischen Legendentradition des Mittelalters, die hier nur angedeutet werden kann. Neben die lateinischen Viten treten schon in althochdeutscher Zeit einzelne Heiligengedichte; in der mittelhochdeutschen Epoche präsentiert sich die Legendendichtung zunächst als Teil der Geschichtsschreibung wie in der Kaiserchronik und verbindet sich dann vor allem mit der höfischen Epik; im Spätmittelalter entstehen die ersten großen Sammelwerke. Neben die berühmte und einflußreiche lateinische Sammlung des JACOBUS DE VARAGINE, die *„Legenda aurea"*, treten deutsche Reimlegenden wie das *„Passional"* und das *„Väterbuch"* und bald auch Prosalegenden wie die Sammlung *„Der Heiligen Leben"* ganz zu Ende des 14. Jahrhunderts, die sich sehr deutlich von dem so einflußreichen Vorbild der „Legenda aurea" löst. In der Zeit des Humanismus entstanden vor allem Dichtungen auf einzelne Heilige; erst die Impulse der Gegenreformation führten neben Einzelausgaben, die als Kleindrucke, als „Volksbuch" Verbreitung fanden, auch wieder zu umfassenden Legendensammlungen. 1643 begann JOHANN BOLLAND mit der Zusammenfassung der *„Acta Sanctorum";* dieses vom Jesuitenorden in die Wege geleitete Standardwerk ist bis heute noch nicht vollendet und wird von den „Bollandisten" fortgeführt. Die wichtigsten deutschsprachigen Sammlungen der Barockzeit sind die des Kapuzinermönches MARTIN VON COCHEM, die während des 18. Jahrhunderts immer wieder neu aufgelegt wurden, und deren Popularität höchstens noch ALBAN STOLZ in der zweiten Hälfte des 19. Jahrhunderts erreichte.

[12] Die Volkserzählung, S. 235.

Der stetige Einfluß dieser ganzen weit verzweigten Literatur, der Sammlungen und der Einzeldarstellungen sowie der Sekundärdrucke in Flugschriften und Kalendern, darf gewiß nicht unterschätzt werden. Aber die Legende hatte und hat doch nicht nur ein literarisches Leben. LEOPOLD SCHMIDT schließt an die zitierte Bemerkung den Hinweis an, daß „ein sehr großer Teil des im Verlauf der letzten hundertfünfzig Jahre aufgezeichneten Materials durchaus ‚von Mund zu Mund' gegangen ist"[13]: es gibt die *Erzählform* Legende, und als Erzählform steht sie der Gattung der Sage außerordentlich nahe. Dies wird schon an einer terminologischen Schwierigkeit deutlich, die erwähnt werden muß: sowohl im angelsächsischen Sprachgebrauch wie in der Romania werden beide Formen begrifflich zusammengefaßt; *legend, légende, leggenda* bedeuten auch *Sage,* und es bedarf eines Zusatzes, um die Legende zu bezeichnen — so wird etwa im Französischen zwischen *légende hagiographique* und *légende populaire* unterschieden.

Im Prinzip stimmt diese Trennung überein mit der häufig vertretenen Auffassung der Legende als einer literarischen, einer ausschließlich schriftlich fixierten Form. Daß aber nicht nur diese literarische Form ganz allgemein ‚folklorisiert' werden kann, sondern daß es auch einen besonderen Typ der volkstümlichen, mündlich überlieferten Legende gibt, soll am Beispiel gezeigt werden. LEOPOLD KRETZENBACHER hat im Lauf der letzten Jahre zahlreiche Untersuchungen über die Legendentradition Innerösterreichs publiziert, in denen er einerseits auf die besondere Stellung dieser Kontaktlandschaft zwischen slawischer und deutscher Überlieferung hinwies, in denen er aber andererseits auch direkte Einblicke in die Gestalt und das Wesen mündlicher Überlieferungen gab. So zeichnete er im steirisch-kärntnischen Grenzgebiet zwischen Murau und Sankt Lambrecht eine lange Geschichte auf[14], die folgendermaßen beginnt: „Da ist einmal einer gewesen, der hat Jakob geheißen. Auf der Huben vom Röslerbauern hat er gewohnt. Verheiratet ist er gewesen und gearbeitet hat er fleißig. Einmal aber hat er wollen fortgehen, der Jakob, zum Wallfahrten ins Heilige Land, wo Unser Herr geboren ist und gelitten hat". Von einem unbestimmten Einleitungssatz, der sich in eine Zeitangabe für das lang Zurückliegende nicht einlassen will, springt der Erzähler sofort in die unmittelbarste Konkretisierung; der Hof des Röslerbauern liegt ganz in der Nähe, hier also nimmt die Geschichte ihren Ausgang. Der Pilger läßt seine Frau zurück; sie

---

[13] Ebd.
[14] Heimkehr von der Pilgerfahrt. In: Fabula, 1. Bd. 1958, S. 214—227; hier S. 215 f.

schwört ihm, sieben Jahre auf ihn zu warten. Aber noch vor Ablauf der Frist kommt es zur Einigung mit einem andern: „Aufgeboten sind sie worden und kopuliert und beim Methwirt drüben" — im benachbarten Gasthof — „war die Tafel". Da kommt Jakob zurück, armselig und unerkannt; er wirft seinen Ring in ein Glas und geht fort. Die Frau findet den Ring „und bittet ihren neuen Mann, er sollt' dem Jakob doch nachgehen und ihn zurückholen um Gotteswillen". Der aber erschlägt den Pilger „vor dem steinernen Kreuz beim Weghofbauern in der Probst", das den unmittelbaren Anhaltspunkt und Anstoß für das Erzählen der Geschichte bot. Die Erzählung geht weiter: die Leiche, die man zunächst nicht fand, macht sich durch süßen Duft, den ‚Geruch der Heiligkeit', bemerkbar; keiner kann sie anheben; da läßt man sie von „zwei schwarzen ungelernten Stieren" fortziehen. Die gehen zunächst weit in den Wald hinein; aber dann drehen sie um, zurück zum Dorf: „Dort haben sie ihn dann begraben und die Kirche des Hl. Jakob in der Kärntischen Laßnitz drüber gebaut. Aber hinterm Altar riecht man den süßen Duft heute noch!"

Es wird also nicht gesagt, es habe sich um den heiligen Jacobus selber gehandelt; es ist die Erzählung von einem frommen Bauern, der auf Pilgerschaft ging. Aber in diese Erzählung sind wesentliche Züge der *Jakobuslegende* eingegangen, so daß Kretzenbacher von „einem mittelalterlichen Legendenroman im steirisch-kärntischen Volksmund der Gegenwart" sprechen kann. Dabei ist nicht unbedingt an eine weitgehend kongruente schriftliche Vorlage zu denken; Kretzenbacher zeigt, daß in der Geschichte verschiedene Motive aus verschiedenen Traditionskreisen miteinander verschmolzen sind. Schon gar nicht handelt es sich um eine mehr äußerliche Anknüpfung, wie sie ein Teil der Legendenschriftsteller zum pädagogischen Prinzip machte — Alban Stolz etwa leitet häufig zu seinen Lebensläufen der Heiligen über, indem er zunächst an eine ihrer Kultstätten in seiner badischen Heimat erinnert.[15]

Die ganze Geschichte vielmehr spielt an Ort und Stelle; die Pilgerschaft, die eine freiere Entfaltung der Erzählung hätte bringen können, bleibt im Unbekannten jenseits des heimatlichen Horizontes und wird praktisch nur genannt, kurz — die Geschichte ist so direkt mit der Umwelt des Erzählers verwoben wie eine Sage. Auch die einzelnen Motive sind denen der Sage verwandt; die „enge Topik" der Legende, von der

---

[15] A. Schmitt: Heiligenlegende, S. 57—59.

HERDER sprach[16] und die HEINRICH GÜNTER ausführlich erörterte[17], steht derjenigen der Sage nahe. Daß wir die Geschichte nicht als solche auffassen, liegt weniger an den einzelnen Motiven als an Art und Duktus ihres Zusammenhangs. Sie stehen in einem biographischen Rahmen, und sie münden in eine bleibende Dokumentation des Glaubens — sie begründen den Bau der Kirche zum heiligen Jakob. Der fromme Pilger der Geschichte ,changiert' dabei in die Gestalt des Heiligen hinüber; dies läßt sich selbst dann behaupten, wenn den Erzählern Sankt Jakob von Compostela ein voller Begriff gewesen sein sollte. *Lokalisierte Legenden* sind keineswegs ganz selten, wenn sie auch oft durch die Fangnetze der Erzählforscher gefallen zu sein scheinen. JOSEF SZÖVERFFY befaßte sich kürzlich mit Christophorus-Überlieferungen[18]; in den Mittelpunkt stellte er dabei eine Aufzeichnung aus Riga, nach welcher „Kristap" dort die Leute über die Düna führte. Der „große, große Mensch", zu dem auch das Jesuskind an die Düna kam, soll „ein Sohn eines Gesindewirts" gewesen sein, und seine ganze Geschichte — erweitert durch die Motive eines Teufelskampfes — wurde in die Stadt verlegt. Einen wesentlichen Anstoß dazu bot die mächtige Holzplastik, mit der auch lokale Bräuche, vor allem ein rituelles Hänseln der Neulinge auf dem Schiff nach Riga, verknüpft waren. Die *Christophoruslegende* hängt hier also nicht nur insofern unmittelbar mit der Sagenwelt zusammen, als sie das verbreitete und sicherlich sehr alte Motiv des „Aufhockens"[19] ins Religiöse umstilisiert, sondern auch durch die Verbindung mit realen örtlichen Gegebenheiten.

Ganz allgemein ist zwischen Legende und Sage eine breite Übergangslandschaft anzusetzen. Erzählungen über Heilige sind keineswegs immer in die umfassendere Vita einbezogen; sie zielen oft auch nur auf die Erklärung bestimmter örtlicher Fakten. Vor allem die Sagen von der Entstehung der Wallfahrtsorte sind hier zu nennen, aber auch andere *Erklärungssagen*, die von religiösen Bildwerken und Zeichen ausgehen. Auch die sonstigen Mirakelberichte tragen als vereinzelte Berichte die Merkmale geschichtlicher Sagen, tendieren freilich zur Legende — es

[16] Über die Legende. In: Sämmtl. Werke, ed. B. Suphan, 16. Bd. S. 387—398; hier S. 389.

[17] Psychologie der Legende.

[18] Zur Entstehungsgeschichte einiger Volkserzählungen. In: Fabula, 2. Bd. 1959, S. 212—230.

[19] GERDA GROBER-GLÜCK: Aufhocker und Aufhocken nach den Sammlungen des Atlas der deutschen Volkskunde. In: Rhein. Jb. f. Vkde. 15./16. Jg. 1964/65, S. 117—143.

wurde schon angedeutet, daß die Berichte von Gebetserhörungen, die zunächst auf dem Heiligenleben gründen und sich ihm anschließen, oft nachträglich in dieses Leben verwoben oder ihm doch so amalgamiert werden, daß es sich jedenfalls empfiehlt, die Legende als umfassendere Erzählung vom Leben *und* Wirken eines Heiligen zu bestimmen.

BERNWARD DENEKE[20] und MATHILDE HAIN[21] haben anhand der Erzählungen vom *„Geistergottesdienst"* einen degenerativen Zusammenhang zwischen Legende und Sage aufgedeckt; die Sage erscheint hier als „Schwundstufe" der Legende. Der Geistergottesdienst steht in der Überlieferung zunächst im Zeichen der Communio Sanctorum, Engel und Heilige feiern den Gottesdienst; an die Stelle dieses *faszinierenden,* religiös gesteigerten Bildes tritt dann mehr und mehr ein *tremendum* — das Schreckbild der unheimlichen und bedrohlichen Toten. Auch die helfenden Armen Seelen, unbehaust, aber durch Kult und Glauben verankert in einem sicheren Übergang, werden durch einen solchen Entwurf unheimlicher Geister ersetzt. Dafür ist zum Teil reformatorischer Einfluß verantwortlich, zum Teil ist der Übergang zu einer Erzählform, „die ein klares, geordnetes Bild vom Leben im Jenseits, wie es dem mittelalterlichen Christentum eigen war, nicht kennt"[22], schon vorher zu beobachten. Ob dieser Übergang den geistesgeschichtlichen Einschnitt zwischen Mittelalter und Neuzeit markiert, kann nicht ohne weiteres entschieden werden. Es ist eine interessante und fruchtbare Hypothese, daß die im ausgehenden Mittelalter und dann vor allem auch im 16. Jahrhundert immer stärker hervortretende Vielfalt und Dichte der Sagenwelt zum Teil das Ergebnis von Abspaltungs- und Auflösungsprozessen in der Welt der religiösen Vorstellungen ist. Doch muß andererseits auch hier mit dem Nebeneinander verschiedener Geistesbeschäftigungen gerechnet werden, und der Prozeß war auch keinesfalls ganz unumkehrbar — zumindest das katholische Barock hat noch einmal entschieden zu den „mirabilia Dei" hingeführt.

Auch muß daran erinnert werden, daß mit der Sage zwar vielleicht der wichtigste Spannungspol der Legende bezeichnet ist, aber keineswegs der einzige. Als mehrepisodische Erzählung wunderbarer Ereignisse steht die Legende vor allem auch dem *Märchen* nahe; eine Geschichte wie die von der brabantischen *Genoveva* ist nicht nur in einzelnen Motiven, sondern auch in ihrem ganzen Ablauf dem Märchen verwandt.

[20] Legende und Volkssage.
[21] Arme Seelen und helfende Tote. In: Rhein. Jb. f. Vkde., 9. Jg. 1958, S. 54 bis 64.
[22] B. DENEKE: Legende und Volkssage, S. 110.

Diese Legende, im 15. Jahrhundert von einem rheinischen Mönch
in Anlehnung an die gleichnamige Pariser Heilige erdichtet, erhielt im
17. Jahrhundert ihre Ausprägung durch einen französischen Jesuiten und
wurde dann auch in Deutschland als *Volksbuch* verbreitet. TIECK schuf
eine Neubearbeitung, GÖRRES wies auf das Volksbuch hin, CHRISTOPH
VON SCHMID gab ihm die gängige rührselige Fassung, und bis in unsere
Zeit herein blieb der Stoff außerordentlich populär. Dazu mag der
‚märchenhafte' Charakter beigetragen haben; aber gerade in der
mündlichen Erzählung treten doch auch die Unterschiede gegenüber
dem Märchen deutlich hervor. Eine alte Frau im Fränkischen erzählte
mir vor kurzem in bunter Folge Legenden und Märchen. Während sie
bei den Märchen — es waren nur solche aus der GRIMMschen Sammlung —
distanziert und fast gleichgültig den Ablauf berichtete, auch das Unangemessene der Situation betonte, da Märchen ja doch für Kinder seien,
nahm sie die Legende sehr ernst. Die Erzählung war dabei zentral auf
die Wunder gerichtet: sie werden betont, begründet, beglaubigt; die
Erzählung ist wahr, und die Wunder sind unmittelbare Eingriffe Gottes.
Und noch ein zweiter Unterschied: während den Figuren des Märchens
das Glück im wesentlichen zufällt, wird bei den Gestalten der Legende
die moralische Leistung, ihre Tat, ihr Ausharren, ihr Dulden betont.

Freilich steht diese Vertiefung ins Menschliche in ständiger Spannung
mit der heiteren Sicherheit, ja geradezu der Triumphgewißheit, die
den Rahmen der Legende bestimmt. In diesem Rahmen kann sich die
Legende sogar dem *Schwank* annähern. Die innere Beziehung von
Narrheit und Heiligkeit in der Geringschätzung weltlicher Ordnungen
ist schon verschiedentlich herausgestellt worden; so ist es nicht erstaunlich,
daß wir etwa in der Legende des heiligen Symeon von Emesa auf ausgesprochene Eulenspiegeleien stoßen[23], und selbst die listigen Betrügereien
von STRICKERS Pfaffe Amis müssen wohl auch unter diesem Aspekt
gesehen werden.

Auffallender und charakteristischer noch als die Verflechtung mit anderen
Erzählgattungen ist für die Legende die *Mehrgleisigkeit der Überlieferung,* die Vielfalt der Traditionsarten. Zunächst muß dabei an
religiöse *Bildzeugnisse* gedacht werden, die oft umfassende Ausdeutungen
provozieren und so ganz neue Legenden — die „ikonischen Mythen"
der Religionswissenschaft — hervorrufen, die aber vielfach auch auf die
Motivik einzelner Legenden einwirken — manche Legendenmotive

---

[23] Vgl. HEINRICH GELZER: Ein griechischer Volksschriftsteller des 7. Jahrhunderts. In: Ausgewählte Kleine Schriften. Leipzig 1907. S. 1—56; hier S. 42—56.

tauchen in mittelalterlichen Bildwerken auf, ehe sie noch schriftlich bezeugt sind. Doch auch innerhalb des Bereiches der Literatur und Volksdichtung gibt es nicht nur die erzählerische Tradition. Das *Lied* spielt eine wichtige Rolle, und zwar seinerseits in verschiedenartigen Ausprägungen. Schon in der frühdeutschen Zeit gibt es knappe, legendenartige Lieder; das geistliche Volkslied bezeugt in vielen Anspielungen und Bildern die weite Verbreitung der Legendenstoffe; der Bänkelsang macht auch vor den Taten der Heiligen nicht Halt und hebt die oft schon vorher monströsen Wunder ins grelle Licht des Sensationellen; vor allem aber werden viele Legenden in Balladenform gefaßt. KARL MEISEN hat beispielsweise gezeigt, wie die legendäre Geschichte von der standhaften ungarischen Braut, die sich Jesus versprochen hatte, nicht nur als Erzählung, sondern vor allem auch als Zeitungslied und Volkslied verbreitet war[24], und HINRICH SIUTS hat den engen Zusammenhang zwischen Volksballade und Volkserzählung jüngst an anderen Beispielen, darunter auch legendenartigen, dargestellt.[25] Besonders wichtig für die Überlieferung der Legende war dank der bildhaften Präsentation und der dramatischen Pointierung der Stoffe das *Schauspiel*. Schon dem andeutenden literaturgeschichtlichen Abriß muß der Hinweis auf die dramatische Überlieferung eingefügt werden; das humanistische Schuldrama und vor allem dann das Drama der Barockzeit sind ohne Legendenstoffe gar nicht denkbar, und wie MARTIN VON COCHEMS „Großes Leben Christi" auf spätere Passionsspiele einwirkte, so beeinflußten sich auch die epischen und dramatischen Bearbeitungen der Märtyrer- und Bekennerlegenden gegenseitig. KRETZENBACHER nennt für das Heimkehrerthema seiner Jakobslegende als eine der möglichen Quellen ein Jesuitendrama, und er erinnert daran, daß in der Gegend von Murau noch heute eine barock geprägte Volksschauspieltradition lebendig ist.[26] Auch meine alte Erzählerin berief sich bei einzelnen Legenden auf Spiele, die sie selbst mit einer konfessionellen Vereinigung inszeniert hatte; die Genovevalegende kannte sie allerdings vor allem aus einem Büchlein, das sie schon in ihrer Schulzeit gelesen hatte.

Schließlich muß als eine wichtige Trägerin der Legendentradition auch noch die *Predigt* genannt werden. Vermutlich — die Forschungen zur Predigtliteratur geben dazu, obwohl sie gerade in den letzten Jahren

---

[24] Das Lied von der Kommandantentochter von Großwardein oder der ungarischen Braut. In: Rhein. Jb. f. Vkde. 8. Jg. 1957, S. 115—196 und 9. Jg. 1958, S. 89—129.

[25] Volksballaden — Volkserzählungen.

[26] Vgl. L. KRETZENBACHER: Lebendiges Volksschauspiel in Steiermark. Wien 1951.

kräftig gefördert wurden, keine ganz verläßliche Auskunft — handelt es sich dabei um zwei funktional und formal getrennte Bezirke: einmal die Sonntagspredigten, die sich mitunter am Tagesheiligen orientierten und dessen Geschichte dann vielfach auch vollständig erzählten; und zum anderen die ausgesprochenen Wallfahrts- und Festpredigten, welche die Grundlegende häufig voraussetzten, aber um so freier einzelne Motive ausschmückten, vor allem aber auch die moralischen Folgerungen aus der Legende betonten.

Wir verdanken GOETHE einen eindringlichen Bericht über das „Sanct Rochus-Fest zu Bingen" am 16. August 1814, in dem er auch den Festgottesdienst schildert. An der Ostseite der Kirche, im Freien, wird die Predigt gehalten. Der Geistliche sucht seinen Zuhörern zu erläutern, warum *Rochus* zur Gnade der Heiligkeit gelangt sei; in diesem Sinne analysiert er dessen fromme Gesinnung. Die Legende erzählt er nicht — die Wallfahrer kennen sie, und auch GOETHE, der Fremde, hat sie auf seine Bitte schon vorher von seinen Tischgenossen erfahren, die sie „um die Wette, Kinder und Eltern, sich einander einhelfend"[27], erzählten. In GOETHES Darstellung findet sich eine schlichte Wiedergabe der Erzählung — derjenigen der Alexiuslegende vergleichbar. Während er aber in dem erwähnten Schweizer Brief nach einem Vergleich mit „Pater Cochems" Sammlung hervorhebt, daß seine Erzählerin „den ganzen reinen menschlichen Faden der Geschichte behalten und alle abgeschmackten Anwendungen dieses Schriftstellers rein vergessen hatte", fügt er der Rochuslegende die lange moralisierende Auslegung des Priesters an. Es interessiert hier nicht, ob ihn dabei nur die Objektivität des Berichters leitete, oder ob sich hier bei ihm eine neue Auffassung der Legende abzeichnet; — es ist jedenfalls die angemessenere Auffassung.

Die „*Anwendungen*" gehören zur Legende. Schon im Mittelalter schrieb man der Heiligen Leben nieder, „daz wir bilde dâ von ir tugende nemen".[28] MARTIN VON COCHEM sucht mit den Legenden dem Herzen Kraft, dem Gemüt Ermunterung zu bringen, und er mischt „anmuthige Seuffzer und Gebettlein" in die Legenden.[29] HERDER sieht in seiner kurzen Studie „Über die Legende" ihren Zweck in der Erbauung, in der „Erweckung ähnlicher Tugend, ähnlicher Andacht".[30] ALBAN STOLZ

---

[27] Werke (WA) 1. Abt. Bd. 34, 1; S. 1—45, hier S. 28.
[28] David v. Augsburg; zit. bei A. SCHMITT: Heiligenlegende, S. VIII.
[29] Ebd. S. 6.
[30] Ueber die Legende, S. 388.

sagt von seinen Legenden, sie sollten „kein Lesebuch zur Unterhaltung" abgeben, „sondern ein Lehrbuch zum christlichen Leben".[31] Bedenkt man diesen moralisch-religiösen Grundantrieb, dann wird man nicht nur die mancherlei Durchbrechungen der „reinen" Erzählung akzeptieren, sondern die Legende darüber hinaus auch in ihren weiteren funktionalen Zusammenhängen sehen. Die kleinen Traktate, die heute Legenden übermitteln, enthalten meistens außer der Lebensbeschreibung des Heiligen auch Hinweise auf die Stätten und Formen seiner Verehrung und auf neuere Gebetserhörungen, und sie enthalten nicht selten Gebete zu dem betreffenden Heiligen. Damit ist der kultische Zusammenhang bezeichnet, aus dem sich die Legende als Erzählung zwar gelegentlich löst, in den sie aber — dank ihrem „devotionalen Charakter", wie es ein dänischer Forscher genannt hat[32] — doch immer wieder zurückgeholt wird.

Literatur:

Wolfgang Brückner: Sagenbildung und Tradition. Ein methodisches Beispiel. In: Zs. f. Volkskunde 57. Jg. 1961, S. 26—74.

Rudolf Bultmann: Die Erforschung der synoptischen Evangelien. Gießen 1930.

Hippolyte Delehaye: Les Légendes hagiographiques. Brüssel ⁴1955.

Bernward Deneke: Legende und Volkssage. Untersuchungen zur Erzählung vom Geistergottesdienst. Diss. Frankfurt 1958.

Heinrich Günter: Legenden-Studien. Köln 1906.

Heinrich Günter: Psychologie der Legende. Studien zu einer wissenschaftlichen Heiligengeschichte. Freiburg 1949.

Leopold Kretzenbacher: Legendenforschung in Innerösterreich. In: Carinthia 41. Bd. 1951 I, S. 792—795.

Ernst Friedrich Ohly: Sage und Legende in der Kaiserchronik. Untersuchungen über Quellen und Aufbau der Dichtung (= Forschungen z. dt. Sprache u. Dichtung 10). Münster 1940.

Ortrud Reber: Die Gestaltung des Kultes weiblicher Heiliger im Spätmittelalter. Hersbruck 1963.

Hellmut Rosenfeld: Legende (= Realienbücher für Germanisten M 9). Stuttgart ²1964.

Anselm Schmitt: Die deutsche Heiligenlegende von Martin von Cochem bis Alban Stolz. Diss. Freiburg 1932.

[31] A. Schmitt: Heiligenlegende, S. 56.
[32] Tue Gad: Legenden i dansk middelalder. København 1961.

KLAUS SCHREINER: Zum Wahrheitsverständnis im Heiligen- und Reliquienwesen des Mittelalters. In: Saeculum XVII, 1966, S. 131—169.

HINRICH SIUTS: Volksballaden — Volkserzählungen. In: Fabula, 5. Bd. 1962, S. 72—89.

SIEGFRIED SUDHOF: Die Legende. Ein Versuch zu ihrer Bestimmung. In: Studium Generale, 11. Jg. 1958, S. 691—699.

5. Beispiel und Anekdote

Die Dialektik von Tugend und Wunder, die moralisierenden Einschübe und Anhängsel, der Gedanke der imitatio — all dies rückt die Legende in die Nähe anderer Erzählformen, die hier unter dem Begriff des *Beispiels* zusammengefaßt werden sollen. Ein großer Teil der Legendenmotive taucht in den „Exempel"-Sammlungen auf, die in der geistlichen Literatur vor allem des späten Mittelalters eine beherrschende Rolle spielten. Die Bezeichnung *exemplum* stammt aus der antiken Rhetorik; man verstand darunter ebenso wie unter *paradeigma* eine als Beleg eingeschobene Geschichte, „Musterbeispiele menschlicher Vorzüge und Schwächen".[1] In der mittelalterlichen Ausprägung handelt es sich dabei fast ausschließlich um religiös gefärbte Geschichten; das Exempel wird zwar inmitten der Wirklichkeit, aber es wird von einer jenseitigen Macht statuiert. Als eine der ältesten und wichtigsten Exempelsammlungen auf deutschem Boden gilt der „Dialogus miraculorum" des Zisterziensermönches CAESARIUS VON HEISTERBACH, niedergeschrieben um 1225. Darin ist viel von den wunderbaren Visionen und Taten der Heiligen die Rede, aber auch von seltsamen Ereignissen, die exemplarisch den Eingriff Gottes in das Geschehen zeigen sollen. Bei CAESARIUS findet sich beispielsweise die Erzählung von dem Aachener Stadtvogt, der gegen den Willen des Stadtpfarrers einen bekränzten Baum aufgerichtet hatte — ein oft zitierter und umstrittener Beleg zur Geschichte des Maibaums —, was nach dem Bericht des CAESARIUS zu einem entsetzlichen Stadtbrand führte: „Deus post dies paucos totam pene civitatem tam magno et tam horribili tradidit incendio, ut multi dicerent: ,Manus Domini super nos'."[2]

Die Hand Gottes erweist sich in Wundern und Schrecken; das Exempel bezeugt *Vorbilder,* aber es dient auch der *Abschreckung.* Daß es keines-

[1] ERNST ROBERT CURTIUS: Europäische Literatur und lateinisches Mittelalter. Bern ²1954, S. 69.
[2] ALFONS HILKA: Die Wundergeschichten des Caesarius von Heisterbach. 3. Bd. Bonn 1937, S. 40.

wegs nur eine literarische Gattung ist, liegt bei Berichten wie dem eben zitierten auf der Hand. Solche Erzählungen sind zählebig, weil sie immer wieder anwendbar sind; sie treten stets wieder zutage, wo besondere Ereignisse eine moralische Auslegung herausfordern. Sie gehören in die insektenhaft lebendige und unheimliche Welt des Gerüchtes, und sie stehen damit auch der Sage nahe. Tatsächlich hat man Erzählungen wie die angeführte auch als *Tendenzsagen* bezeichnet.[3] Mit einem gewissen Recht; nur darf dieser Begriff nicht besagen, daß es sich im allgemeinen um bewußte tendenziöse Erfindung dabei handelt — vielmehr drängen sich die Geschichten auf, wo eine bestimmte Tendenz herrscht oder zur Geltung gebracht werden soll. Und von der Sage unterscheidet sich das Exempel, so fließend die Übergänge sind, vor allem dadurch, daß nicht das ratlose Verstummen, das schlechthin Unerklärliche und Unheimliche am Ende steht, sondern die oft sehr wortreiche Erklärung. Das Monströse ist hier meist im eigentlichen Sinne *monstrum*, ein Zeichen Gottes[4], aus dem moralische und religiöse Forderungen gefolgert werden; die ganze Welt ist eine Sammlung von Belegen für die göttliche Macht; die allmähliche Säkularisierung dieser Belege führt über aufgeklärte Lehrerzählungen letztlich geradezu zum — Konversationslexikon.[5]

Der religiöse Bezug bestimmt auch die *Form* des Exempels. Es wird oft — häufiger als die knappere Sage — mit einem Quellenhinweis eingeleitet, der die volle Wahrheit des Erzählten bezeugen soll. Darauf folgt die Ausmalung von Wundern und Schrecken, und zwar in einem entschieden festgehaltenen Zusammenhang mit menschlicher Tugend oder menschlichem Laster. Dieser Zusammenhang wird am Ende herausgestellt in der eigentlichen *applicatio moralis*, die nicht mehr nur Erklärung des Vergangenen, sondern — stillschweigend oder ausgesprochen — auch Appell für die Zukunft ist.

Auch diese andeutende Strukturbeschreibung zeigt freilich, daß das Exempel offenbar eher eine *abgeleitete* Form ist. Während etwa im Gegensatz von Märchen und Sage zwei ganz verschiedene, elementare Sehweisen greifbar werden, entsteht das Exempel eher durch eine Umbiegung, eine funktional bestimmte Ausrichtung auf das *Moralisch-Lehrhafte*. Jede Erzählform kann didaktische Elemente aufnehmen; man braucht nur etwa auf den heute noch allgemein geläufigen Kanon von Märchen zu blicken, um zu erkennen, welche Rolle

---

[3] Vgl. z. B. E. Moser-Rath: Predigtmärlein, S. 47.
[4] Vgl. R. Schenda: Prodigiensammlungen.
[5] Vgl. A. Dörrer: Exempel. In: LThK. 3. Bd. 1959, Sp. 1293 f.

das pädagogische Moment für die Verbreitung des Märchens spielt: weitaus am bekanntesten sind diejenigen Märchenerzählungen, die den Kindern die, meistens auch moralisch gemeinte, Identifikation mit den Hauptfiguren des Märchens erlaubt. Aber erst die volle Dominanz dieser moralischen Seite biegt das Märchen gelegentlich um zum Exempel: der Wolf der Rotkäppchengeschichte wird dann entweder zum Bestandteil einer realen Schreckfiktion oder zum Typus des eo ipso moralisch verstandenen Fabeltiers. Der Übergang zum Exempel braucht dabei nicht als genetischer Sprung verstanden zu werden, sondern als Ergebnis eines anderen erzählerischen Ansatzes.

Überhaupt wäre es sicherlich falsch, die primär lehrhafte Erzählung lediglich als sekundäre und späte Entwicklung zu verstehen. „Von jeher hat die Deutsche Poesie die Moral geliebt", schreibt HERDER in seiner Skizze über das Reineke-Fuchs-Epos[6]; und dieser Satz gilt gewiß auch für die Volkspoesie. Man könnte geradezu sagen, daß *Belehrung* eine elementarere Kategorie ist als *Unterhaltung*. Daß die belehrenden Teile der Volksdichtung so wenig beachtet wurden und zum Teil werden, hängt sicherlich damit zusammen, daß die Entdeckung der Volkspoesie und ihre theoretische Fixierung in die Zeit fiel, da man des trockenen Tons der moralisierenden Aufklärungsepoche herzlich satt war. Tatsächlich aber gibt es zahlreiche Erzählungen, in denen Handlung und Belehrung so unmittelbar miteinander verwoben sind, daß das Herauslösen des didaktischen, moralisierenden Fadens das ganze Gewebe zerstört: Diese Erzählungen werden hier unter dem Begriff des Beispiels zusammengefaßt.

Dabei ist *Beispiel* keineswegs einfach die deutsche Übersetzung von Exempel. Im mittelalterlichen Sprachgebrauch sind die beiden Wörter sachlich streng geschieden, und die Bedeutungsgeschichte von Beispiel führt zu einer zweiten Form der lehrhaften Erzählung, die für die Volkspoesie ebenfalls von Wichtigkeit ist. Der mittelhochdeutsche Terminus ist *bîspel;* das Wort hängt also nicht mit Spiel — ludus zusammen, sondern mit spell — narratio. JACOB GRIMM hat unter Beispiel die „erzählung des gerade am wege liegenden" verstanden[7]; die Vorsilbe besagt aber wohl, daß es in der Erzählung außer dem sachlichen Zusammenhang noch etwas anderes mitzuverstehen gilt: es ist die Übersetzung von *parabola*.[8] Diese Bedeutung wird klar, wenn wir die

---

[6] Andenken an einige ältere Deutsche Dichter. Briefe. In: Sämtl. Werke, hg. v. B. Suphan, 16. Bd. 1887, S. 192—252; hier S. 222.

[7] Dt. Wb. 1. Bd. Sp. 1394 f.

[8] E. NEUMANN: Bîspel.

Anwendung des Begriffes verfolgen: er meint, was seit dem 15. Jahrhundert regelmäßig als *Fabel* bezeichnet wird, also die Erzählung, in welcher im allgemeinen Tiere die handelnden Figuren sind, aber in einer Weise, daß durch sie menschliches Handeln in belehrender Absicht deutlich gemacht wird. Der STRICKER war ein erster Meister des gereimten Beispiels, und im späten Mittelalter finden sich eine ganze Reihe von Dichtern, welche die antike, auf PHAEDRUS und den sagenhaften AESOP zurückgehende Fabelüberlieferung weitertragen. In der Reformationszeit spielt die Fabel eine sehr wesentliche Rolle — einmal, weil diese Zeit der sozialen und geistigen Auflockerung ganz allgemein zur Belehrung drängt, und zum andern, weil die Fabel leicht zum Vehikel der Satire — auch der konfessionellen — gemacht werden kann. Im 18. Jahrhundert rückt die Fabel ins Zentrum der Literatur; GOTTSCHED bezeichnet sie als „Ursprung und Seele der ganzen Dichtkunst"[9], und noch LESSING bewegte sich gerne „auf diesem gemeinschaftlichen Raine der Poesie und Moral" und schätzte die „Exempel der praktischen Sittenlehre".[10] GOTTSCHEDS Wort erinnert an den späteren Ausspruch NOVALIS' über das Märchen als „Kanon der Poesie"[11], und die allgemeine poetologische Verabsolutierung einer einzelnen Form hat hier wie dort ähnliche Begleiterscheinungen und Folgen: wie im Gefolge der Romantik ungezählte Kunstmärchen auftauchen, deren Märchenhaftes darin besteht, daß in einer süßlichen Atmosphäre Tiere, Pflanzen und Dinge wahllos zum Sprechen und Handeln gebracht werden, so präsentieren sich ein Jahrhundert früher Fabeln, denen die Fauna bei weitem nicht genügt, die vielmehr Wetterhahn und Ofen, Fernglas und Bratenwender, Löschpapier und Leuchter zu Agierenden machen — die literarische Form erschöpft sich in modischer Hypertrophie.

Wie aber steht es mit der Fabel als *Volkserzählung?* In den umfangreichen Sammlungen des 19. Jahrhunderts hat sie nur einen kümmerlichen Platz gefunden, und man könnte zunächst meinen, daß die allzu lehrhafte Gattung eben doch nicht mündliches Erzählgut gewesen sei. Aber es gibt Gegenargumente. Wo unbefangen gesammelt wird, finden sich heute noch Stücke, die man als Fabel bezeichnen muß. Die zahlreichen Wellerismen, in denen Tieren das Sprichwort in den Mund gelegt wird, machen es wahrscheinlich, daß die zugrundeliegenden

---

[9] Versuch einer Critischen Dichtkunst. 1751, S. 148; zit. bei K. MEULI: Fabel, S. 66.

[10] Abhandlungen über die Fabel. In: Ges. Werke, 4. Bd. Leipzig 1854, S. 231 bis 314; hier S. 234.

[11] Briefe und Werke, 3. Bd. Berlin 1943, S. 631.

Erzählungen und Erzählmotive doch wenigstens zum Teil bekannt waren. Und ELFRIEDE MOSER-RATH hat gezeigt, daß die Fabel im Erzählgut der barocken Prediger, das sicherlich teilweise in Umlauf kam, einen fast ebenso wichtigen Platz einnahm wie das Exempel.[12] Das Manko in den großen Sammlungen kommt also möglicherweise auf das Konto der *Sammler,* und es gibt Gründe für die Wahrscheinlichkeit dieser Annahme.

Erstens spielt dabei der literaturgeschichtliche Befund eine Rolle: im 19. Jahrhundert waren Fabelstoffe — ganz im Gegensatz zu denen des Märchens und der Sage — als *poetischer Vorwurf* nicht mehr gefragt. — Der zweite Grund: Die Fabel nahm einen großen Raum in den Schullesebüchern ein, und dies führte wohl dazu, daß man sie dort, wo sie im mündlichen Erzählen auftauchte, schnell als Schulbuchgeschichte abtat. Nun scheint die Fabel zwar zunächst — nach den von KARL MEULI behandelten griechischen Zeugnissen[13] — ihren Platz in der verhüllenden Rede vor allem des Schwächeren gegenüber dem Mächtigeren gehabt zu haben, und diese soziale Konstellation spiegelt sich noch in vielen Fabeln. Aber in unserem Sprachbereich ist der „Sitz im Leben" für diese Erzählform überwiegend in verschiedenen Situationen der *Unterrichtung* zu suchen, und es wäre erstaunlich, wenn sich die elementare Schulbildung nicht diese Form zunutze gemacht hätte. Im Gegensatz zum Bereich der Sage, wo sich die gezierte Lesebuchgeschichte weit vom Wesen der mündlichen Form entfernt hat, ist aber bei dieser kargeren und ‚vernünftigeren‘ Form der Kreislauf zwischen literarischer und mündlicher Tradition keineswegs unmöglich. — Eine dritte Ursache für das Zurücktreten der Fabel liegt darin, daß man sie auf Grund ihrer äußeren Merkmale in Beziehung und Konkurrenz setzte mit dem *Märchen,* wobei sie dürftig und schief erscheinen mußte.

LESSING verwendet in seinen Abhandlungen über die Fabel viel Scharfsinn darauf, JOHANN JAKOB BREITINGER zu widerlegen, der für ein wesentliches Charakteristikum das Bestreben der Fabel hielt, „durch die Veränderung und Verwandlung der Personen einen angenehmen Schein des Wunderbaren mitzuteilen".[14] Demgegenüber betont LESSING mit Recht: „daß die Tiere und andere niedrigere Geschöpfe Sprache und Vernunft haben, wird in der Fabel vorausgesetzt; es wird angenommen, und soll nichts weniger als wunderbar sein."[15] Eben dies gilt nun freilich

---

[12] Predigtmärlein, S. 56.
[13] Fabel, S. 78.
[14] Zit. bei LESSING: Abhandlungen über die Fabel, S. 275.
[15] Ebd. S. 277.

auch vom Märchen; und auch die Charaktere der Tiere sind dort ähnlich vertraut und unveränderlich wie in der Fabel; die eigentlichen „Fabeltiere" — hier liegt ein anderer, weiterer Begriff von Fabel = fabula zugrunde — sind im Märchen fast ebenso selten wie paradoxerweise in der Fabel. Der wesentliche Unterschied liegt darin, daß das Märchen alles in die eine Dimension seiner Darstellung hineinzieht, während die Fabel eine ganz andere Dimension meint als diejenige, auf der sie sich abspielt. Anders gesagt: das Märchen ist charakterisiert durch geschlossene, nicht aufzulösende Symbolik; die Fabel dagegen verweist auf eine andere Ebene, und die volkstümlichen Prediger der Barockzeit legten Wert darauf, den Hörer ausdrücklich noch zu dieser anderen Ebene hinzuführen: So setzte sich WOLFGANG RAUSCHER dafür ein, „daß man es nie bey der blossen Erzehlung einer Fabel beruhen und gleichsam wie die Nussen in den Schelffen ligen lasse, sonder die selbige aufbreche, den Kern herauß nemme, das ist, die unter der Fabel verborgene Warheit durch ein oder anderes Lehr-Stuck entdecke".[16] Aber auch wo die Transposition nicht ausdrücklich vorgenommen wird, ist sie doch in der Erzählung angelegt. Kurz: die Fabel ist *parabolisch*.

Es ist jedoch vernünftiger Sprachgebrauch, wenn Fabel und *Parabel* unterschieden werden. Das in der Fabel übliche Auftreten von Tieren ist dabei nur das äußere Unterscheidungsmerkmal. Die Fabel bleibt allgemeiner; die Handlung wird darin zwar vorgestellt als wirklicher Fall, aber die Tiere als Gattungswesen entrücken den besonderen Fall doch sofort ins Typische und Allgemeine. In der eigentlichen Parabel dagegen wird wirklich ein einmaliges, spezifisches Geschehen, die Tat oder der Ausspruch einer einzelnen Persönlichkeit geschildert, wenn auch ähnlich wie bei der Fabel daraus eine allgemeinere Lehre analogisch zu erschließen ist. Die wirkliche Besonderheit des Falles wirkt dabei eindringlicher vorbildhaft; es ist charakteristisch, daß der moralische Appell der Parabel zugleich differenzierter und entschiedener ist als in der Fabel, die oft auch nur zu sagen scheint: Ja, so geht's in der Welt, die also oft — hier sei an die Erörterungen zum Sprichwort erinnert! — eher eine Regel als unabänderlichen Zustand denn als moralischen Impetus anvisiert.

Ähnlich wie das Exempel gehört auch die Parabel primär in geistliche Zusammenhänge. Die biblischen *Gleichnisse* Jesu[17] boten das Muster für viele geistliche Erzählungen, die anhand eines einzelnen Falles eine

---

[16] Zit. bei E. MOSER-RATH: Predigtmärlein, S. 23.
[17] Vgl. ADOLF JÜLICHER: Die Gleichnisreden Jesu. 2 Bde. 1888 und 1899.

allgemeine Wahrheit ausbreiten. Eine besonders große Rolle spielt dabei die exegetische Parabel, deren Ansätze im Neuen Testament sehr deutlich werden: Das berühmte Gleichnis vom barmherzigen Samariter (Luk. 10, 25—37) geht aus von der Aufforderung, den Nächsten zu lieben wie sich selbst, und es ist die Antwort auf die Frage eines Schriftgelehrten: „Wer ist denn mein Nächster?" In der *Katechese* und zum Teil auch in der *Predigt* nahmen solche erläuternden Parabeln immer einen wichtigen Platz ein. In Württemberg wurde zu Anfang unseres Jahrhunderts ein Bändchen „Erzählungen und Erläuterungen" gedruckt, das „Erzählungen und praktische Beispiele" zum Konfirmationsbüchlein beibringen wollte[18]; dabei darf unterstellt werden, daß in dieses Bändchen zahlreiche ohnehin gängige Beispiele Eingang fanden, und daß diese Beispiele nicht auf den kirchlichen Unterricht beschränkt blieben. Viele dieser kleinen Geschichten gehören jedenfalls noch immer zum geläufigen Erzählgut der älteren Generation, auch wenn sie auf Grund ihres spezifischen Charakters kaum einmal in die Erzählsammlungen aufgenommen wurden.

Eines dieser Beispiele sei erwähnt, um den Typus zu charakterisieren. Auf die Frage 34: „Wie soll man beten?" mußte die Antwort memoriert werden: „Andächtig als in der Gegenwart Gottes, bußfertig, demütig — sowohl innerlich im Herzen als auch äußerlich in Gebärden — mit wahrem Glauben und in dem Namen Jesu Christi." Und nun werden die Leitwörter dieser Erläuterung noch eigens interpretiert. Unter dem Stichwort „andächtig" steht der Hinweis auf den herrnhutischen Brauch, nach dem Abendgebet kein Wort mehr zu sprechen, und auf die Aufforderung des Präzeptors BENGEL nach der Abendandacht: „Colligite animas — sammelt die Seelen!" Außerdem aber illustriert eine Erzählung das Problem der Andächtigkeit: „Andächtig zu beten ist nicht immer leicht. Luther soll einmal zu Melanchthon gesagt haben, nicht einmal ein Vaterunser könne man ganz andächtig, d. h. ohne fremden Nebengedanken, beten. Das wollte dieser nicht glauben. Da versprach ihm Luther ein Reitpferd, wenn er das vermöge. Aber nachher mußte ihm Melanchthon bekennen, es sei ihm während des Vaterunserbetens der Gedanke gekommen, ob er auch den Sattel zum Reitpferd erhalte. So hatte er die Wette verloren."[19] Daß diese Erzählung gewissermaßen von der negativen Seite her interpretiert, ändert nichts an ihrem Beispiel- und Gleichnis-Charakter; auch hierfür gibt es biblische Vor-

---

[18] FRIEDRICH BAUN: Erzählungen und Erläuterungen zum württembergischen Konfirmationsbüchlein. Stuttgart 1908.
[19] Ebd. S. 108.

bilder — in den Gleichnissen Jesu wird der positive Anspruch oft nur durch Kontrastwirkung der im wesentlichen negativen Erzählung abgewonnen (z. B. Mark. 4, 3—8).

Die Parabeln sind jedoch keineswegs an die Exegese gebunden, und sie sind auch nicht auf den kirchlichen Bereich beschränkt. Wo immer frommes und sittliches Verhalten erwartet und gefordert wird, kann die Forderung die erweiterte — steigernde oder auch verhüllende — Form des Beispiels annehmen. Wozu Mut befähigt, was Entsagung vermag, wie viel Gebete helfen können — all das kann in Erzählungen verdeutlicht werden, die auf frühere Fälle zurückgreifen, damit aber das Allgemeine oder die gegenwärtige Situation meinen. Dabei stellt sich die Verbindung zu anderen, schon behandelten Formen her. Einmal stehen solche Erzählungen der Legende nahe, die ja ihrerseits zur Nachfolge und Nachahmung aufruft, in ihrer Übersteigerung freilich die glatte Analogie verbietet. Andererseits erinnert eben dieses analogische Prinzip an den durch ein Beispiel ausgeweiteten Zauberspruch; die Analogie, die dort magische Wirklichkeit ist, begründet hier den sittlichen oder religiösen Anspruch.

Der *analogische Aufbau* der Parabel gibt ihr dort ein besonderes Gewicht, wo das Weltbild bestimmt ist durch zwei deutlich getrennte, aber aufeinander bezogene oder doch zu beziehende Bereiche. Schon im biblischen Gleichnis wird Jenseitiges in oft kühn pointierender Analogie an Diesseitigem erläutert: „Das Himmelreich ist gleich einem Hausvater, der früh am Morgen ausging, Arbeiter zu dingen in seinen Weinberg" (Matth. 20, 1) beginnt das Gleichnis von den Arbeitern im Weinberg. Solche analogischen Erörterungen spielen in der volkstümlich gefärbten Predigt des Mittelalters und der Barockzeit eine wichtige Rolle; sie sind aber unter dem Einfluß intensiver Frömmigkeitsbewegungen auch in Gespräch und Erzählung der *Laien* eingedrungen. Die Geschichten der jüdischen *Chassidim* haben eine gewisse Parallele in den noch wenig beachteten *pietistischen* Erzählungen. Dabei handelt es sich zum Teil um exempelartige Berichte, in denen die schlimmen Folgen irgendwelcher Vergehen geschildert werden; sie haben vor allem eine wichtige Funktion in der Erörterung der Adiaphora, der Mitteldinge, über deren Zulässigkeit oder Verwerflichkeit kein allgemeines theologisches Übereinkommen besteht — eben deshalb wird die strenge pietistische Auffassung mit Beispielen abgesichert, in denen Tanz, Spiel, Maskierung, Theaterbesuch und ähnliches zum Unheil führten. Zum andern aber handelt es sich wieder um Parabeln, deren Handlung zwar im Diesseitigen spielt, aber in zwangsläufiger pietistischer „Transgression"[20] aufs Himmlische, aufs Jenseitige bezogen wird.

Auch hierfür finden sich in dem erwähnten, stark von pietistischem Geist bestimmten Bändchen zur Vorbereitung der Konfirmanden zahlreiche Belege, von denen einer angeführt sei.[21] Die Frage lautet, was „an Gott glauben" heiße; die Antwort: „Gott erkennen, sein Wort annehmen und all sein Vertrauen auf ihn setzen". Zu der Wendung „sein Wort annehmen" wird folgendes Beispiel gegeben:

> Als Napoleon eines Tages Truppenschau abhielt, entglitt seiner Hand der Zügel seines Pferdes und dieses galoppierte mit ihm davon. Da warf sich ein gewöhnlicher Soldat dem Pferde entgegen, ergriff die Zügel, brachte das Roß zum Stehen und legte die Zügel in des Kaisers Hand. Napoleon wandte sich dem Soldaten zu und sagte: „Ich danke, Kapitän." „Bei welchem Regiment, Sire?" fragte der Soldat. „Bei meiner Garde!" antwortete Napoleon, der offenbar an dem sofortigen Glauben an sein Wort Gefallen fand. Der Kaiser ritt weiter; der Soldat warf seine Muskete weg, und obgleich er noch keine Epauletten auf seinen Schultern und noch keinen Degen an seiner Seite noch irgendein anderes Abzeichen von seinem Avancement aufzuweisen hatte, begab er sich zum Stabe der kommandierenden Offiziere. Diese lachten über ihn und sagten: „Was haben Sie denn hier zu suchen?" „Ich bin Kapitän der Garde!" erwiderte er. Sie waren natürlich aufs höchste erstaunt; aber der Kaiser hatte es gesagt und dabei blieb es.

Der „sofortige Glaube" ist das tertium comparationis, das in den anderen, eigentlich gemeinten Bereich hinüberweist. Dieser Bereich ist — dank der Situation und dem Kontext — während der ganzen Erzählung gegenwärtig; aber er wird nicht thematisiert, und die Erzählung ist durchaus auch ohne jenen Gegenbereich denkbar. Sie kann auch in diesem Falle als Beispiel in einem weiteren Sinn verstanden werden, da sie ein Muster richtigen menschlichen Handelns bietet; da aber in der isolierten Erzählung der moralische Anspruch von selbst zurücktritt, wird es richtiger sein, sie als *Anekdote* zu bezeichnen — vor allem dann, wenn der Akzent auf Napoleon liegt: an die Stelle der Beschreibung exemplarischen Handelns und des sittlichen Imperativs tritt die Skizzierung einer *exemplarischen Persönlichkeit* und eines bestimmten *Zeitbilds*. Der Übergang vom Beispiel zur Anekdote ist fließend. In der Parabel, die eine allgemeinere sittliche Wahrheit dadurch anschaulich macht, daß sie schildert, was einer einmal in einem besonderen Fall getan oder

[20] DIETER NARR: Die Stellung des Pietismus in der Volkskultur Württembergs. In: Wttbg. Jb. f. Vkde. 1957/58, S. 9—33; hier S. 25.
[21] F. BAUN: Erzählungen und Erläuterungen, S. 46.

gesprochen hat, steckt ein anekdotischer Zug. Und exemplum ist schon in der Sprache der römischen Rhetorik nicht nur die beispielhafte Handlung, sondern auch die beispielhafte Gestalt, die bestimmte Eigenschaften vorbildlich — oder, bei negativen Eigenschaften, in abschreckender Steigerung — verkörpert.[22] So ist also im Beispiel die Tendenz mindestens teilweise angelegt, die für die Anekdote wesentlich ist: die Tendenz zur Charakterisierung eines weiteren Hintergrundes durch ein *repräsentatives Momentbild.*

Umgekehrt steckt das Beispielhafte zwangsläufig in vielen Anekdoten. JOHANN PETER HEBELS Kalendergeschichten enthalten nicht nur Beispiele und Anekdoten nebeneinander; die beiden verwandten Formen gehen vielfach ineinander über. Es gibt manche Anekdote bei HEBEL, in der zunächst eine bestimmte historische Persönlichkeit durch eine einzelne Tat oder einen Ausspruch charakterisiert wird, die aber dann durch ein ausdrückliches „Merke" zu einer verallgemeinernden Lehre hinüberleitet und sich so als Beispiel darstellt. Dieser Übergang ist umso leichter möglich, als der Anekdotenerzähler sich zwar im allgemeinen an geschichtlichen Realitäten orientiert, diese aber stilisiert, und im Zweifelsfalle die historia der fabula zu opfern bereit ist. In einem Brief vom 4. Januar 1814 kritisiert JACOB GRIMM dadurch einen höheren Offizier, den er bei BRENTANO getroffen hatte, daß er ihm „etwas Anekdotenmäßiges und Allgemeinschwebendes" zuschreibt.[23] Hier gilt das „Anekdotenmäßige" also eben *nicht* als Ausdruck sicher charakterisierenden Zugriffs und angemessenen Urteils, sondern eher als Zeichen des Unverbindlichen, des Über-die-Dinge-Hinwegredens. Die Anekdote kann geschichtlicher Wahrheit nahestehen; sie kann auf eine allgemeinere Wahrheit zielen; sie gehört aber oft auch in den Bereich des Klatsches. Dies steckt sogar zum Teil in dem Begriff und seiner Geschichte: das griechische Wort bedeutet das „nicht Herausgegebene", und es geht auf den griechischen Schriftsteller PROKOPIOS VON CAESAREA zurück, der in seinen *„Anecdota"* eine Geheimgeschichte lieferte, welche seine offizielle Würdigung Justinians und der Kaiserin Theodora gründlich revidierte und Bilder von der Lasterhaftigkeit des byzantinischen Hofes ausbreitete.[24] Jedenfalls ist die Charakterisierung durch die Anekdote nur selten präzise; zu ihrem Wesen gehört vielmehr die *Prägnanz.*

---

[22] E. R. CURTIUS: Europäische Literatur und lateinisches Mittelalter, S. 69.
[23] Briefwechsel zwischen Jacob und Wilhelm Grimm aus der Jugendzeit, ed. Herman Grimm und Gustav Hinrichs. Wiesbaden 1881, S. 213.
[24] W. GRENZMANN: Anekdote.

Die Anekdote ist keineswegs nur eine literarische Gattung, und im mündlichen Erzählgut spielen auch keineswegs nur Histörchen eine Rolle, die sich auf große geschichtliche Persönlichkeiten beziehen und über Kalender und andere Drucke verbreitet wurden. Vielmehr gibt es wohl überall eine *örtliche* Anekdotenüberlieferung. Sie taucht freilich in den Sammlungen des Erzählguts im allgemeinen so gut wie gar nicht auf; auch hier ist dafür in erster Linie das Netz vorgegebener Formkategorien verantwortlich, in dem die Anekdote nicht zu fangen war. Bezeichnenderweise findet sich diese Anekdotenüberlieferung dagegen nicht ganz selten in locker gefaßten Heimatbüchern und Jugenderinnerungen, die lediglich festhalten, was ohnehin als Gegenstand von Stammtischunterhaltungen lebendig war. Die Anekdoten bezogen sich dabei im allgemeinen auf örtliche *Originale* verschiedenen Zuschnitts, vom geistig Beschränkten, dessen dumme Taten, bis zum besonders Schlauen und Schlagfertigen, dessen Bonmots festgehalten wurden. In meiner schwäbischen Heimatstadt war — um ganz wenige konkrete Belege anzuführen — etwa vom „Jörgfrieder" die Rede, der an jedem Tor der Stadt eine andere Wetterprophezeiung gab und so auf alle Fälle recht behielt; vom „Charlotter", der als Metzger in Charlottenburg gearbeitet hatte, der Theateraufführungen inszenierte und diese dann selber in der Zeitung streng kritisierte, und der nicht ruhen wollte, bis er „ins Konversationslexikon kommt"; vom Adlerwirt mit dem Spitznamen „Napoleon", der dauernd Selbstgespräche führte; vom „Glasersadam", der die Kinder aufforderte, ihm durch Steinwürfe für neue Arbeit zu sorgen; vom „Staudenbaste", der anno 1848 in einer benachbarten Dorfkirche eine revolutionäre Laienpredigt hielt; später von dem Amtsrichter, der am Samstag stets als erster den Stammtisch verließ, um „wenigstens einmal in der Woche einen klaren Kopf" zu haben; von dem Stadtpfarrer schließlich, der seiner Gemeinde nachsagte, sie sei „außerordentlich kirchenfreundlich, ohne je Gebrauch davon zu machen", und der sich als Erzähler spannender Beispielgeschichten auszeichnete, die ihrerseits in die Erzählüberlieferung eingingen.

In den meisten landschaftlichen Sammlungen nimmt die Anekdote nur einen ganz bescheidenen Platz ein. Sie spielt dort im allgemeinen nur insofern eine Rolle, als traditionelle Erzählformen der Anekdote naherücken und sogar anekdotischen Charakter annehmen können. Werden beispielsweise mehrere historische Sagen über eine einzelne Persönlichkeit, einen Landesfürsten oder einen Grundherrn etwa, erzählt, so können diese Erzählungen den Charakter einer anekdotischen Reihung annehmen. Dies gilt insbesondere dann, wenn sie die betreffende Persönlichkeit nicht nur als Akteur der in sich allein wichtigen unerhörten Ereignisse betrachten, sondern sie ausdrücklich zu kennzeichnen versuchen.

Fließender noch ist der Übergang zwischen *Schwank* und Anekdote; ein schwankhaftes Abenteuer oder ein lustiger Ausspruch kann natürlich sehr geeignet sein, eine Person zu charakterisieren. Doch genügt es nicht zu fragen, ob die Schwankgestalt fiktiv oder historisch ist; auch historische Gestalten können in der Schwanküberlieferung sehr rasch so stark typisiert werden, daß sie mehr oder weniger frei verfügbar sind für viele Wandermotive, und daß die Geschichten nichts mehr über ihre besondere Eigenart sagen. Dies wird an den verschiedenen Geistlichen deutlich, die im 15. und 16. Jahrhundert den Mittelpunkt von Schwankzyklen bilden: es handelt sich dabei überwiegend um historische Gestalten, und einzelnen Schwänken mag eine anekdotische Überlieferung vorausgegangen sein; aber in den Zyklen wird dieses Anekdotische zerrieben von dem allgemeineren komischen Bedürfnis des Schwanks. Zum Teil gilt dies auch für die Rolle des „Alten Fritz" im Schwank; als populäre und wichtige Kristallisationsgestalt rückt er in den Mittelpunkt von Schwänken, deren Motive in einem krassen Mißverhältnis nicht nur zu seiner historischen Existenz, sondern auch zu seinem anekdotischen Bild stehen. Andererseits läßt sich am Beispiel Friedrichs II. auch der Einbruch des Anekdotischen in den Bereich des Schwanks — und der Schwanksammlungen — zeigen. Diese Sammlungen enthalten nämlich manchmal Erzählungen über den Alten Fritz, in denen die Komik ganz zurücktritt; so ist etwa verschiedentlich davon die Rede, daß sich der Alte Fritz in schlechter Kleidung unter die Landarbeiter oder Soldaten mischte und auf diese Weise Mißstände aufdeckte. Solche Geschichten stehen der historischen Sage vielleicht näher als dem Schwank, und es handelt sich vielfach um nichts anderes als Anekdoten, auch wenn sie nur ausnahmsweise so bezeichnet werden.

Das Schubfach Anekdote, das hier bereitgestellt wird, sollte jedoch keineswegs bloß mit kleinen Randstücken anderer Gattungen angefüllt werden; auch ein beträchtlicher Teil des heutigen, lebendigen Erzählguts — dies wurde schon angedeutet — gehört hierher. Überhaupt scheinen mir Beispiel und Anekdote die legitimen *Residualkategorien* zu sein, in die das heutige Erzählgut — so weit es nicht in den Zusammenhang der traditionellen Gattungen gehört — eingeht. Die mehr oder weniger realistische Wiedergabe von Erlebnissen und Ereignissen, die für das wenig ausgeformte, so gut wie gar nicht institutionalisierte, aber durchaus lebendige Erzählen unserer Tage charakteristisch ist, fügt sich zum größten Teil in diese beiden Formbereiche. Zum Teil charakterisieren solche Erzählungen eine bestimmte Persönlichkeit oder auch eine bestimmte Epoche; dazu gehören Berichte über besondere Strapazen im Krieg, über die ungünstigen Arbeits- und Lebensbedingungen in der guten alten Zeit, über erstaunliche Taten — daß es oft die des Erzählers selber sind, ändert nichts am anekdotischen Charakter der Erzählungen. Der Übergang zum Beispiel ist auch hier wieder fließend: die besondere Tat, der besondere Ausspruch, die besondere Schwierigkeit und ihre Überwindung werden vielfach auch als belehrendes Beispiel festgehalten und erzählt; und der moralische Aufbau und Ausbau der Erzählung ist zwar abhängig von der jeweiligen Erzählsituation, aber er wird im allgemeinen keineswegs verschmäht.

Die Erfassung und Untersuchung dieser verbreiteten Erzählformen ist eine wichtige, noch wenig angepackte Forschungsaufgabe. Gewiß wird sich dabei eine sachliche Gliederung herausarbeiten lassen, die sich durch thematische Dominanten andeutet: Arbeitserinnerungen[25], Kriegsereignisse, Reiseerlebnisse sind etwa solche beherrschenden Themen. Und vielleicht ergibt sich dann auch Notwendigkeit und Möglichkeit einer präziseren formalen Einteilung. Jedenfalls aber bieten die Kategorien der Anekdote und des Beispiels einen Rahmen, in den sich ein großer Teil der Erzählungen fügt: im allgemeinen wird etwas erzählt, weil es charakteristisch, oder aber, weil es beispielhaft ist — weil es beiträgt zur Erkenntnis eines Menschen, einer Zeit, einer Situation, oder weil moralische Impulse davon ausgehen.

Literatur:

WILHELM GRENZMANN: Anekdote. In: RL², I. Bd. S. 63—66.

HANS LORENZEN: Typen deutscher Anekdotenerzählung. Diss. Hamburg 1935

HANS-LOTHAR MARKSCHIES: Fabel. In: RL², I. Bd., S. 433—441.

KARL MEULI: Herkunft und Wesen der Fabel. In: Schweizer. Archiv für Volkskunde 50. Bd. 1954, S. 65—88.

ELFRIEDE MOSER-RATH: Predigtmärlein der Barockzeit. Exempel, Sage, Schwank und Fabel in geistlichen Quellen des oberdeutschen Raumes. Berlin 1964.

EDUARD NEUMANN: Bispel. In: RL², I. Bd., S. 178 f.

EDUARD NEUMANN: Exempel. In: RL², I. Bd., S. 413—417.

[25] S. NEUMANN: Arbeitserinnerungen.

Siegfried Neumann: Arbeitserinnerungen als Erzählinhalt. In: Dt. Jb. f. Volkskunde, 12. Bd. 1966, S. 177—190.

Rudolf Schenda: Die deutschen Prodigiensammlungen des 16. und 17. Jahrhunderts. In: Archiv f. Gesch. d. Buchwesens IV, 1962, Sp. 637—710.

Herbert Wolf: Das Predigtexempel im frühen Protestantismus. In: Hess. Bl. f. Volkskunde 51./52.Bd. 1960, S. 349—369.

6. Grenzen und Übergänge

Auch die Erweiterung des herkömmlichen Formenkatalogs gibt aber keine Möglichkeit, schlechthin jede Erzählung präzise zuzuweisen und entsprechend zu etikettieren. Die Tatsache, daß gerade in Bereichen besonders lebendiger mündlicher Erzählüberlieferung nicht immer einzelne Gattungen unterschieden werden und allgemeine Bezeichnungen wie *„Geschichte"* oft die ganze Skala decken, ist natürlich in erster Linie Ausdruck praktischer Nonchalance, und sie spricht nicht gegen den Versuch der Gliederung. Ein wenig hängt diese Tatsache aber doch wohl auch damit zusammen, daß sich die Gattungstypen keineswegs immer rein verwirklichen. Gerade weil es sich bei den Erzählformen nicht um einen Mustersatz von Gefäßen handelt, in die je verschiedene Inhalte gefüllt werden, sondern um verschiedene Möglichkeiten der Auseinandersetzung mit der Welt und der Verarbeitung von Geschehenem und Erdachtem — gerade deshalb verwirklicht sich das Erzählen nicht regelmäßig in reinen Gestalten. Mit vollem Recht wird in der neueren Forschung häufig auf Mischtypen hingewiesen: auf lokalisierte Märchen, die das Gesicht dämonischer Sagen annehmen; auf Mirakelberichte, die zwischen Sage und Legende stehen, auf Übergangsformen zwischen Schwank und Witz. Und vollends gerät das Feld in Bewegung, wenn wir historische Entwicklungen und räumliche Wanderungen einbeziehen. Kurt Ranke hat vor kurzem „Grenzsituationen des volkstümlichen Erzählgutes" erörtert und beispielsweise gezeigt, wie einzelne dämonische Geschichten sich auf ihrer Wanderung von Osten nach Westen verändern, wie aus der Sage im angrenzenden Kulturbereich ein Märchen oder ein Schwank werden kann.

Während aber all diese Mischungen und Veränderungen mit der gebräuchlichen Klassifizierung beschreibbar sind, sie also gleichzeitig durchbrechen und bestätigen, ist auch noch mit Formen zu rechnen, die ganz *außerhalb* dieser Klassifizierung stehen. Dies wird sofort deutlich, wenn wir ethnographisches Material von außereuropäischen Kontinenten heranziehen. Wir stoßen hier beispielsweise auf eine Fülle verschieden-

artiger *Tiergeschichten,* die sich keiner der angeführten Formkategorien
einfügen.[1] Da sind ganz simple, kurze Geschichten, in denen die Tiere
vermenschlicht sind und so bei irgendwelchen alltäglichen Verrichtungen
geschildert werden — bei uns findet sich ähnliches in Kindergeschichten,
wie sie auch in der Fibel ausgebreitet werden, und in einigem erinnern
die Erzählungen an die Fabel; aber die gezielte Analogie fehlt. In
anderen, oft sehr langen Geschichten erleben die Tiere phantastische
Abenteuer; die Geschichten erscheinen uns märchenhaft, aber ihre
Struktur ist doch anders als die des Märchens, weniger geschlossen,
weniger flächenhaft, weniger sublimiert. Oder es sind Erzählungen, in
denen die Macht der Tiere — auch über die Menschen — zum Ausdruck
kommt, aber nicht mit der vagen Unheimlichkeit der Sage, sondern eher
als Beleg einer genauen und anerkannten Hierarchie. Eine vernünftige
Ordnung könnte in diese Vielfalt nur eine detaillierte Untersuchung
bringen, welche die Geschichten nicht aus ihrem kulturellen Kontext löst;
unsere Andeutungen sollen in erster Linie lediglich zeigen, daß die
hier vorgeschlagene Einteilung keineswegs ein allzeit und überall gültiges
System bereitstellt. Gleichzeitig führen sie aber zu einem wichtigen
Grenzbereich unserer Erzählformen, der nicht ganz übergangen werden
darf.

In der völkerkundlichen Literatur werden Geschichten wie die eben
charakterisierten oft mit vielen anderen — manchmal auch mit dem
ganzen Erzählbestand — als *„Mythen"* zusammengefaßt. Zum Teil
handelt es sich dabei um den neutralisierten Begriff: Mythe = Erzählung
— zum Teil trägt diese Benennung aber auch der Tatsache Rechnung,
daß die Mehrzahl solcher Geschichten eng verflochten ist mit dem
jeweiligen religiösen System, mit den Glaubensvorstellungen und manchmal auch den Riten. Beide Begründungen des Begriffs erklären schon,
warum er in dem hier aufgestellten Formenkatalog nicht auftaucht.
Zwar gibt es auch bei uns „Natursagen" — OSKAR DÄHNHARDT hat so
sein großes vergleichendes Werk über diese Erzählungen betitelt[2] —, in
denen die Beschaffenheit der Erde und des Himmels, das Aussehen von
Tier und Mensch, biologische und gesellschaftliche Konstellationen ätio-
logisch erklärt werden. Auch in den GRIMMschen Kinder- und Hausmärchen finden sich solche Erzählungen: die Geschichte von Strohhalm,
Kohle und Bohne beispielsweise, die miteinander einen Bach über-

---

[1] Vgl. C. W. v. SYDOW: Prose Traditions, S. 26 passim; K. MEULI: Fabel, S. 69 f.;
F. v. d. LEYEN: Mythus und Märchen, S. 347 f.

[2] 4 Bde. Leipzig und Berlin 1907—1912.

queren wollen — die Bohne muß so viel Wasser schlucken, daß sie zerplatzt, am Ufer jedoch näht sie ein Schneider wieder zusammen: „seit der Zeit aber haben alle Bohnen eine Naht".[3] Es ist bezeichnend, daß diese Geschichten fast ausnahmslos zwar den Gestus des Deutens enthalten, daß sie als Sujet mythische Erklärungen im weitesten Sinne haben, daß es aber eben doch scherzhafte Erzählungen sind. Sie wiederholen spielerisch den geistigen Akt mythischer Deutung; aber dahinter steht — wenn wir von der Welt der Kinder absehen, die an solche Geschichten glauben — keine mythische Haltung mehr. *Das Mythische* scheint, so könnte man sagen, weniger Ergebnis einer bestimmten Geistesbeschäftigung als vielmehr Ausdruck einer umfassenderen *Geisteshaltung* zu sein, die in ihrem ganzen Denken von der Wirksamkeit der Götter und dem Prozeß der Schöpfung nicht loskommt.

Dem entspricht es, wenn WILHELM WUNDT die verschiedenen erzählerischen Gattungen ausdrücklich als „Entwicklungsformen des Mythus" bezeichnete; Märchen, Sage und Legende stehen für ihn nicht *neben* dem Mythus, sondern sie sind als *Spielarten* aus ihm herausgewachsen.[4] In dieser Auffassung werden zwei Aspekte des Mythus genetisch verbunden, die für die Romantiker in oft unversöhnlicher Spannung standen: Mythus als versunkenes Urgestein, von dem nur noch die Trümmer der volkstümlichen Überlieferungen zeugen, und Mythus als fortdauernde poetische Kraft. Die Frage nach dem Entwicklungszusammenhang der einzelnen Erzählformen untereinander und mit dem Mythus war freilich durch diese allgemeine These nicht beantwortet, und vor allem das Verhältnis von Märchen, Mythus und Heldensage hat die Forschung immer wieder beschäftigt. Die *Heldensage* wurde deshalb einbezogen, weil sie durch das Element übermenschlicher Taten in die Nähe des Göttermythus führt, andererseits aber in vieler Hinsicht dem Märchen verwandt ist — PANZER hat das Heldenlied geradezu als quasihistorische Travestie des Märchens verstanden.[5] Im allgemeinen führt man Märchen und Heldensage auf eine gemeinsame mythische Wurzel zurück. FRIEDRICH VON DER LEYEN nennt das Märchen „die verspielte Tochter des Mythus"[6]; und er nimmt damit auf, was WILHELM GRIMM in seiner Gudrunvorlesung allgemeiner formuliert hatte: „Das Märchen spielt, so zu sagen, mit dem, was früher Bedeutung hatte".[7]

---

[3] KHM Nr. 18.
[4] Märchen, Sage und Legende.
[5] J. DE VRIES: Betrachtungen, S. 73.
[6] Mythus und Märchen, S. 358.
[7] Kl. Schr. 4. Bd. S. 569.

VON DER LEYEN weist aber auch darauf hin, daß dem strengeren Mythus eine spielerische Form nicht nur folgt, sondern auch vorausgeht: die „*Urmythen*" stellen nicht die hintergründige Frage nach den Göttern, sondern entfalten in „ungezügelter Lust des Fabulierens" ein buntes Bild der Ursachen von Wirkungen, die für das Leben unmittelbar wichtig sind. Auch diese Mythen sind gültig und stehen in gegenseitiger Abhängigkeit — HERMANN BROCH bezeichnet „myth" einmal als „the so-to-speak mathematics of primitive men"[8] —, aber erst die Steigerung zum ausgeformten Mythus hebt das Spielerische „in die Höhe einer heiligen Verpflichtung".[9]

Die Zusammenhänge, die hier vorliegen, können mit ein paar Worten nicht geklärt werden; und noch immer bedarf es vieler sorgfältiger, sich an kargen Zeugnissen entlangtastender und Analogieschlüsse nur vorsichtig wagender Forschungen, um diese Vorgeschichte unserer Erzählformen aufzuhellen. Es ist aber jedenfalls die *Vorgeschichte*. Das Mythische in seinem vollen religiösen Gewicht spielt für die neuere Volkserzählung nur noch eine ganz geringfügige Rolle. Zwar ist die Sage erfüllt von den Wesen der ‚niederen Mythologie', und die Legende hat — in einem allgemeineren Sinne — mythische Bestandteile; aber sonst gilt, was LEOPOLD SCHMIDT in erster Linie mit dem Blick auf das Märchen formulierte: „Wenn in Volkserzählungen Gestalten aus Religionen auftreten, dann eigentlich nur als Versatzstücke, als gewissermaßen auswechselbare Namen, die für das Wesen der betreffenden Geschichte selbst nichts aussagen".[10]

Die mehr oder weniger radikale Ablösung einer Geisteshaltung durch eine andere mag verständlicher erscheinen, nachdem in der neuesten Entwicklung der Volkserzählung etwas Ähnliches zu beobachten ist. Man könnte von einer zweiten Phase der *Entmythologisierung* sprechen, die nunmehr die geläufigen Erzählungen nicht nur aus mythisch-religiösen Zusammenhängen, sondern auch von jeglichem metaphysischen Hintergrund zu lösen strebt. Wunder und Grauen sind nicht mehr Ausdruck transzendierender Wirklichkeiten, sondern Ergebnis immanenter Konstellationen; die *Faktizität*, die Tatsächlichkeit wird — mindestens im Prinzip — nicht mehr übersprungen. Skizziert man diesen Vorgang, so gerät man zwangsläufig in das Feld globaler Entwürfe;

---

[8] The Style of the Mythical Age. In: Dichten und Erkennen. Essays, 1. Bd. Zürich 1955, S. 249—264; hier S. 253.
[9] F. v. d. LEYEN: Mythus und Märchen, S. 351.
[10] Die Volkserzählung, S. 14.

der Gedanke an das Dreistadiengesetz liegt nahe, das in der Formulierung durch AUGUSTE COMTE die Abfolge einer theologischen, einer metaphysischen und schließlich einer positivistischen Phase proklamiert. Die Skizzierung der verschiedenen Erzählhaltungen meint aber nur *Tendenzen;* die Phasen sind relativ — wie freilich auch die COMTEschen Stadien. Vor allem ist ständig mit *Phasenverschiebungen* zu rechnen. Als Einstellung zu ein und derselben Erzählung kann oft in unmittelbarer Nachbarschaft voller Glaube und ironische Skepsis registriert werden; KURT WAGNER ging davon aus, als er für jede Gattung eine Einteilung mit der Skala verschiedener Grade des Für-wahr-haltens forderte[11] — eine Forderung, die sich etwa in der Unterscheidung von Schwankgeschichte und Schwankmärchen durchgesetzt hat, die aber freilich nicht bei jeder Gattung mit der gleichen Verläßlichkeit zu verwirklichen ist.

Es scheint aber jenseits dieser Frage persönlicher Gläubigkeit der Erzähler oder Zuhörer ganz allgemein eine Tendenz zur vollen Verankerung der Erzählungen in unserer positiven Wirklichkeit vorzuliegen; und es ist jedenfalls heuristisch sinnvoll zu fragen, ob es Erzählungen gibt, die sich den traditionellen Erzählformen anschließen, dies aber hinter einem *realistischen Kostüm* verbergen — anders gesagt: ob sich die herkömmlichen Geistesbeschäftigungen noch immer in bestimmten Erzählungen verwirklichen, die aber auf Grund einer gewandelten Geisteshaltung ein anderes Gesicht annehmen. Diese Frage geht weiter als die vor allem für die Sage schon verschiedentlich gestellte, ob sich die alten Formen hier und da auch in moderner Umgebung durchsetzen. Da ist dann beispielsweise vom Erscheinen eines Toten, eines Wiedergängers, mitten in den Kämpfen des letzten Krieges die Rede, von unheimlichen Prophezeiungen, von Hexern und Hexen, die auch in vollautomatisierten Stallungen noch ihr Unwesen treiben können. Schon in diesen Erzählungen wird die Unheimlichkeit oft dadurch verstärkt, daß die glatte und konventionelle Umgebung, die keine Schlupfwinkel für Dämonisches zu bieten scheint, plötzlich zum Ort der Magie wird. WILHELM RAABE spricht in seinem „Christoph Pechlin" davon, daß wir uns zwar „dem Kettengerassel und Türklappen, dem Rascheln, Rauschen, Seufzen, Lachen, Stöhnen und Weinen um Mitternacht" allmählich gewachsen fühlen — „allein dem Spuk, der uns am hellen, lichten Tage, in der belebtesten Gasse, auf dem wimmelnden Markt, im summenden Gerichtssaal oder der federkritzelnden Schreibstube angrinst, die Spitze

[11] Formen der Volkserzählung.

zu bieten", seien wir „noch lange nicht imstande".[12] Dieser Spuk aber —
so könnte man fortfahren und damit die Entwicklungsreihe in den hier
zu skizzierenden Bereich hineinführen — braucht gar nicht magisch
aufgemacht zu sein; der Spuk, das Dämonische, das Unheimliche kann
in den Konstellationen der vordergründigen Tatsachen selber liegen.
Im Kapitel über die Sage wurde schon eine entsprechende Geschichte
erwähnt: die weitverbreitete Erzählung von der Krankenschwester mit
dem Messer. Nehmen wir dazu noch eine andere Geschichte, die ungeachtet ihrer wirklich ehrwürdigen Tradition — wir kommen noch auf
sie zu sprechen — immer wieder einmal als letzte Neuigkeit verbreitet wird. Ich meine den Bericht von der *Familienkatastrophe*, bei
der meistens zuerst eines der Kinder von einem seiner Geschwister
oder vom Vater getötet wird; die Mutter läuft in ihrem Entsetzen
weg und läßt so ihr kleines Kind im Badewasser ertrinken; sie erhängt
sich; und schließlich sucht auch der Vater den Tod. In solchen Geschichten
ist die Dämonie ganz in den Bereich des Menschlichen hereingenommen;
es sind keine Sagen im üblichen Sinne, aber sie stehen als *unheimliche
Begebenheiten* in der Nachfolge der Sage.

Eine ähnliche Verbindungslinie läßt sich vom Märchen zu bestimmten
glücklichen Begebenheiten ziehen. Wenn man die umlaufenden Berichte
über Lotterie- oder Totogewinne verfolgt, so könnte man den Eindruck
gewinnen, daß das Glück fast ausschließlich vorher arme, geplagte
Leute begünstigt: immer wieder ist von dem kleinen Arbeiter die Rede,
der nun seinem kranken Kind eine Operation bezahlen kann, von dem
Manne, der seinen Arbeitsplatz verlor, aber gleichzeitig einen hohen
Gewinn einheimste, und so fort. Die Fama arbeitet hier selektiv, und
sie stilisiert die Berichte offenkundig im Zeichen eines Schemas, das
unmittelbar dem Märchendenken zuzuweisen ist. Auf der gleichen
Linie liegen die zahlreichen biographisch orientierten Erzählungen über
Unternehmer, die ganz klein anfingen und bittere Not litten, die aber
dann auf die Höhe märchenhafter Erfolge geführt wurden. Nur am
Rand sei vermerkt, daß dabei gelegentlich sogar *legendäre* Elemente
ins Spiel kommen — die Vita legt dies nahe, und nicht zufällig hat
man die gedruckten Firmengeschichten einmal als „säkularisierte Hagio-
graphie" bezeichnet.

Selbst der Schwank, an sich schon eine recht realistische Gattung, wird
anscheinend noch mehr in unsere Realität hineingezogen. Durch die
Presse ging vor einiger Zeit der schrullige Bericht einer Agentur über

---

[12] Sämtl. Werke, 2. Serie, 2. Bd. Berlin o. J., S. 296 f.

ein Ereignis, das in Quedlinburg lokalisiert wurde: Ein Imker habe dort einige Bienen seines Schwarmes in einer Schachtel zur tierärztlichen Untersuchung in die Stadt bringen wollen. „Auf der Fahrt entwichen die Honigspender jedoch aus ihrem Gefängnis und schlüpften in die Hose des Imkers. Mit verständlicher Hast sprang der Mann auf, wies die Passagiere aus dem Abteil und riß sich die Hose vom Leib. Dann stürzte er zum Fenster und versuchte, die Immen aus seinem Beinkleid zu schütteln. In diesem Augenblick brauste ein Gegenzug heran und entführte das Bekleidungsstück. Wie der Pechvogel seine Reise fortgesetzt hat, wurde nicht mitgeteilt". Die gleiche Geschichte hatte ich aber schon vor etwa dreißig Jahren gehört, allerdings mit anderer Lokalisierung und ohne blumige Ausdrücke wie „Honigspender" und „Beinkleid".

Für die ,*Vergegenwärtigung*' solcher komischen Begebenheiten sind also nicht nur die Presseagenturen verantwortlich, die sich damit über die Dürre der sogenannten Saure-Gurken-Zeit retten — vielmehr nehmen sie auch im mündlichen Erzählgut einen wichtigen Platz ein. Die Aneignung und die Adaptionen an die eigene Umwelt sind dabei im allgemeinen sehr intensiv, und vielfach werden die Geschichten mehr oder weniger genau *lokalisiert*. Vor ungefähr acht Jahren hörte ich zum erstenmal die Geschichte von der toten Großmutter, die gestohlen wird. Dabei wurde mir derjenige, der sie „selbst erlebt" haben sollte, namentlich genannt. Es war ein Stuttgarter Fabrikant, der mit seiner Familie nach Spanien in den Urlaub fuhr; auch die Großmutter war dabei, die südliche Hitze bekam ihr aber nicht gut: sie starb nach einigen Tagen. Den Stuttgarter Urlauber packte der Horror vor den Schwierigkeiten und Kosten, die mit einer regelrechten Überführung verbunden gewesen wären; er packte die Leiche in den Kofferraum des Wagens und fuhr noch am gleichen Tag heimwärts. Kurz vor der Grenze übernachtete die Familie — und in dieser Nacht wurde der Wagen samt der toten Großmutter gestohlen. Der Fabrikant habe sich einen neuen Wagen gekauft und sei auf einer verzweifelten Jagd nach dem gestohlenen Auto — und nach der Leiche.

Leider habe ich damals versäumt, mich mit dem namentlich genannten Betroffenen in Verbindung zu setzen; aber vermutlich hätte sich dadurch der reale Hintergrund der Geschichte auch nicht aufhellen lassen — einfach deshalb, weil die Geschichte möglicherweise gar kein reales Ereignis als Hintergrund hat. Später ist mir die gleiche Begebenheit — mit unerheblichen Variationen — über einen Hamburger und über einen Münchner erzählt worden. Es ist wahrscheinlich, daß die Geschichte inzwischen zumindest in unserem Sprachbereich überall verbreitet ist. Sie ist das Produkt einer makabren Phantasie, und sie ist nicht nur ein Musterbeispiel für die weite und unauffällige Verbreitung moderner ‚Folklore‘, sondern auch für die Kraft und Geltung der Gattungsperspektive: das an sich traurige Ereignis gerät, im Kontext allzumenschlicher Unzulänglichkeiten, unweigerlich ins Licht der — wenn auch etwas verdüsterten — Komik.

Obwohl sich eine gewisse Motivähnlichkeit mit den mancherlei Erzählungen vom falschen Sarg nicht verleugnen läßt, dürfte diese Geschichte nicht älter sein als der Autotourismus. Aber das darf nicht verallgemeinert werden. Die kurz skizzierte Geschichte von der Familienkatastrophe stand schon in der Erstausgabe der GRIMMschen KHM, aus der sie später dann als Fremdkörper entfernt wurde, und JOHANES BOLTE verfolgte das in der GRIMMschen Fassung verwendete Erzählschema über MARTIN ZEILER und JÖRG WICKRAM bis auf ein antikes Beispiel aus der Feder AELIANS zurück.[13] Ein nicht ganz so weitreichender, aber noch dichterer Stammbaum läßt sich aufstellen für die Geschichte von den *Mordeltern*, die ihren aus dem Krieg heimkehrenden, unbekannten Sohn aus Habgier ermorden — auch dies eine Erzählung, die noch nach dem letzten Krieg als aktueller Bericht die Runde machte, die aber schon lang vorher einen beliebten Balladen- und Erzählstoff bildete.

Es handelt sich also nicht grundsätzlich um neu auftauchende Stoffe; was herausgestellt werden soll, ist vielmehr eine *Akzentverlagerung*. Zunächst im Aufbau der Geschichten selber. AELIAN bietet ein regelrechtes Exempel: durch die Familienkatastrophe bestrafen die Götter einen Dionysospriester, der im Tempel einen Fremdling erschlagen hatte; das erste Glied in der Unglückskette ist ein Brudermord, der dadurch zustande kommt, daß die beiden Knaben des Priesters die Opferhandlung nachahmen. OTTO GÖRNER hat auch die späteren Belege durchgemustert[14]; dabei wird deutlich, wie in den spätmittelalterlichen Berichten zwar die Opferhandlung verständlicherweise zum „Schlachtenspielen" — in manchen Fassungen handelt es sich um die Familie eines Metzgers — säkularisiert wird, der Teufel aber eine gewichtige Rolle spielt, und wie dann dieser metaphysische Hintergrund sich ebenso verliert wie der exemplarisch-moralische — es bleibt das unerhörte, grausige Geschehen. Eine ähnliche Entwicklung läßt sich auch an der

---

13 BP 1. Bd. S. 202—204.
14 Vom Memorabile zur Schicksalstragödie.

Geschichte von den Mordeltern ablesen, wenn sich hier der moralische
Appell auch kaum je ganz verflüchtigt.

Von einer Akzentverlagerung kann wohl auch insofern gesprochen
werden, als solche Geschichten — nicht alle von derartiger Drastik,
aber alle ganz und gar in den Konstellationen des Positiv-Wirklichen
verankert — offenbar immer häufiger an die Stelle von *Sagen* treten,
die über den empirischen Bereich hinausreichen, ja deren Aufgabe
doch wohl zum Teil darin lag, dem Menschen etwas von den trans-
empirischen Kräften mitzuteilen. Beim Schwank ist die Akzentverlagerung weniger augenfällig, da er — ebenso wie die Anekdote und
zum Teil auch das Beispiel — ohnehin dem Bereich des Realen verbunden war. Immerhin aber sollte auch hier überprüft werden, ob nicht
an die Stelle des herkömmlichen Schwankguts mehr und mehr quasi
beglaubigte *heitere Begebenheiten* treten. Der Witz in seiner Allgemeinheit und seinem keineswegs immer sehr realen Gehalt scheint zunächst
gegen diese Annahme zu sprechen; aber der Witz präsentiert sich eben von
vornherein viel eher als Sprachspiel, und er verlangt in seiner geschliffenen
Kürze keine allzu starke Koordination mit der Wirklichkeit. Besonders
deutlich ist die Akzentverlagerung im Bereiche der märchenartigen
Erzählung. Während das Märchen aus dem Erzählgut — von der
pädagogischen Situation abgesehen — ganz verschwunden ist, spielen
die glücklichen Begebenheiten, die oft aus ganz alltäglichen Berichten
herauswachsen, eine wichtige Rolle.

Diese Rolle beschränkt sich allerdings nicht auf das Erzählen. Hier
wird deutlich, daß die Erzählformen, die voneinander unterschieden
wurden, gleichzeitig bestimmte ,*Denkformen*' repräsentieren und
verschiedene psychische Bedürfnisse decken, die — so müssen
wir hinzufügen — nicht nur im mündlichen Erzählen gedeckt werden
können. Wir kommen damit an eine Grenze und einen Übergang des
Erzählens schlechthin; das Problem der *„funktionalen Äquivalente"*
soll wenigstens angedeutet werden. Die erwähnten Zeitungsberichte
fügen sich offenbar mehr oder weniger bruchlos dem Kreislauf des
Erzählens ein; und man wird Ähnliches für viele alte Kalendergeschichten
und Beispielsammlungen, zum Teil auch für die „Volksbücher" annehmen dürfen: die schriftliche Fixierung bedeutete in diesen Fällen meistens
eher eine Variante als *die* endgültige Fassung; solche Drucke nehmen
die Geschichten nicht aus der lebendigen Bewegung der Folklore heraus.
Daneben aber gibt es nicht nur die verbindliche Stilisierung und Fixierung volkstümlicher Erzählungen wie etwa in den KHM, sondern auch

Bereiche der Literatur, die mit ähnlichen einfachen Mustern wie die einzelnen Erzählgattungen arbeiten, gegenüber der mündlichen Erzählung aber mehr oder weniger fest abgeschlossen sind. Dies gilt für weite Teile der *Trivialliteratur*, die in zunehmendem Maße zum Gegenstand der Forschung gemacht wird; dabei spielt auch das Verhältnis zur ‚Volkspoesie' eine wichtige Rolle, wobei freilich immer wieder zwei falsche Extreme die Beurteilung bestimmen: entweder werden die Lesehefte gegen die Folie einer gänzlich idealisierten Volksdichtung gestellt und dann undifferenziert verurteilt, oder aber es werden kurzschlüssige Gleichungen — der Frauenroman = das moderne Märchen — aufgestellt, während sich die strukturellen Ähnlichkeiten und Unterschiede doch im einzelnen bestimmen lassen.[15]

Es hat den Anschein, daß von der Trivialliteratur kein beachtenswerter Einfluß auf das mündliche Erzählen ausgeht, daß dagegen andere Formen der *‚Massenkommunikation'* diesen Einfluß ausüben. Wo Erhebungen unbefangen und ohne folkloristische Abschirmung durchgeführt wurden, schoben sich neben und manchmal vor die traditionellen Erzählformen nicht nur die Erzählungen realer Begebenheiten, sondern auch Wiedererzählungen von Filmen etc.; — die amerikanische Forschung hat geradezu einen „two-step flow" der Kommunikation festgestellt[16]: ein Kinostück wird demnach im allgemeinen nur von einem Teil einer Gruppe angesehen, dem anderen Teil aber durch Erzählungen vermittelt. Es fragt sich, ob dieser „two-step flow" durch das Fernsehen nicht eher eingedämmt wurde. Vor kurzem wurde ein Fernsehspiel gesendet, das die Geschichte von den Mordeltern — lokalisiert in Frankreich — zum Gegenstand hatte. Geht von einer derartigen Sendung ein Anstoß auf das mündliche Erzählen aus? Ist es denkbar, daß die Geschichte im Weitererzählen so vage wird, daß sie neu lokalisiert und aktualisiert werden kann? Verhindert die rasche Abfolge der Bilder eine geordnete Transposition in die Erzählung? Oder ist die Sendung — zumal im Hinblick auf die geringe Auswahlmöglichkeit der Konsumenten — so vielen Leuten unmittelbar zugänglich gewesen, daß damit zwar eine Diskussion über den Stoff, nicht aber eine erzählende Wiedergabe des Stoffes naheliegt? Man sieht: die Frage

[15] Vgl. Hermann Bausinger: Zur Struktur der Reihenromane. In: Wirkendes Wort, 6. Jg. 1955/56, S. 296—301, sowie Sammelband III: Neuere deutsche Literatur. Düsseldorf 1963, S. 144—149; außerdem D. Bayer: Familien- und Liebesroman.
[16] Der Begriff geht auf Lazarsfeld, Berelson und Gaudet zurück. Vgl. Gerhard Maletzke: Psychologie der Massenkommunikation. Hamburg 1963, S. 81 f.

führt zu allgemeineren Problemen hin; es geht um den jeweiligen „Medialstil", und es geht um die gesellschaftliche Position und Funktion der sogenannten Massenmedien.

Unser Beispiel führt aber noch an eine weitere Grenze, einen weiteren Übergang des Erzählens und des Erzählguts. Das Fernsehstück war eine Bearbeitung des Dramas „Le Malentendu", das ALBERT CAMUS 1944 schrieb. Und CAMUS' Stück war nicht die erste *künstlerische Formung* dieses volkstümlichen Erzählstoffes. Eine italienische Novelle verwendete die Motive der Familienkatastrophe, LILLO schrieb danach 1736 seine „Fatal Curiosity", KARL PHILIPP MORITZ und TIECK verfaßten entsprechende Dramen, und ZACHARIAS WERNER machte mit seinem „24. Februar" das Erzählschema zum Gerüst einer Schicksalstragödie.[17] Solche Verbindungen zwischen den Gattungsformen des mündlichen Erzählens und Kunstformen, zwischen einzelnen Erzählschemata und ihrer dichterischen Bearbeitung sind keine Ausnahme.

Es gibt da subtile Zusammenhänge — so hat es OTTO GÖRNER unternommen, auch die Struktur von SCHILLERs Schicksalstragödie „Die Braut von Messina" auf jene Katastrophenerzählungen zurückzuführen, deren Form er mit JOLLES als „Memorabile" bezeichnet.[18] In vielen Fällen aber tritt die Verbindung offen zutage; und von *jeder* Erzählform führen kräftige Linien zur Literatur: Die Schwankerzählungen von Eulenspiegel wurden immer wieder zu Epen und Romanen ausgeformt, von FISCHART bis zu GERHART HAUPTMANN, von CHARLES DE COSTER bis GÜNTHER WEISENBORN. Die Anekdote spielt als kleine literarische Form eine Rolle, aber auch als Element biographischer Romane im Stil des „Tollen Bomberg" oder des „Schwejk" — in BRECHTs dramatischer Bearbeitung kommt dieses Element prächtig zum Ausdruck. Das Märchen hat schon im 18. Jahrhundert einen wichtigen Platz in der Literatur gefunden, und es wurde von der Romantik zur zentralen Gattung gesteigert; Sagen wurden in vielen Balladen und Novellen — die Definition als „unerhörte Begebenheit" könnte auch auf die Sage gemünzt sein! — verwertet; und auch Legenden fanden — bis hin zu GOTTFRIED KELLERs und JOSEPH ROTHS ‚Gegenlegenden' — ihre literarischen Bearbeiter.

Es liegt auf der Hand, daß mit der bloßen Feststellung solcher Verbindungen nur wenig gewonnen ist. Die Motivation der Übernahme volkstümlicher Formen und Stoffe, die Art ,der Verarbeitung und die

[17] Vgl. O. GÖRNER: Vom Memorabile zur Schicksalstragödie, S. 39—49.
[18] Ebd. S. 67—92.

innere Einstellung dazu sind von Epoche zu Epoche, von Gattung zu Gattung, ja von Fall zu Fall verschieden. Die allzu pauschalen Kombinationen von „Volkstum und Dichtung" sind revisionsbedürftig. Die Arten der Beziehung von Dichtung und Folklore — von der naiven Übereinstimmung bis zur distanzierten Reflexion, von der ideellen oder ideologischen Identifizierung bis zur spielerischen Montage — gehören in ein weites, schwieriges und lohnendes Problemfeld; aber es liegt jenseits unserer Formbeschreibung.

Literatur:

WALTER ANDERSON: Volkserzählungen in Tageszeitungen und Wochenblättern. In: Humaniora (Festschrift Archer Taylor zum 70. Geburtstag). New York 1960, S. 58—68.

HERMANN BAUSINGER: Strukturen des alltäglichen Erzählens. In: Fabula, 1. Bd. 1958, S. 239—254.

DOROTHEE BAYER: Der triviale Familien- und Liebesroman im 20. Jahrhundert (= Volksleben Bd. 1). Tübingen 1963.

OTTO GÖRNER: Vom Memorabile zur Schicksalstragödie (= Neue Forschung Bd. 12). Berlin 1931.

MARIA KOSKO: L'auberge de Jérusalem à Dantzig. In: Fabula, 4. Bd. 1961, S. 81—98.

HERMANN KÜGLER: Zeitungssagen. In: Sudetendt. Zs. f. Vkde., 6. Bd. Prag 1933, S. 217 f.

FRIEDRICH VON DER LEYEN: Mythus und Märchen. In: Dt. Vjschr. f. Litwiss. und Geistesgesch. 33. Jg. 1959, S. 343—360.

KURT RANKE: Grenzsituationen des volkstümlichen Erzählgutes. In: Europa et Hungaria. Budapest 1965, S. 291—300.

C. W. VON SYDOW: Popular Prose Traditions and their Classification. In: Saga och Sed. Årsbok 1938, Uppsala 1939, S. 17—32.

STITH THOMPSON: Myths and Folktales. In: Journal of American Folklore. Vol. 68, Philadelphia 1955, S. 482—488.

JAN DE VRIES: Betrachtungen zum Märchen besonders in seinem Verhältnis zu Heldensage und Mythos (= FFC. 150). Helsinki 1954.

KURT WAGNER: Formen der Volkserzählung. In: Volkskundliche Ernte, Hugo Hepding dargebracht am 7. September 1938 von seinen Freunden (= Gießener Beiträge zur dt. Philologie 60). Gießen 1938, S. 250—260.

INGEBORG WEBER-KELLERMANN: Berliner Sagenbildung 1952. In: Zs. f. Volkskunde 52. Jg. 1955, S. 162—170.

RICHARD WOLFRAM: Zwischen Erlebnis und Sage. In: Fabula, 5. Bd. 1962, S. 246—251.

WILHELM WUNDT: Märchen, Sage und Legende als Entwicklungsformen des Mythus. In: Arch. f. Religionswiss. 11. Bd. 1908, S. 200—222.

KLAUS ZIEGLER: Mythos und Dichtung. In: RL², II. Bd., S. 569—584.

IV. Szenische und musikalische Formen

1. Schauspiel

A. Liturgie

Das Volksschauspiel wird Gegenstand systematischer Sammlung und Forschung erst in einem Zeitpunkt, in dem alle anderen Formen der Volkspoesie bereits weitgehende Beachtung gefunden haben: um die Mitte des 19. Jahrhunderts. Gewiß gehen manche vereinzelten Zeugnisse voraus; LEOPOLD SCHMIDT hat solche meistens kritischen oder anekdotischen Berichte aus der Feder von Humanisten, barocken Satirikern und Aufklärern zusammengestellt.[1] Der Forschungsüberblick in seinem Handbuch[2] macht aber ganz deutlich, daß erst die Entdeckung der „Altteutschen Schauspiele" — dies war der Titel der ersten, von Frankreich angeregten Publikation mittelalterlicher Dramen durch FRANZ JOSEPH MONE im Jahr 1841 — den Blick auch auf das volkstümliche Schauspiel lenkte. Von der Jahrhundertmitte an finden dramatische Aktionen nicht nur in landschaftlichen Brauchmonographien ihren Platz, sondern auch in eigenen Sammlungen; Herausgeber wie JOHANN ANDREAS SCHMELLER, KARL WEINHOLD, MATTHIAS LEXER bezeugen die nach wie vor enge Verbindung zur älteren germanischen Philologie.

So verschiebt sich die Frage nach der *Verspätung* der Volksschauspielforschung zu einem wesentlichen Teil in die philologische Forschungsgeschichte hinein. Man hat verschiedentlich auf das norddeutsche Schwergewicht der Romantik hingewiesen[3]; tatsächlich gab es in der Heimat der weitaus meisten Romantiker nur wenig, was die Beschäftigung mit volkstümlichem Spielwesen hätte provozieren können. Aber die romantische Forschung war ja doch alles andere als enge Heimatkunde, und die großen Sammlungen von Liedern, Märchen, Sagen etc. griffen alle weit aus. Wichtiger ist, daß die lebendigen und zumal die spektakulärsten Schauspielüberlieferungen des 19. Jahrhunderts kaum in das Konzept der germanischen Mythologie paßten, und daß auch die mittelalterlichen

---

[1] Das deutsche Volksschauspiel in zeitgenössischen Zeugnissen.
[2] Das deutsche Volksschauspiel.
[3] Ebd. S. 14.

Texte im allgemeinen eindeutig dem geistlichen Bereich zugehörten. Das Schauspiel widerstrebte der Idee der letztlich geschichtslosen Volkspoesie. Ja vielleicht läßt sich der romantische Vorbehalt noch elementarer fassen. In dem großen, weitgespannten Sammlungsaufruf JACOB GRIMMS von 1815 wird lediglich auf *Puppenspiele* hingewiesen.[4] Dies mag mit ARNIMS und BRENTANOS Vorliebe für diese Spielform zusammenhängen; aber die Vorliebe vieler Romantiker für das Puppen- und Marionettenspiel ist ihrerseits nicht zufällig. In diesem Bereich war nicht nur die freieste Entfaltung phantastischer Elemente möglich; diese Phantastik wurde zugleich zusammengehalten in der fraglosen Einheit der Spielform: KLEISTS Meditation über die Marionette gehört in diesen Zusammenhang; das sichere Handeln aus einem Schwerpunkt gilt nicht nur für die einzelne Figur, sondern gewissermaßen auch für das ganze Spiel. So fanden die Romantiker im Puppenspiel noch am ehesten, was sie auch in anderen Formen der Volkspoesie suchten: Einheit, Übereinstimmung, Ganzheit. Im eigentlich Theatralischen dagegen schien demgegenüber ein Moment der Entfremdung und Entzweiung zu liegen, das bezeichnenderweise fast nur diejenigen Romantiker suchten, die von der naiven Volkspoesie relativ weit entfernt waren.

Solche weitgehend spekulativen Überlegungen wären unerheblich, wenn damit nur eine historische Position charakterisiert werden sollte. Aber noch heute wird der Gegensatz zwischen dem gewissermaßen sicher in sich ruhenden Volk und dem wesensgemäß alle Identität überspringenden Theater betont. FRIEDRICH GEORG JÜNGER formuliert dies in seinem kulturkritischen Buch „Die Perfektion der Technik" folgendermaßen: „Überall, wo Volk ist, findet sich auch ein unüberwindbarer Verdacht gegen den Schauspieler. Die Masse denkt darüber anders".[5] Und die Volksschauspielforschung ist bis heute von diesem eigentümlichen Verdacht gegen das Theatralische bestimmt; nirgends sonst ist so gewaltsam versucht worden, spielerische Entfaltung grundsätzlich als kultisches Ritual zu interpretieren.

Dies gilt insbesondere für die Versuche, das gesamte volkstümliche deutsche Theaterwesen auf *germanische Kultspiele* zurückzuführen. ROBERT STUMPFL, aus der Schule von RUDOLF MUCH in Wien, war hier der Wortführer. Seine theatergeschichtlichen Forschungen sind bestimmt vom Prinzip der *Kontinuität*. In einer frühen Untersuchung beschäftigt er sich mit der italienischen Commedia dell' arte, die er unmittelbar

---

[4] Ebd.
[5] Frankfurt a. M. 1949, S. 155.

aus der altrömischen Posse ableitet, ohne die Möglichkeit humanistischer Vermittlung zu diskutieren; gegenüber der Evidenz stilistischer Ähnlichkeit erscheint ihm das „Fehlen bestimmter Nachrichten durch ein Jahrtausend" als „belanglos".[6] Später heißt Kontinuität *germanische* Kontinuität, und in seinem Hauptwerk sucht STUMPFL „die volkhaften Wurzeln unserer dramatischen Kunst" zu beweisen.[7] Akzeptiert man seinen Beweis — und er wurde vielfach akzeptiert —, dann verlängert sich die Linie „der germanischen volkhaften Kontinuität und Schöpferkraft" bis in die Gegenwart[8]; sein Ansatz bietet die verführerische Möglichkeit, unverständliche dramatische Elemente rezenter Bräuche in kühnem Bogen auf postulierte, sinnerfüllte Kulte, also etwa auf Fruchtbarkeitsrituale, zu beziehen. Diese Konsequenz ist noch immer lebendig, auch wenn die Voraussetzungen längst widerlegt sind; deshalb ist es notwendig, auch hier die Widerlegung wenigstens exemplarisch anzudeuten.

In den geistlichen Osterspielen des späten Mittelalters spielt im allgemeinen der „Wettlauf" der Apostel zum Grabe eine wichtige Rolle. Die Szene ist oft ins Burleske geweitet; der biblische Bericht, daß Petrus erst nach dem jüngeren Johannes zum Grabe kommt (Joh. XX, 4—6), wird so vergegenwärtigt, daß Petrus *hinterherhinkt* und beispielsweise darüber klagt, daß er zwei verschiedene Füße habe. Hier hakt STUMPFL ein. Er spricht von einem Reiterwettkampf der Langobarden, von im 19. Jahrhundert belegten volkstümlichen Wettläufen der Burschen an Ostern oder Pfingsten, bei denen verschiedentlich der letzte bestraft wird, von halbtierischen Dämonen bei den Griechen, vom Pferdefuß des Teufels, vom hobby horse und vom Kult eines Geisterrosses, vom dramatischen Hintergrund der Beinverrenkung im Merseburger Zauberspruch und dem Initiationsritus des Beschlagens: „Wir haben es also beim Hinken mit einer uralten Ritualform zu tun".[9] Daß in einem Breviarum des 15. Jahrhunderts Petrus zunächst als „claudicantus" (Hinkender) bezeichnet, die Stelle dann aber radiert wurde, betrachtet STUMPFL vollends als Beweis dafür, daß das Hinken „aus dem kultischen Volksspiel" stammte, und „daß man sich der

---

[6] Schauspielmasken des Mittelalters und der Renaissancezeit und ihr Fortbestehen im Volksschauspiel. In: Neues Archiv f. Theatergesch. (= Schriften der Ges. f. Theatergesch. Bd. 41). Berlin 1930, S. 1—77; hier S. 14 f.

[7] Kultspiele, S. VI.

[8] Der Ursprung des mittelalterlichen Dramas. Erwiderung. In: Zs. f. dt. Philol. 62. Bd. 1937, S. 87—105; hier S. 95.

[9] Kultspiele, S. 327.

Herkunft dieses Hinkens aus dem heidnischen Brauchtum noch wohl
bewußt war."[10]

Die naheliegende Erwägung, daß ein strengerer ‚Regisseur‘ die spielerische,
die theatralische Erweiterung der Vergegenwärtigung biblischen Geschehens revidierte, taucht nicht auf; sie bleibt im toten Winkel der
vorgegebenen Kontinuitätsthese, die wahllos Belege aus dem Altertum
neben solche der jüngsten Vergangenheit zu stellen erlaubt. Tatsächlich
bedarf es aber dieser Belege zur Erklärung gar nicht; in derartigen
Szenen setzt sich im geistlichen Spiel ein *komisches Element* durch,
eine ausgesprochen antikultische Tendenz, die freilich sehr rasch ‚ritualisiert‘ wird, ähnlich — so weit könnte man STUMPFL entgegenkommen —
wie in brauchtümlichen Spielen. Eben dies im Ansatz *ungebundene
Theatralische* aber lehnt STUMPFL a limine ab.

Freilich geht es ihm nicht nur darum, einer Zeit, die mit dem Stichwort Theater zunächst einmal freies Vergnügen assoziiert, die ursprünglichen Bindungen des Theaters deutlich zu machen — es geht ihm vor
allem auch darum, die christlich-religiöse Bindung als sekundär zu
entlarven. Er wendet sich, wie er sich in einer Kontroverse über sein
Buch ausdrückt, gegen die „Klerikalisierung der Germanistik".[11] Tatsächlich hatte sich, als STUMPFL mit seinen Forschungen begann, die
„liturgische Theorie" über den Ursprung des mittelalterlichen Dramas
längst etabliert. Sie ging zunächst, ähnlich wie manche Forschungen zu
Lied und Epos, von antiken Parallelen aus. Auf den kultischen Charakter
des griechischen Dramas war man schon in der Romantik aufmerksam
geworden; ADAM MÜLLER beispielsweise hob in seinen Vorlesungen
„Über die dramatische Kunst" hervor, daß Theater bei den Griechen
nicht „Alltagsvergnügen", sondern die festliche „Erweiterung religiöser
Gebräuche", „erweitertes Opfer des Bachus" war.[12] Ein klassischer
Philologe, der Franzose CHARLES MAGNIN, übertrug zuerst diese Beobachtung auf die Spiele des Mittelalters, zur gleichen Zeit, als JACOB
GRIMM und GUSTAV FREYTAG — dieser mit seiner Dissertation „De
Initiis Scenicae Poesis apud Germanos" — die Linie vorzeichneten,
auf die später STUMPFL einschwenkte. Schon MONE aber bekannte sich
zur These des kirchlichen Ursprungs, und diese These hat sich allmählich verfestigt. Durch die Forschungen SCHWIETERINGS, BRINKMANNS

[10] Ebd. S. 328 f.
[11] Der Ursprung des mittelalterlichen Dramas, S. 95.
[12] Vermischte Schriften. 2. Theil Wien 1812, S. 130.

und HARTLS hat sie sich wohl endgültig in der Germanistik durchgesetzt.

Die liturgische Theorie besagt, daß das mittelalterliche Drama durch zunächst *textlich-musikalische* und dann *szenische Erweiterungen* aus der Messe herauswächst, daß also etwa — um das berühmte Sankt Galler Beispiel aus dem 10. Jahrhundert zu erwähnen — der Introitus der Ostermesse paraphrasiert und von zwei Halbchören gesungen wurde, und daß schließlich mehr und mehr Elemente dramatischer Aktion und direkter ‚Impersonation‘ dazukamen. Mit „Volkspoesie" — was auch immer das sei — haben diese frühen, rein klerikalen Formen jedenfalls wenig zu tun. Sie werden hier aber doch nicht nur als Kontrast zu der vereinzelt noch nachwirkenden germanischen Theorie erwähnt, sondern auch deshalb, weil der liturgische Ansatz wesentlich bleibt für einen großen Teil des volkstümlichen Spielguts der folgenden Jahrhunderte. „Liturgie" darf hier freilich nicht im engsten Sinne als päpstlich approbierte gottesdienstliche Form verstanden werden, sondern im Sinne des weiteren Umkreises aller *„pia exercitia"*; ja es kommt dem Zusammenhang zugute, wenn die Bedeutung ein wenig etymologisch aufgeladen wird, wenn also der ursprüngliche Sinn einer *unentgeltlichen Leistung für das Gemeinwesen* mit ins Spiel gebracht wird. Wenn auch nach katholischer dogmatischer Auffassung die Laien nicht selbst „Liturgen" sein können — im Zuge der Entfaltung des mittelalterlichen geistlichen Dramas werden jedenfalls immer weitere Kreise von *Laien* einbezogen. Schon die frühen, streng gottesdienstlichen Formen des Spiels wenden sich auch an die Gemeinde der versammelten Gläubigen, und ein großer Teil des Kirchenraums wird einbezogen, da sich die ‚Spieler‘ prozessional zwischen den verschiedenen „Loca", den symbolisch bedeutsamen Plätzen in der Kirche, bewegen. Im späten Mittelalter entstehen mit Sodalitäten und Bruderschaften, von denen sich oft Querverbindungen zu den Zünften ergeben, religiös geprägte Laienorganisationen, welche vielfach den Spielbrauch übernehmen. Es wäre jedoch falsch, hier nun einen Aufstand des „Volkes" zu registrieren, das sich gegen die kirchliche Überfremdung zur Wehr setzt; die Entfaltung des Spielwesens wird in den meisten Fällen vom Klerus, beispielsweise von den — freilich ‚volkstümlichen‘ — Bettelorden angeregt.

Richtig ist, daß sich die *Aufführungsformen* verändern, daß sich das Spiel mehr und mehr auf freie Plätze verlagert, in die freilich die kirchliche Raumsymbolik zunächst noch hineinprojiziert wird. Auch der dramatische *Stil* verändert sich. An die Stelle der streng symbolischen imitatio und der nur illustrierenden Geste tritt die volle Impersonation und die freie, oft ‚naturalistische‘ Darstellung. Ein weiterer Zug der ‚*Verweltlichung*‘ tritt eben dadurch ein, daß die in der Tradition der französischen „Mysterien" (der Begriff kommt von „ministerium", enthält also ähnlich wie das Wort „Liturgie" den Sinn der Leistung) stehenden Spiele die ganze Heilsgeschichte einbeziehen: sowohl martialische oder pittoreske Szenen aus dem Alten Testament in „präfigurativer" Beziehung auf die Entsprechungen des Neuen Testaments wie auch die Verlängerung des Wirkens Christi in die neuere Geschichte hinein. Besonders in den großen *Prozessionsspielen* wird dies deutlich.[13] Dies gilt auch für die barocken Prozessionen, und lange Zeit hat man die *barocken Spielformen* unmittelbar mit den mittelalterlichen in Verbindung gebracht und auf die Konstante ‚Volksfrömmigkeit‘ bezogen. Die Forschungen von ANTON DÖRRER, HANS MOSER, LEOPOLD SCHMIDT und LEOPOLD KRETZENBACHER haben aber deutlich gemacht, daß man es mit ganz verschiedenen Schichten zu tun hat, und daß etwa der charakteristische „Hirtenschlaf" im barocken Weihnachtsspiel[14] ebenso wie die Mischung von Leidensszenen und schäferlicher Allegorie im barocken Passionsspiel[15] gegenreformatorischen Einflüssen aus Spanien zuzuschreiben sind. Eher läßt sich innerhalb der *Schulspiele* eine gewisse Kontinuität vom späten Mittelalter bis zur ausgehenden Barockzeit registrieren; dabei sind die konfessionellen Unterschiede zunächst nicht sehr groß. Das Schauspiel, von LUTHER ausdrücklich empfohlen, behauptete sich auch im protestantischen Bereich, bis es calvinistischem oder — sehr viel später — pietistischem Widerstand erlag.

Es liegt nahe, das Schuldrama rigoros aus der Beschreibung des ‚Volksschauspiels‘ zu entfernen. Aber der konstruierte Gegensatz von „organisiert" und „organisch" wird den Realitäten nicht gerecht. Es gibt nicht nur zahlreiche Querverbindungen zwischen den Schulspielen und den Aufführungen städtisch-bürgerlicher Gruppen wie dem Meistersingerdrama, sondern auch bestimmte im engeren Sinne brauchtümliche Spiele stehen in enger Verbindung mit dem Schulwesen. Das *Sternsingen* beispielsweise, von STUMPFL aus heidnischen Sonnenkulten, von anderen aus dem kirchlichen officium stellae des Mittelalters abgeleitet,

---

[13] Vgl. OSKAR SENGPIEL: Die Bedeutung der Prozessionen für das geistliche Spiel des Mittelalters in Deutschland (= Germanist. Abhandlungen H. 66). Breslau 1932.

[14] L. SCHMIDT: Formprobleme, S. 58—82.

[15] L. KRETZENBACHER: Passionsbrauch, S. 18 f.

dürfte durch die Forschungen HERBERT WETTERS[16] und HANS MOSERS[17] als ein Spielbrauch gesichert sein, der sich, von den ausführlichen Dreikönigsspielen in den Schulen beeinflußt, im 16. Jahrhundert aus dem „Ansingen" der Neujahrszeit entwickelte und wie dieses fast ausschließlich von Schulmeistern und Schulen getragen war.

Dieses Beispiel widerlegt so nicht nur die germanische Kontinuitätsthese, sondern auch die allzu glatte evolutionäre Vorstellung, daß sich das Volksschauspiel stetig und gleichmäßig aus dem *einen* Keim mittelalterlicher Liturgie entfaltet habe. Es gab und gibt immer wieder neue Anstöße für die Entstehung oder Ausbreitung von Spielen; so verbreitet sich das mitunter dramatisch ausgeformte Dreikönigssingen neuerdings in Landschaften, in denen es entweder nie zuhause oder im Verlaufe des 19. Jahrhunderts abgegangen war, und zwar vor allem auf Grund der Anregung durch Missionszeitschriften. Gleichzeitig aber führt das Exempel der Dreikönigsspiele zu der Beobachtung, daß das Liturgische — auch im weiteren Wortsinne — nur *eine* Quelle des volkstümlichen Spielwesens ist, und daß es außer der religiösen Bindung noch andere „Bindungen" dieses Spielwesens gibt. Im 18. und 19. Jahrhundert wurde das Sternsingen vielfach bekämpft, da man es zum Bettelbrauch entartet sah; tatsächlich aber stand im Hintergrund des ursprünglichen Brauchs meistens das officium des Kirchengesangs, für das die Sänger eine Gegenleistung fordern durften; das Spiel stand also in ‚rechtlichen' Bindungen. Der Zeitpunkt für diese Forderung ist zwar kirchlich mitbestimmt, ist aber zugleich auch im allgemeineren Sinne ein brauchtümlicher Termin. Die „liturgischen" Anstöße entsprechen *„brauchmäßigen Festlegungen"* des Lebens- und Jahreslaufs[18]; das Brauchtum bildet einen wesentlichen Rahmen für das volkstümliche Spiel.

B. Brauch

Das Zusammentreffen religiöser und weltlicher Elemente in zahlreichen Brauchspielen hat die Frage nach der *Priorität* immer wieder neu aufgeworfen. Im *Nikolausbrauch* der Gegenwart beispielsweise gibt es zwei deutlich zu unterscheidende Darstellungsformen. In vielen Städten und Dörfern geht der Kinderbischof um, dem die Aufgabe des Katechi-

---

[16] Heischebrauch und Dreikönigsumzug im deutschen Raum. Diss. Greifwald 1933.

[17] Zur Geschichte des Sternsingens. In: Bayerischer Heimatschutz, 31. Bd. 1935, S. 19—31.

[18] L. SCHMIDT: Das deutsche Volksschauspiel, S. 12.

sierens und Gabenbringens zufällt, und der oft von kirchlichen Organisationen gestellt wird. In anderen spielen statt oder neben diesem „schönen" Nikolaus verschiedene „wilde" Gestalten in wüsten Vermummungen eine zentrale Rolle. In wieder anderen sind die beiden Typen aufeinander bezogen: der Bischof wird von einer oder mehreren der wilden Gestalten begleitet. Da die Tendenz vorherrscht, den Nikolausbrauch möglichst sinnfällig zu machen und möglichst direkt auf den Heiligen zu beziehen, werden jene Begleiter oder Gegenspieler in der öffentlichen Diskussion nicht selten als Entartungsformen bezeichnet. Andererseits gibt es aber auch pflegerische Tendenzen, die ihr Augenmerk gerade auf die Begleiter richten und diese, so weit sie noch erhalten sind, vor dem Untergang zu retten suchen. Diese im allgemeinen naiv vertretenen und nicht im einzelnen diskutierten Tendenzen entsprechen verschiedenen Positionen der Forschung. Nach weit verbreiteter Auffassung ist die Darstellung des bischöflichen Gabenbringers eine denkbar dünne Schicht, die sich erst spät über das dichte und vielfältige heidnische Mittwinterbrauchtum legte: Schimmelreiter, Julbock, Butzenbercht, Klausenpicker, Pudelfrau, und wie die Masken alle heißen, wären demnach die ursprünglichen Träger des Brauches, der sich auch erst sekundär dem Nikolaustermin anschloß. KARL MEISEN suchte demgegenüber in einer weit ausholenden Untersuchung zu zeigen, daß all die Bräuche und Brauchgestalten herausgewachsen seien aus mittelalterlichen Nikolausspielen, in denen dem Heiligen teuflische Kontrahenten beigegeben wurden.[19] LEOPOLD SCHMIDT schließlich vertritt die Auffassung, daß ausgesprochene Nikolausspiele erst verhältnismäßig spät im Anschluß und nach dem Vorbild evangelischer Adventsspiele entstanden sind, daß wie bei diesen der eigentliche Zweck die Katechisierung war, und daß sie wie diese von den Schulen, den Klosterschulen nämlich, ausgegangen sind.[20]

LEOPOLD SCHMIDT hat damit den für die neuere Forschung wesentlichen Akzent gesetzt: eine ganze Reihe von ‚altertümlichen' Spielen erwies sich bei genauerer Untersuchung als relativ *junge*, vielfach nachmittelalterliche Erscheinung. Dies schließt freilich nicht aus, daß einzelne Elemente, Figuren und Requisiten älteren Schichten angehören; die Frage nach archaischen Bestandteilen wird also nicht überflüssig. Der

[19] Nikolauskult und Nikolausbrauch im Abendlande. Eine kultgeographisch-volkskundliche Untersuchung (= Forschungen z. Vk., Bd. 9—12). Düsseldorf 1931.

[20] Adventsspiel und Nikolausspiel. In: Wiener Zs. f. Vk. 40. Jg. 1935, S. 97—106.

Funktionswandel solcher Elemente und ihre Integration in andere Brauch- und Spielzusammenhänge macht die *Schichtenanalyse* freilich oft fast unmöglich. Dies sollte jedoch nicht hindern, grundsätzlich mit der ‚konkreten‘, d. h. zusammengewachsenen Form zu rechnen. Der Gegensatz oder das Nebeneinander religiöser und nichtreligiöser Elemente sollte zudem nicht von vornherein genetisch interpretiert werden: religiös irrelevante Bestandteile brauchen weder vorchristlich-heidnisch noch ‚Entartungsformen‘ vorher christlicher Elemente zu sein. Der Gegensatz rückt vielmehr häufig gar nicht ins Bewußtsein, und man hat es nicht selten mit einer Art von *Schwebeformen* zu tun, bei denen nur gelegentlich von den Ausübenden oder den Interpreten eine der beiden Seiten stärker betont wird.

Dies gilt um so mehr, als der Stil der „Brauchkunst" in verschiedenen Epochen ein programmatisches Ineinander religiöser und weltlicher Elemente kannte, so etwa bei den großen Aufzügen der Renaissance und der Barockzeit. Die religiösen Repräsentationen waren durch ausgesprochene *„Welthaltigkeit"* charakterisiert, und umgekehrt reicherten sich die Aufzüge zu weltlichen Hoffesten mit religiösen Gestalten an. Bacchus konnte in einem Fronleichnamszug, die heiligen drei Könige samt Sterndreher konnten in einem Festzug anläßlich einer Prinzentaufe erscheinen. Etwas von dieser Tendenz umfassender Welthaltigkeit hat sich auch auf die späteren volkstümlichen Bräuche und Brauchspiele übertragen.[21]

Überhaupt ist der Einwand, daß solche Aufzüge ausschließlich oberschichtliche Formen gewesen seien, nicht entscheidend. Gewiß handelt es sich hier um eine freiere, auch an ästhetischen Maßstäben orientierte Entfaltung von Festen und Bräuchen — eben dies soll LEOPOLD SCHMIDTS Begriff *Brauchkunst*[22] besagen. Es fragt sich aber, ob nicht mindestens die Möglichkeit solch freier Entfaltung auch für die bäuerlichen Spielbräuche in Betracht zu ziehen ist. Während die stillschweigende Annahme, daß das höfische und städtisch-patrizische Festwesen aus einer reichen agrarkultischen Überlieferung herausgewachsen sei, vor allem auch durch die archivalischen Forschungen HANS MOSERS in Bayern fragwürdig geworden ist, zeichnen sich umgekehrt relativ späte Absinkprozesse ab. Immer sind sie freilich nicht greifbar. Gerade in Land-

---

[21] Vgl. MARIA KUNDEGRABER und HERMANN BAUSINGER: Ein Maskenzug im Jahre 1591. In: Wttbg. Jb. f. Vk. 1961/64, S. 42—60.

[22] Die österreichische Maskenforschung 1930—1955. In: Masken in Mitteleuropa. Wien 1955, S. 4—71; hier S. 39.

schaften mit besonders lebendigem Brauchspiel tritt uns dieses in ver-
selbständigten Formen gegenüber. So haben ALFRED KARASEK und
JOSEF LANZ am galizischen Spielbestand nachgewiesen, wie sich verhältnismäßig wenige Brauchelemente zu immer neuen Kombinationen
zusammenfügen; an die Stelle der Frage nach der „Urform" rückten
Fragen des Motivbestands und der Affinität[23] — ähnlich wie bei
Volkslied und Volkserzählung, mit denen die Spiele übrigens auch eine
Reihe von Motiven gemeinsam haben. Andererseits läßt aber auch diese
besonders umfassende Bestandsaufnahme einer Landschaft keinen Zweifel daran, daß es sich bei den zuletzt lebendigen Spielen überwiegend
um *Trümmerformen* handelte.

Ganz allgemein wird bei einer Reihe von Brauchspielen, in denen man
die spielerische Entfaltung ursprünglich streng ritueller, meist frucht-
barkeitskultischer Brauchformen sah, zu fragen sein, ob sie nicht von
umfangreicheren und reichhaltigeren, jedenfalls von vornherein spielerischen Allegoresen ausgehen, die dann zu knappen und streng gebundenen Formen reduziert wurden. Die *Streitspiele* zwischen Sommer und
Winter sowie zwischen Fastnacht und Fastenzeit verweisen auf solchen
Ursprung; aber auch die Revuespiele der Pfingstzeit mit ihren knappen
und oft nicht sehr sinnvollen Texten lassen an ausgeformtere Ursprünge
denken. Das schließt freilich nicht aus, daß die Grünmasken, die zu diesen
Spielen gehören, in älteren Zusammenhängen stehen. Aus der scheinbar
geradlinigen Kontinuitätsstrecke ergibt sich bei näherer Betrachtung ein
kompliziertes und oft auch verwirrtes Netz von Entwicklungslinien.

Für die *Reduktion* ursprünglich umfangreicher Spieltexte ist sicherlich
nicht nur der schwerfälligere Gestus dörflicher Spieler verantwortlich,
sondern auch die jeweilige spezifische Aufführungsform. Sowohl
das meist mit Heischegängen verbundene *Umzugsspiel*, bei dem in
verhältnismäßig kurzer Zeit viele Plätze oder Häuser aufgesucht
werden müssen, wie die Kombination einer ortsfesten ‚Revue' mit
Wettritten oder anderen Brauchelementen fordern die *Konzentration*
auf wenige Leitlinien der Handlung. Gerade beim weltlichen Brauchspiel sind dies aber die häufigsten Spielformen; das *Stubenspiel* und das
in der Forschung als „*Großspiel*" bezeichnete Bühnen- oder Marktspiel treten demgegenüber zurück. Allerdings ist hier mit bedeutenden
landschaftlichen Unterschieden und geschichtlichen Wandlungen zu rechnen. Im Erzgebirge, einer an Umzugsspielen besonders reichen Land-

---

[23] Vgl. vor allem das Kapitel: Bauelemente der Spiele. In: Das deutsche Volksschauspiel in Galizien, S. 32—38.

schaft, bürgerten sich auch Stubenspiele als Umzugsspiel ein[24]; umgekehrt versuchten nach dem Krieg Umsiedler, die aus dem Osten mitgebrachten Umzugsspiele in die Stube oder gar auf die Bühne zu verpflanzen und so der neuen Umgebung Rechnung zu tragen.[25] Im ganzen aber sind die verschiedenen Aufführungsformen kaum voneinander abhängig, sondern stehen nebeneinander. Die lange Zeit geläufige Meinung, daß sich Großspiele unter dem Druck der Aufklärung in die Stube zurückgezogen hätten, läßt sich schwerlich halten[26]; das Stubenspiel ist vielmehr eine eigene, wohl auch nicht nur aus engeren Verhältnissen erklärbare Spielform, bei der die Zuschauer sehr viel stärker mit einbezogen werden, und bei der dadurch die im weiteren Sinne liturgischen Funktionen voll zur Geltung kommen. Die Beseitigung der Randkluft zwischen Spielern und Zuschauern läßt aber auch die burlesken Elemente schnell und bruchlos zur Entfaltung kommen, so daß für das Stubenspiel häufig ein sehr rascher Wechsel zwischen ernst-religiösen und komischen Partien charakteristisch ist.

Es ist unmöglich, hier der Vielfalt des brauchtümlichen Spiels, das sich ja nicht nur an bestimmte Jahrestermine, sondern auch an besondere Stationen des Lebenswegs und an die früher zahlreichen berufsständischen Feste anschloß und anschließt, gerecht zu werden. Es sollen lediglich an einem Beispiel noch etwas eingehender die verschiedenen Anstöße, Funktionen, Formen und sozialen Voraussetzungen in ihrer Entwicklung und Überschneidung gezeigt werden: am Komplex der *Fastnachtsspiele*. In der Literaturgeschichte konzentriert sich dieser Begriff auf die im 15. und 16. Jahrhundert in Nürnberg und anderen großen Städten üblichen Spiele, in denen man vielfach den Auftakt zum deutschen Lustspiel sieht — manchmal in dem Sinne, daß es damit in einen ‚volkhaften Grund' gebettet erscheint. Das Wort Fastnachtsspiel stellt ja doch eine enge Beziehung zwischen weltlichem Brauch und Theater her, und für STUMPFL war es die Trumpfkarte, mit der er seine Darstellung eröffnete. Er leitet das spätmittelalterliche Fastnachtsspiel ab aus „fruchtbarkeitsmagischer Funktion"[27] und aus dem Geist der von OTTO HÖFLER präsentierten „kultischen Männerbünde"[28], welche die toten Ahnen

---

[24] L. SCHMIDT: Formprobleme, S. 8.
[25] Vgl. z. B. ALFRED KARASEK-LANGER: Die donauschwäbische Volksschauspiellandschaft, S. 138 f. sowie J. SCHARRER: Das Laientheater.
[26] H. MOSER: Das Volksschauspiel zu Kiefersfelden, S. 169.
[27] Kultspiele, S. 16.
[28] Kultische Geheimbünde der Germanen. 1. Bd. Frankfurt a. M. 1934.

verkörperten: „Der Ursprung des Fastnachtspiels... liegt in den Schwänken, die eine phallische Dämonenschar — bei den Germanen wie bei anderen Völkern — im Rahmen der kultischen Vorfrühlingsfeste ... aufzuführen hatte".[29]

Das Stichwort „Schwänke" weist in die tatsächliche Richtung. Zwar nimmt das Sexuelle und das Fäkalische in diesen Spielen einen beherrschenden Platz ein, aber nicht als kultisches Mysterium, sondern als reales Motiv, das zudem weniger in der Handlung als im Wort beschworen wird. Die weitaus meisten der älteren Spiele reihen wie an einer Schnur monologische Verse auf, in denen sich lediglich die Rollen vorstellen. In sich gerundetere Spiele sind selten, und auch in ihnen geht es fast immer um derbe Realismen: sieben Frauen werben um einen Mann, ein Ehepartner klagt über das sexuelle Unvermögen des anderen — und so fort. Zwar enthalten manche Spiele Elemente bäuerlichen Brauchs, aber sie geben sie parodierend wieder. „Der alte Hahnentanz"[30] beispielsweise ist kein brauchtümliches Tanzspiel, sondern ein derber Schwank, in dem bäuerliche Naivität und höfische Sitte von den stadtbürgerlichen Spielern karikiert werden. Im Laufe der Zeit treten andere Stoffe, auch Bildungsstoffe aller Art, stärker in den Vordergrund, und die Spiele entfernen sich von der bloßen Reihung — HANS SACHS repräsentiert als Dramatiker diese Stufe am reichsten und am deutlichsten. Die Querverbindungen zwischen dem Fastnachtsspiel und anderen theatralischen Formen — wie dem Meistersingerdrama und auch dem Schulspiel — werden nun charakteristisch; die Spielfläche wird von den Zuschauern entfernt. Diese Entwicklung ist aber nicht etwa eine Überfremdung, sondern sie ist schon in den früheren Spielen angelegt: schon sie dienten der geselligen *Unterhaltung,* wenn sie auch inmitten der Zuschauer, im Freien und in Wirtsstuben, aufgeführt wurden.

Diese Unterhaltungsfunktion des Fastnachtsspiels ist heute in der germanistischen Forschung unbestritten. Wenn das spätmittelalterliche Fastnachtsspiel wegen dieser Funktion entschieden vom volkskundlichen Bereich abgerückt wird, dann scheint hier freilich im ganzen eben jene agrarkultische Gesamtvorstellung vom Volksbrauch zugrunde zu liegen, die im besonderen Fall des literarischen Fastnachtsspieles verneint wird. In Wirklichkeit spielt *auch* im *Volksbrauch* die Funktion

[29] Kultspiele, S. 28 f.
[30] Fastnachtspiele aus dem 15. Jahrhundert, ed. Adalbert v. Keller. 3 Bde. 1853 bis 1858, Nr. 67.

geselliger Unterhaltung eine wesentliche Rolle, die wiederum bei den Spielen der Fastnachtszeit besonders hervortritt. Dies schließt nicht aus, daß solche Spiele gleichzeitig andere Funktionen ausüben oder doch mit anderen Funktionen verbunden sein können. Von jedem der wesentlichen Brauchelemente der Fastnacht führt ein ziemlich direkter Weg zur spielerischen Ausformung. Die möglicherweise in den ‚*Procreations*'-Bereich gehörenden Riten können nicht nur *aus*geführt, sondern auch *auf*geführt werden: Bräuche wie das Brunnenbaden der jungen Ehemänner oder die Bestrafung der unverheirateten Mädchen drängen zur spielerischen Entfaltung. Die *Vermummung* verbirgt nicht nur die Identität, sondern legt nahe, daß etwas dargestellt, also gespielt wird. Das *Heischen* tritt häufig erweitert und formalisiert in Erscheinung: in einer kurzen Folge von Heischesprüchen wird die Forderung ausgesprochen. Das *Rügerecht* an Fastnacht führt auf verschiedenen Stufen zum Spiel. Das Vergehen kann spielerisch vergegenwärtigt werden; das Narrengericht vollzieht sich nicht selten als halb improvisierte, halb an festen Formeln orientierte dramatische Aktion; und auch das Urteil kann im Spiel vollstreckt werden. Schließlich äußert sich auch das Prinzip der *verkehrten Welt* nicht nur in der blutten Aufhebung oder Umkehrung sozialer Ordnungen, sondern weit häufiger in der stilisierten Parodie, in einem Ritual von Absetzung und Inthronisation.

Diese Zusammenhänge zwischen *Brauch und Spiel* sind jedoch primär *typologischer,* nicht unbedingt genetischer Art. Aus mehreren Gründen: Auch hier ist gelegentlich mit schon spielerisch ausgeformten Anfangsstadien und mit entsprechenden Absink- und Zerfallsprozessen zu rechnen. Auf der anderen Seite aber bedeutet Spiel hier ja keineswegs immer eine ausgedehnte und streng festgelegte dramatische Aktion, sondern oft nur eine stilistische Färbung des Brauchs. In verschiedenen Fastnachtsorten spricht man davon, daß „einer gespielt wird"[31] — und das heißt lediglich, daß einer, der sich etwas zuschulden kommen ließ, auf närrische Weise bloßgestellt wird. Die Opposition von Brauch und Spiel ist in sich fragwürdig und nur erklärlich aus einer teilweise mythologisch aufgeladenen und teilweise historisch fixierten Auffassung. Jan Huizinga weist auf den etymologischen Zusammenhang von „pflegen" und „to play" hin; beides gehört in „die Sphäre des Zeremoniellen".[32] Diese Sphäre ist nicht nur durch feste Konstanten

---

[31] Dörfliche Fasnacht zwischen Neckar und Bodensee (= Volksleben, 12. Bd.). Tübingen 1966, S. 230.

[32] Homo ludens, S. 65.

bestimmt; jeder Brauch hat schon im Ursprung seinen „*Spiel-Raum*',
und manches, was als späte Entartung registriert wird, gehört in Wirklichkeit zu den prinzipiellen Möglichkeiten des Brauchs.

Allerdings läßt sich im ganzen doch eine Tendenz zur *theatralischen
Entfaltung* feststellen. Viele Orte — Städte und Dörfer — kannten bis
weit ins letzte Jahrhundert hinein nach der Terminologie Leopold
Schmidts[33] lediglich „ortsfeste" Fastnachtsbräuche, also den bloßen
Auftritt oder die denkbar sparsame Aktion von Brauchgestalten. Dann
aber entwickelten sich, oft in direkter Verbindung miteinander, Umzüge
und Fastnachtsspiele. Dabei wurden und werden entweder traditionelle
Themen geboten, wie etwa die Altweibermühle, Arztspiele und Streitspiele, die ähnlich schon im spätmittelalterlichen Spiel präsentiert wurden,
oder neuere Ereignisse werden karikiert, und zwar neben den lokalen
auch die überlokalen: Burenkrieg und Hereroaufstand, Entwicklungs-
hilfe und Olympiade, Mini-Rock und Beatles. Die ,Verspätung' der
kleinen Dörfer in der Themenwahl, bis in unser Jahrhundert herein
noch deutlich registrierbar, hat sich dank der rascheren Informations-
möglichkeit beträchtlich verringert.

Die volle Entfaltung des Spiels setzte vielfach veränderte *soziale
Grundlagen* voraus. Dies braucht nicht immer zu bedeuten, daß bäuerliche Brauchträger von nichtbäuerlichen abgelöst worden wären —
obwohl schon in der Aufklärungszeit eine stärkere Neigung der Handwerker und Arbeiter zum Theaterspiel beobachtet wurde.[34] Was sich
fast überall registrieren läßt, ist eine *Institutionalisierung* der Brauchträger und der Bräuche. In dem Allgäuort *Rohrdorf* überreichten nach
einer Protokollnotiz vor gerade hundert Jahren die Jungfrauen den
„Maskerern" eine Fahne. Dies markiert den Übergang: aus der informel-
len Gruppe der jungen Burschen, die an Fastnacht auftraten, entwickelte
sich ein Verein, und zwar in diesem Fall ein Theaterverein. Am Donners-
tag vor Fastnacht wurde mindestens im Abstand von einigen Jahren
auf einer im Freien aufgeschlagenen Bühne Theater gespielt. Vor und
unmittelbar nach der Vereinsgründung waren es vor allem herkömm-
liche allegorische Spiele, so die „Stufenalter" und die „vier Jahres-
zeiten". Mitte der siebziger Jahre leitete eine „Andreas-Hofer"-Auf-
führung eine Folge von historischen Dramen ein. Kurz vor dem ersten
Weltkrieg wurden die Spiele in den Saal verlegt. Auch dann noch, fast
bis zum zweiten Weltkrieg, blieb es aber üblich, daß die Spieler in ihren

[33] Das deutsche Volksschauspiel, S. 35 f.
[34] Vgl. z. B. H. Moser: Das Volksschauspiel zu Kiefersfelden.

Verkleidungen in einem prächtigen Zug zur benachbarten Stadt ritten, und in diesem Umzug wurde regelmäßig der sogenannte „Wagen" mitgeführt, auf dem unabhängig vom Ritterschauspiel irgendein politisches oder lokales Ereignis „gespielt" wurde. Als nach dem Krieg die Aktivität der Theatergesellschaft wieder erwachte, hielt man sich nicht mehr an die alten Ritterstücke; der Reiterzug fiel weg, und auch die feste Bindung an den Fastnachtstermin wurde aufgegeben.[35] Das Theater hatte sich vom jahreszeitlichen Brauch gelöst. Aber auch diese Entwicklung des volkstümlichen Theaterwesens fordert Beachtung.

C. Theater

Die stichwörtlichen Überschriften dieses Kapitels charakterisieren zwar eine offenkundige Entwicklungstendenz; aber sie sind nicht Bestandteil eines lückenlosen Dreistadiengesetzes. Nicht nur vom weltlichen Brauch führt ein Weg zum *autarken Theater,* dieses emanzipiert sich auch aus szenischen Formen der Liturgie. KARL VOSSLER bezeichnete das barocke Drama als „das theatralisch überbetonte"[36], und spätestens in diesem Bereich überwuchert theatralisches Beiwerk mehr und mehr den liturgischen Kern. Auch dort, wo eine strikt religiös gerichtete Versinnlichung des Heilsgeschehens angestrebt wurde, wie durch IGNATIUS VON LOYOLA[37], lag darin doch die Gefahr des Umschlags in das Nur-Theatralische. HANS MOSER sprach einmal pointiert davon, die Jesuiten hätten „die Andacht zur Komödie" gemacht; dabei darf freilich weder der weitere Begriff der Komödie vergessen werden noch der Zusatz, das Volk habe „die Komödie zur Andacht gemacht."[38] Jedenfalls läßt sich aber beobachten, wie das Schauspiel vielfach über die Klosterschulen in Städte und Dörfer dringt, wie sich kleine Gruppen von Theaterbegeisterten zunächst in ihren Stoffen und Aufführungsformen eher an das Spiel dieser Schulen als an das der Wandertruppen anschließen, wie sie sich aber allmählich von dem ausschließlich geistlichen Programm immer mehr lösen. Im protestantischen Bereich setzt diese

[35] Vgl. HERMANN BAUSINGER: Oberschwäbisches Theaterleben jetzt und einst. In: Wttbg. Jb. f. Vk. 1957/58, S. 49—70.

[36] Die Einheit von Raum und Zeit im barocken Drama. In: Zs. f. Ästhetik, 25. Bd. 1931, S. 144—152; hier S. 151.

[37] Vgl. LUDWIG PFANDL: Einführung in die Literatur des Jesuitendramas in Deutschland. In: GRM, 2. Jg. 1910, S. 445—456; hier S. 447 f.; außerdem WOLFGANG KAUTZSCH: Das Barocktheater im Dienste der Kirche. Diss. Leipzig 1931, S. 5—9.

[38] Das Volksschauspiel zu Kiefersfelden, S. 148.

Entwicklung schon früher ein, wird aber dann durch den dreißigjährigen Krieg verhältnismäßig jäh unterbrochen und vielfach zunächst abgeschnitten. Doch finden sich auch evangelische „bürgerliche Komödiantengesellschaften", und eine davon, die Biberacher, hat das Verdienst, daß sie 1761 unter WIELAND erstmals ein Shakespearedrama auf eine deutsche Bühne brachte. In den Städten trafen die Anregungen aus den Schulen mit älteren Traditionen — etwa der Meistersingergesellschaften — zusammen; und mitunter gibt es hier auch respektable Versuche zu professionellem Theater, die sich keineswegs präzise von den sonstigen Bemühungen abtrennen lassen.

Dies sind nur karge Andeutungen; sie zeigen jedoch, daß die *Ent-Bindung* des Theaters ein langer und mehrgleisiger Vorgang war, der keineswegs für das letzte Jahrhundert reklamiert werden darf. Aber erst gegen Ende des 19. Jahrhunderts wird das freie, weder in religiösen noch in anderen brauchtümlichen Bindungen stehende Theaterwesen in einem umfassenderen Sinne *volkstümlich,* und insofern darf das erwähnte Rohrdorfer Beispiel doch als symptomatisch gelten. Zugleich deutet es auf den Stoffbereich hin, in dem und mit dem sich das volkstümliche Theater am nachhaltigsten emanzipierte: das *historische Drama.* Es löst teilweise, wie manche Belege zeigen, ältere dramatische Aktionen ab. So können großen historischen Kriegsdarstellungen im Freien Kampfspiele vorausgehen, in denen sich wirkliche oder scheinbare Feindschaft zwischen den jungen Burschen zweier Orte ritualisiert hatte; und für mancherlei jahreszeitliche Feste und Bräuche entstand eine historisierende Erklärungssage, die gelegentlich auch dramatisch vorgeführt wurde — bekannt sind hier vor allem Kinderfeste, die sekundär mit der Errettung der Stadt durch unschuldige Kinder während eines Krieges in Verbindung gebracht wurden. Auch die Verbindungsfäden zum religiösen Schauspiel werden hin und wieder sichtbar. Donner und Blitz als Zeichen der Wende gehören zunächst in die Passion, werden aber auch spektakuläre Bestandteile des populären Geschichtsdramas. Dies ist kein nur äußerlicher Zusammenhang, sondern verweist auf einen gewissen kontrafaktorischen Duktus dieser Schauspiele, in denen einzelne Gestalten mit legendärem Glanz ausgestattet sind — ganz abgesehen davon, daß einzelne Legendenstoffe, ja daß sogar die Passionsszenen nun als monumentales historisches Tableau präsentiert werden.

Aber weder die Umformung von Bräuchen noch das religiöse Vorbild erklärt die zunehmende Bedeutung des Geschichtsspiels und des volkstümlichen Theaters überhaupt, das sich ja auch dort ausbreitet, wo keinerlei Vorstufe vorhanden war. Die Entstehung von rund 600 deutschen Privattheatern im letzten Viertel des 19. Jahrhunderts war gewiß zum Teil eine Folge der Gewerbefreiheit: sie war aber auch Zeichen einer erstaunlichen, allgemeinen *Theatromanie,* und sie hatte ihre Entsprechung in der steigenden Zahl von städtischen und dörflichen Amateuraufführungen. Das volkstümliche Theaterwesen rückt entschiedener als vorher in den größeren Zusammenhang der Theatergeschichte. GERLINDE HOLE hat für Württemberg die Behandlung historischer Stoffe auf dem volkstümlichen Theater verfolgt; ihre Ergebnisse müssen für viele andere deutsche Landschaften wohl höchstens modifiziert werden. Am Anfang steht demnach das Ritter- und Räuberdrama, für das GOETHES „Götz" und SCHILLERS „Räuber" die großen Vorbilder abgeben. Nicht nur „der kühne Räuberhauptmann" ist, wie es noch popularisierend in ZUCKMAYERS ‚Schinderhannes' heißt, „der Verächter des Gesetzes, doch der Freund des Volkes"[39]; auch der Ritter wird in solcher Außenseiterposition gezeichnet. Mit Andreas Hofer und Wilhelm Tell kommen ausgesprochene Volkshelden ins Spiel, die zudem die nationale Idee vertreten. Diese Idee der Nation beherrscht fortan weite Teile des Spielguts, ob es sich nun den deutschen Kaisern oder der Geschichte der Germanen zuwendet; im Versuch nationaler Weihespiele während des dritten Reiches kam diese Entwicklung in ihre sterile Schlußphase.

Die Verherrlichung gilt allerdings nicht nur den Exponenten der Nation, sondern auch denen der einzelnen Länder: in Rohrdorf schieben sich zwischen Spiele um Andreas Hofer, Zriny, Maximilian, Konradin und Wallenstein solche um die württembergischen Grafen Eberhard. Dieser kleinstaatliche Patriotismus, der sich zunächst im österreichischen und bayrischen Drama dokumentiert, sich dann aber auch auf andere Länder ausbreitet, steht nur teilweise im Gegensatz zur nationalen Tendenz; im allgemeinen werden die kleinen Vaterländer als organische Zelle des Reichs verstanden. Trotzdem kündigt sich in diesen Spielen eine gegenläufige Entwicklung an, die in unserem Jahrhundert der Lokalgeschichte einen besonderen Akzent gibt. In den mancherlei „*Heimatspielen*" hat sich das historische Schauspiel bis in die Gegenwart gehalten; dabei wird lokales Geschehen zum Teil als bloßer Spiegel großer geschichtlicher Entwicklungen präsentiert, zum Teil aber auch jenseits aller Überhöhungen als der Bereich verstanden, in dem der

[39] Zit. bei G. HOLE: Historische Stoffe, S. 58.

kleine Mann handelt und leidet. Dieses Verständnis ist freilich selten; der charakteristische Ort der Heimatspiele ist die Naturbühne, deren weiter Prospekt zum Pathos großer Ideen drängt — oder umgekehrt: das Pathos historischer Konzeption fordert nach wie vor die Verwirklichung im weiten szenischen Rahmen.

Das schließt nicht aus, daß man historische Schauspiele auch auf die Saalbühne brachte. HANS MOSER untersuchte die Theatergeschichte des oberbayrischen *Kiefersfelden:* dort hatten im 18. Jahrhundert Arbeiter des Hammerwerks eine „Comoedien-Compagnie" gebildet, die zunächst vor allem geistliche Spiele im Stil der Ordensdramen aufführte, im 19. Jahrhundert dann aber zu Ritterstücken überging. Bis heute ist Kiefersfelden eine Hochburg der Ritterschauspiele geblieben; sie wurden lange Zeit in einem eigens gebauten Komödienstadel und später in Gasthaussälen aufgeführt. Um die Jahrhundertwende tauchen jedoch auch andere Stücke im Repertoire auf, so „Treu bis in den Tod" von LUDWIG LINTNER und „Der Amerikaseppl" von BENNO RAUCHENEGGER.[40] Diese Titel charakterisieren Tendenzen, die anderswo in den Vordergrund treten und in Kiefersfelden nur durch die traditionalistische Bewahrung des alten Genres der Ritterstücke zugedeckt wurden. In Rohrdorf, um noch einmal auf diesen Modellfall zurückzugreifen, findet man auf dem Spielplan nach der Verlegung der Aufführungen in den Saal zunächst auch noch ‚historische' Stücke wie „Rosa von Tannenburg", „Elmar", „Die Rabensteinerin". Aber auch dort tritt dann „Der Amerikaseppl" in Erscheinung, einer der Titel beschwört das „Glück vom Riedhof" — und fortan stehen *familiäre Rührstücke* und *Schwänke* an erster Stelle. In beiden kann die dörfliche Welt den Hintergrund bilden — freilich ist es dann eine sentimentalisierte oder ins Burleske verbogene Welt. Die Rührstücke nahmen Motive des alten geistlichen und historischen Spielgutes auf; vielfach geht es um die mehr oder weniger wunderbare Errettung aus seelischer und körperlicher Not, und am Ende steht im allgemeinen eine handfeste Dokumentation poetischer Gerechtigkeit. Die Bevorzugung des Rührstücks ging häufig Hand in Hand mit der Verlegung des wichtigsten Spieltermins von der Fastnacht in die Weihnachtszeit, und die Requisiten des Weihnachtsfestes steigern vielfach noch die Sentimentalität des Geschehens.[41] Zu beachten ist freilich, daß an die Rührstücke sehr oft ein Schwank angehängt

---

[40] HANS MOSER: Chronik von Kiefersfelden. Kiefersfelden 1959, S. 628—642.

[41] H. BAUSINGER: Weihnachtsspiel und Weihnachtstheater.

wird, daß dieser also keineswegs immer selbständig in Erscheinung tritt. Er übt so eine ähnliche Funktion aus wie früher in den Schulspielen und Ordensdramen — FRIEDRICH NICOLAI hatte deren merkwürdige Komposition aus den Akten einer Tragödie und dazwischen gefügten burlesken Interludien als „Unsinn mit Methode" kritisiert.[42] Diese Methode hat sich erhalten, und das Stichwort *„Vereinstheater"* bezieht sich als terminus technicus im allgemeinen auf solche nach bewährtem Muster zusammengefügte Vorstellungen mit Tragödie und Satyrspiel, Rührstück und Schwank.

Vereine sind freilich ganz allgemein zum Träger des neueren volkstümlichen Theaterwesens geworden, und zwar einerseits Theatervereine, andererseits aber auch sonstige Vereine aller Art, die zumindest im Rahmen ihrer Weihnachtsfeiern und sonstiger Festlichkeiten Theaterstücke auf die Bühne bringen. Wo ausgesprochene Theatervereine am Werk sind, hat sich allerdings zum Teil auch eine andere Aufführungsform durchgesetzt: das *Naturtheater*. Dazu lassen sich mannigfache Vorstufen und Anstöße registrieren, selbst wenn man der Versuchung widersteht, die Linie vom antiken Amphitheater über das mittelalterliche Marktspiel bis zur modernen Naturbühne zu ziehen. Tatsächlich liegen die Anfänge des neuen Naturtheaters dort, wo die Naturstimmung bewußt in das Spiel einbezogen wird, und wo sich im Spiel das Naturgefühl unmittelbar mit anderen, religiösen, historischen, nationalen Gefühlen verbindet.[43] Zu den Vorformen gehört das barocke Garten- und Heckentheater, das ritterliche Spektakelstück, wie es Ende des 18. Jahrhunderts von SCHIKANEDER und anderen unter freiem Himmel inszeniert wurde, das nationale Landschaftstheater der Schweiz. Wichtig wurden für das Naturtheater die verschiedenen Festspielideen, die sich in der zweiten Hälfte des 19. Jahrhunderts herausbildeten. EDUARD DEVRIENT schloß an das Erlebnis des Oberammergauer Passionsspiels den Ruf nach einem „historischen Volkstheater" unter freiem Himmel, dem er „religiöse" Funktionen zumaß. Andere forderten ein volkstümliches Gegenstück zu RICHARD WAGNERS Bayreuth, in dessen Nähe — auf der Luisenburg bei Wunsiedel — sich schon eine erstaunliche, aber zunächst wenig beachtete Naturtheatertradition herausgebildet hatte. Mit dem Harzer Bergtheater suchte ERNST WACHLER eine germanisch-deutsche Parallele zu den antiken Weihespielen zu schaffen,

---

42 Beschreibung einer Reise durch Deutschland und die Schweiz im Jahre 1781. 9. Bd. Berlin und Stettin 1795, S. 115—117 und Beylage VI. 4 (S. 95—99).
43 Hierzu und zum folgenden vgl. B. SCHÖPEL: „Naturtheater".

während an anderen Orten ausgesprochene Heimatspiele zur Verwirklichung im Freien drängten.

So vielfältig wie die Motive und Anstöße für die Entstehung, waren und sind auch die *Formen* und *Stoffe* des Naturtheaters. Auf städtischen Plätzen vor der malerischen Kulisse realer Kirchen und Fachwerkhäuser, in Schloßhöfen und Ruinengeländen, in Steinbrüchen und Wäldern, auf requisitfreier Bühne im Grünen und in künstlichen Bauten auf freiem Gelände wird gespielt. Brigitte Schöpel vertritt auf Grund ihrer Analyse der vielfältigen Möglichkeiten die These, daß die Trennung in „Freilichttheater" und „Naturtheater"[44] den Verhältnissen nicht gerecht wird: nicht nur beim Theater in freier Landschaft, sondern auch bei einer modernen Marktplatzaufführung spielt das historisch aufgeladene Naturgefühl eine beherrschende Rolle.[45] Tatsächlich ist auch die stoffliche Ausrichtung hier wie dort ähnlich: religiöse, historische und auch burleske Themen werden gewählt, sofern sie ein weites Panorama, farbige Entfaltung und bewegte Massenszenen erlauben; Schiller ist der weitaus meistgespielte Autor. Der Zug zum Festspiel scheint dem Naturtheater bis zu einem gewissen Grad immanent zu sein; aber der nationalsozialistische Versuch, sämtliche Freilichttheateraufführungen zu nationalen „Thingspielen" umzuwandeln, scheiterte doch an der Vielfalt der lokalen Traditionen der Naturtheater.[46] Einzelne Entwicklungsphasen des Naturtheaters sind mit der sogenannten *Laienspielbewegung* verknüpft, die ihrerseits als Ausläufer der Jugendbewegung verstanden werden muß. Sie wandte sich einerseits gegen das moderne Theater und vor allem seine „intellektualistischen" Strömungen, zum andern gegen die „Dilettanten", die sich an der Spielweise des Berufstheaters orientierten und diesem nachstrebten. Das Manko des Laientums wurde umgewertet zu einem Plus; Artur Kutscher sprach deshalb ironisch von den „Edellaien".[47] Sie suchten das Spiel von allem Theatralischen wegzuführen zur Einfachheit, zum unmittelbaren, im Erlebnis wurzelnden Ausdruck; ihr Ideal war das religiöse Spiel des Mittelalters, und während dieses eine liturgische Gemeinschaft *voraussetzte*, wollten sie mit ihren Spielen Zuschauer und Spieler *zusammenführen* zur bruchlos festen Gemeinschaft. Es liegt auf der Hand, daß diese Ansätze schief, daß die Versuche zum Scheitern verurteilt waren;

[44] Artur Kutscher: Grundriß der Theaterwissenschaft. München ²1949, S. 270.
[45] B. Schöpel: „Naturtheater", S. 14.
[46] Ebd. S. 114—117.
[47] Grundriß der Theaterwissenschaft, S. 56.

nach 1945 sprach man auch in den Kreisen der Laienspieler eher wieder vom „Amateurtheater", und man orientierte sich nun auch bewußt am Berufstheater.[48] Aber dieses zwangsläufige Scheitern bedeutet nicht, daß die Laienspielbewegung das volkstümliche Theaterwesen nicht beeinflußte. Bestimmtes Spielgut, wie etwa die Schwankspiele von HANS SACHS, wurde ausgegraben und ist verfügbar geblieben, vor allem auch für Schulen und Jugendgruppen. Die Spielform wurde beeinflußt, und selbst in abgelegenen Landschaften mit reichem Volksschauspiel — KARASEK hat es am donauschwäbischen Bereich gezeigt[49] — übte die Laienspielbewegung ihre Wirkung auf Text, Melodie und Requisiten der Brauchspiele aus. Überhaupt muß bedacht werden, daß die Laienspielbewegung eine Parallele und Ergänzung fand in bestimmten Formen der *Brauchpflege* und auch der *Braucherneuerung*, denen wiederum die konservative Volksschauspielforschung mit ihrem Verdacht gegen das Theatralische entspricht.

Infolge dieser Strömungen muß bei einer großen Zahl von ‚gebundenen' Volksschauspielen ausdrücklich gefragt werden, ob es sich dabei um kontinuierlich tradierte Altformen oder um sekundäre *Neuformen* handelt. Es gibt Landschaften, in denen bis heute eine sehr lebendige Tradition des brauchtümlichen Spiels beobachtet werden kann; das wohl eindrucksvollste Beispiel bietet die *Steiermark*, wo LEOPOLD KRETZEN-BACHER inmitten unserer Gegenwart eine ganze Reihe „barocker" Volksschauspiele aufzeichnen konnte.[50] Andererseits werden aber dort wie anderswo solche Brauchspiele zum Teil immer stärker institutionalisiert, organisiert, „gepflegt", und so entstehen gelegentlich interessante ‚Mischformen'. Die Neuerungen und Rückgriffe auf ältere Formen sind bei Untersuchungen des gegenwärtigen Bestandes ebenso zu bedenken wie die möglichen ‚Verspätungen', in denen sich, wenn unsere Stichwörter einmal so ausschließend gebraucht werden dürfen, Brauch dokumentiert und nicht Theater.

Wichtiger freilich ist wohl die *Relativierung* dieses Gegensatzes, der sich nicht nur deshalb nicht aufrecht erhalten läßt, weil sich im gebundenen Brauchspiel sehr viel Theatralisches entfaltet, sondern auch deshalb, weil das scheinbar so freie und ungebundene Theater in erstaunlichem Maße auf Traditionen festgelegt ist und Züge des Brauchs aufweist.

---

[48] EDMUND JOHANNES LUTZ: Gibt es noch das Laienspiel? In: Deutsche Jugend. Zs. f. Jugendfragen und Jugendarbeit 1954, S. 539—544.
[49] Die donauschwäbische Volksschauspiellandschaft, S. 135.
[50] Lebendiges Volksschauspiel in Steiermark.

Dies gilt etwa für die dörfliche Spieltradition, wo sich oft ganze Spielerdynastien herausgebildet haben. Es gilt aber auch für die erstaunliche, manchmal fast schon erschreckende Konstanz des Aufführungsstils, der sich seit ungefähr zwei Generationen im „Vereinstheater" beobachten läßt. Es gilt für bestimmte Bilder und Formeln; die bunte Vielfalt der Stücke läßt sich vielfach auf verhältnismäßig wenige Topoi zurückführen — vom blinden Vater bis zum verlassenen Kind, von der entrechteten Gräfin bis zum Kräuterweib, vom beleibten Kleriker bis zum gerechten Räuber. Es gilt aber schließlich auch für die meisten der Stücke. In den zwanziger Jahren unseres Jahrhunderts gehörte zum Repertoire mancher Dilettantengruppen „Die neue Eva", ein Stück, in dem sich ein Mädchen über die sträfliche Neugierde der paradiesischen Eva empört, aber dann gleich selber seine Neugier nicht bezähmen kann. Ein entsprechendes Stück, auf männliche Rollen zugeschnitten, verfaßte ein Ulmer Augustinerchorherr schon im 18. Jahrhundert für seine Schüler.[51] Und auch er hat diesen Stoff nicht erfunden; vielmehr handelt es sich um ein weitverbreitetes mittelalterliches Exempel, das in zahlreichen Predigtsammlungen und anderen Büchern enthalten war.[52] Ein kleines, aber bis zu einem gewissen Grad symptomatisches Beispiel: das volkstümliche Theater bewahrt und vergegenwärtigt auch Stoffe, die in eine jahrhundertealte Tradition gehören — eine Tradition, die sich freilich um Gattungsgrenzen wenig kümmert und so auch noch einmal auf die Erzählüberlieferung zurückweist.

Literatur:

HERMANN BAUSINGER: Weihnachtsspiel und Weihnachtstheater. In: Schwäbische Weihnachtsspiele. Stuttgart 1959, S. 157—179.

HENNIG BRINKMANN: Die Eigenform des mittelalterlichen Dramas in Deutschland. In: GRM. 18. Jg. 1930, S. 16—37 und S. 81—98.

ECKEHARD CATHOLY: Fastnachtspiel (= Realienbücher für Germanisten M 56). Stuttgart 1966.

ANTON DÖRRER: Forschungswende des mittelalterlichen Schauspiels. In: Zs. f. dt. Philologie, 68. Bd. 1943/44, S. 24—86.

OSKAR EBERLE: Wege zum schweizerischen Theater. Grundlagen und Volkstheater. Jb. d. Gesellsch. für schweizer. Theaterkultur 13. Zürich 1943.

WILHELM C. GERST (Hg.): Gemeinschaftsbühne und Jugendbewegung. Frankfurt 1924.

[51] JOSEPH LEDERER: Ey so beiß!

[52] Vgl. JOHANNES BOLTES Anmerkungen zu MARTIN MONTANUS: Schwankbücher. Neudruck Tübingen 1899, S. 593 f.

IV. Szenische und musikalische Formen

EDUARD HARTL: Das Drama des Mittelalters. In: Dt. Philologie im Aufriß, II. Bd. ²1960, Sp. 1949—1996.

GERLINDE HOLE: Historische Stoffe im volkstümlichen Theater Württembergs seit 1800 (= Volksleben Bd. 4). Tübingen 1964.

ALFRED KARASEK-LANGER: Die donauschwäbische Volksschauspiellandschaft. In: Jb. für Volkskunde der Heimatvertriebenen, 1. Bd. Salzburg 1955, S. 93 bis 144.

ALFRED KARASEK-LANGER: Volksschauspiel und Volkstheater der Sudetendeutschen. Gräfelfing 1960.

ALFRED KARASEK — JOSEF LANZ: Das deutsche Volksschauspiel in Galizien. Freilassing/Salzburg 1960.

LEOPOLD KRETZENBACHER: Passionsbrauch und Christi-Leiden-Spiel in den Südost-Alpenländern. Salzburg 1952.

LEOPOLD KRETZENBACHER: Lebendiges Volksschauspiel in Steiermark. Wien 1951.

JOHANNES KÜNZIG: Die alemannisch-schwäbischen Pfingst-Umrittspiele. In: Zs. f. Volkskunde, 54. Jg. 1958, S. 205—238.

WERNER LENK: Das Nürnberger Fastnachtspiel des 15. Jahrhunderts. Berlin 1966.

RUDOLF MIRBT: Laienspiel und Laientheater. Kassel 1960.

HANS MOSER: Das altbayerische Volksschauspiel des 17. und 18. Jahrhunderts, In: Bayerischer Heimatschutz, 24. Jg. 1928, S. 72—89.

HANS MOSER: Das Volksschauspiel zu Kiefersfelden. In: Oberbayerisches Archiv für vaterländische Geschichte, 66. Bd. 1929, S. 117—208.

HANS MOSER: Zur Geschichte des Winter- und Sommer-Kampfspiels. In: Bayerischer Heimatschutz, 29. Jg. 1933, S. 33—46.

HANS MOSER: Volksschauspiel. In: Deutsches Volkstum in Volksschauspiel und Volkstanz. Berlin 1938, S. 1—136.

JOSEF SCHARRER: Das Laientheater der Flüchtlinge und Ausgewiesenen. Seine psychologische, soziologische und kulturelle Bedeutung. Gräfelfing 1960.

LEOPOLD SCHMIDT: Formprobleme der deutschen Weihnachtsspiele (= Schaubühne, 20. Bd.). Emsdetten 1937.

LEOPOLD SCHMIDT: Neuere Passionsspielforschung in Österreich. In: Jb. d. Österr. Volksliedwerks, 2. Bd. 1953, S. 114—143.

LEOPOLD SCHMIDT: Das deutsche Volksschauspiel in zeitgenössischen Zeugnissen vom Humanismus bis zur Gegenwart. Berlin 1954.

LEOPOLD SCHMIDT: Das deutsche Volksschauspiel. Ein Handbuch. Berlin 1962.

BRIGITTE SCHÖPEL: „Naturtheater". Studien zum Theater unter freiem Himmel in Südwestdeutschland (= Volksleben Bd. 9). Tübingen 1965.

Julius Schwietering: Über den liturgischen Ursprung des mittelalterlichen geistlichen Spiels. In: Zs. f. Dt. Alt. 62. Bd. 1925, S. 1—20.

Friedrich Sieber: Volk und volkstümliche Motivik im Festwerk des Barocks. Berlin 1960.

Edmund Stadler: Das neuere Freilichttheater in Europa und Amerika. Einsiedeln 1953.

Robert Stumpfl: Kultspiele der Germanen als Ursprung des mittelalterlichen Dramas. Berlin 1936.

2. Lied

A. Einteilung

Wo verallgemeinernd von „Volkspoesie" die Rede ist, steht vielfach im Hintergrund das Volkslied; schon bei Herder fungiert es oft stellvertretend für die ganze Volksdichtung, und auch in neueren Darstellungen ist mit der Bezeichnung Volkspoesie manchmal fast ausschließlich das Liedgut gemeint. Dies hängt nicht nur damit zusammen, daß das Volkslied als metrische Form auch einer engeren Vorstellung von Poesie genügt, sondern wohl mehr noch damit, daß es tatsächlich von sehr vielen Untergruppen der Volksdichtung auch musikalische Spielarten gibt. Eben dies macht freilich auf der anderen Seite die Warnung davor verständlich, das Volkslied als „eine Unterform der Gruppe ‚Volksdichtung'" aufzufassen; Adolf Spamer machte demgegenüber den neuerdings häufiger beherzigten Vorschlag, „das Volksliedkapitel volkskundlicher Gesamtdarstellung mit ‚*Volksgesang*' zu überschreiben".[1] Damit wird nicht nur eine Erweiterung des Blickfeldes angestrebt, in das neben den irgendwie als „echt" deklarierten Volksliedern auch andere Gesänge einbezogen werden sollen; vielmehr ist damit auch angedeutet, daß der Volksgesang sich nicht einfach in die Einteilungsschemata der Volkspoesie fügt, sondern diese durchbricht und überlagert.

Zu vielen hier beschriebenen ‚Gattungen' der Volkspoesie gibt es auch *musikalische Formen* — von der knappen Funktionsformel, die in den sogenannten musikalischen „Rufen" ihre Entsprechung hat, bis zu der szenischen Poesie, wo die musikalische Skala vom gesungenen Heischespiel bis zur adaptierten Operettenaufführung reicht. Bei einigen Gruppen ist die musikalische Fassung schon im rhythmischen Aufbau angelegt und wohl vielfach primär; dies gilt zum Beispiel für einen

[1] Volkskunde. In: German. Philologie. Heidelberg 1934, S. 435—481; hier S. 457. Vgl. Wolfgang Suppan: Volksgesang. In: MGG, Sp. 1923—1932.

großen Teil der Spielformeln und Sprüche. Bei anderen setzt die Einbeziehung in den Volksgesang eine entsprechende poetische Formung voraus; der Schwank oder die Legende beispielsweise erscheinen im Lied in metrischer, meistens strophisch gegliederter und häufig gereimter Form. Schon dies macht deutlich, daß der Bereich des Volksgesangs auch unter dem Aspekt des Textes gesondert zu erwähnen ist; und außerdem finden nicht alle musikalisch-poetischen Formen im Bereich der nicht-musikalischen überhaupt eine Entsprechung. Vor allem die im engeren Sinne lyrische Volkspoesie tritt fast ausschließlich im gesungenen Lied in Erscheinung.

Die Unterscheidung *epischer* und *lyrischer* Formen des Liedes — ausgesprochen dramatische sind selten — bietet eine erste Möglichkeit der *Einteilung,* der viele Ausgaben, zuletzt die von RÖHRICH und BREDNICH[2], ungefähr folgten. Doch schon hier sind keine präzisen Grenzen zu ziehen. Die Ballade neigt nicht selten zum Ausmalen von Stimmungen und zur Entwicklung der Handlung im Dialog; sie zeigt neben den epischen also auch lyrische und dramatische Elemente, in diesem Sinne hat sie GOETHE als „lebendiges Ur-Ei" charakterisiert[3]. Der Begriff des Lyrischen muß, wenn neben Liebesliedern auch etwa Berufslieder, Scherzlieder und Tanzlieder einbezogen werden sollen, im Sinne von *Gebrauchs*lyrik erweitert werden. Zudem zeigt die Erwähnung von Scherzliedern und Tanzliedern, daß offenbar eine eindimensionale Bestimmung überhaupt nicht ausreicht: ein Scherzlied kann ja doch als Tanzlied verwendet werden.

Tatsächlich läßt sich jedes Lied unter verschiedenen Kategorien definieren. Ein und dasselbe Lied kann als *erzählendes* Lied, als *weltliches* Lied, als *historisches* Lied, als *Kriegs*lied, als *Soldaten*lied und als *Marsch*lied bezeichnet werden. Dabei handelt es sich nicht, wie es zunächst den Anschein haben könnte, um eine Einkreisung, die von den allgemeinsten zu den speziellsten Bestimmungen übergeht, sondern um je verschiedene Perspektiven und Kriterien, die zudem in sich wiederum nicht scharf präzisierbar sind. Die Unterscheidung zwischen *weltlichen* und *geistlichen* Gesängen kann sich auf die Herkunft, den Inhalt und die Funktion beziehen, und in jedem dieser Bereiche ist wiederum mit Übergängen zu rechnen. Die vielen Kontrafakturen, bei denen ursprünglich religiösen Liedern weltliche Texte unterlegt werden und umgekehrt, markieren

---

[2] Deutsche Volkslieder. Texte und Melodien. 2 Bde. Düsseldorf 1965 und 1967.
[3] Ballade. Betrachtung und Auslegung. In: Werke (WA), 1. Abt. Bd. 41, 1; S. 223—227, hier S. 224.

den genetischen Übergang. Dem Inhalt nach ist die Grenze oft schwer zu ziehen; gerade sogenannte historische Lieder, nämlich Lieder, in denen historische Ereignisse geschildert werden, sind oft ganz mit religiöser Moral durchtränkt, und in auffallend großer Zahl können Geistliche als Verfasser nachgewiesen werden. Funktionell wäre die Zuordnung eindeutig, wenn dem religiösen Lied ausschließlich kirchliche Aufgaben zufielen; aber als „geistliches Volkslied" wird vielfach gerade das religiöse Lied außerhalb der liturgischen Funktionen bezeichnet, das Lied als Ausdruck des „undogmatischen Christentums".[4] Und hier bietet die Situation nicht immer einen sicheren Anhaltspunkt zur Trennung. Wenn in einem Dorf nach der Hochzeitsfeier das Brautpaar zur neuen Wohnung geleitet und dort mit dem Lied „So nimm denn meine Hände" verabschiedet wird, so ist der Anlaß ein im wesentlichen weltlicher, der Anstoß zur Wahl des Liedes wahrscheinlich ein kontrafaktisches Verständnis der Eingangszeilen, das Lied als Ganzes aber eben doch religiös geprägt.

Die gängige Bezeichnung „historisches Lied", für die man korrekter Historienlied oder Ereignislied sagen müßte, bezieht sich auf die *Erzählform;* auf der gleichen Ebene liegen Bezeichnungen wie Sagenlied, Schwanklied, Lügen(märchen)lied, Legendenlied, aber auch Rätsellied. Der Terminus Kriegslied charakterisiert den *Inhalt* näher; andere geläufige Inhalte sind etwa Liebe, Tod, Heimat, Abschied, Wanderschaft. Die zuletzt genannten Themenkreise verweisen dabei vielfach in das Zwischenland zwischen epischer und lyrischer Behandlung. Andere Inhaltshinweise bezeichnen oft gleichzeitig die dominierenden *Träger-gruppen;* die sogenannten Ständelieder beispielsweise schildern nicht nur Wesen und Tätigkeit eines bestimmten Berufsstandes, sondern sind im allgemeinen Demonstrationen des Selbstverständnisses — das heißt, sie werden oder wurden in erster Linie von Angehörigen des betreffenden Berufsstandes, etwa von der entsprechenden Zunft, gesungen. Allerdings sind die Seemannslieder keineswegs auf den Kreis singender Seeleute eingeschränkt, und andererseits bezieht sich das Liedgut, das man verschiedenen Berufen oder Berufsgruppen zuweisen kann, keineswegs immer auf die spezifische Tätigkeit. Dies ist fast nur bei einem so umfassenden und alten Beruf wie dem der Bergleute der Fall. Die imponierend umfangreiche und vielfältige Sammlung von GERHARD HEILFURTH[5] gibt einen Eindruck von der mannigfaltigen, teils vordergründigen und teils

---

[4] HERMANN PETRICH: Unser geistliches Volkslied. Gütersloh 1920, S. 6.
[5] Das Bergmannslied.

metaphorischen Einbeziehung von bergmännischen Arbeitsvorgängen in das Bergmannslied. Soldatenlieder handeln — wenn man den Ausdruck in der üblichen Weise auf die Sänger, die „Liedträger" bezieht — keineswegs nur von Soldaten, sondern auch von vielem anderen. Allerdings tauchen am Liedträger orientierte Termini — sieht man einmal von allgemeineren Bezeichnungen wie „Gesangvereinslied" ab — meistens nur dort auf, wo die soziologische Zuweisung nicht die einzige Determinante ist, sondern wo entweder ein bestimmter *Gegenstand* im Vordergrund steht wie der Klassenkampf im Arbeiterlied, oder wo eine häufig wiederkehrende *Situation* das Lied mitcharakterisiert wie der Marsch beim Soldatenlied.

Alle diese Zusammenhänge und Übergänge lassen es verständlich erscheinen, daß im Alltagsgebrauch und auch in der Gliederung von Sammlungen verschiedenartige Begriffe nebeneinandergestellt werden; zumindest theoretisch-systematisch sollten aber die verschiedenen kategorialen Bereiche getrennt werden. So ist beispielsweise die Verwechslung oder auch nur Vermischung von *Arbeiterlied* [6] und *Arbeitslied* [7] bedenklich. Beim Arbeiterlied handelt es sich um das Lied einer bestimmten sozialen ‚Klasse' und mit typischen Inhalten, beim Arbeitslied um das bei bestimmten Arbeiten gesungene Lied, dessen spezielle Aufgabe und Leistung schon bei der Skizzierung der „Rhythmusformeln" angedeutet wurde. Hier handelt es sich also, genau wie beim Marsch um eine *funktionelle* Bestimmung, und dies ist ein weiterer Bereich, in dem zahlreiche gängige Liedbezeichnungen zuhause sind. Hierher gehört das Ansingelied und überhaupt das brauchgebundene Lied, das Tanzlied, das Spiellied, das gesellige oder Gesellschafts-Lied.

Noch einmal freilich sei es gesagt: eindeutig gebraucht wird kaum einer von diesen Begriffen. In der tschechischen Folkloristik beispielsweise versteht man unter „Gesellschaftslied" im Anschluß an ältere deutsche Terminologien das Lied, das die typische „Ausdrucksform der bürgerlichen Klasse" bildet. Davon wird auf der einen Seite das „Arbeiterlied" als „Ausdrucksform des klassenbewußten Proletariats", auf der anderen Seite das „Volkslied" abgesetzt: dieses gilt als Lied des Volkes „in der traditionellen Fassung des Begriffs", also als Lied der einstigen Landbevölkerung. Diese Einteilung VACLAV PLETKAS[8] orientiert sich

---

[6] WOLFGANG STEINITZ: Arbeiterlied und Arbeiterkultur. In: Beiträge z. Musikwiss., Jg. 1964, H. 4, S. 279—288.

[7] J. SCHOPP: Das deutsche Arbeitslied.

[8] Zur Methodik, S. 395.

nicht nur an der sozialen Großwetterlage, sondern indirekt auch an *Zeit*schichten, und sie zeigt so eine weitere Einteilungskategorie. Zudem handelt es sich hier um einen der zahlreichen Versuche, den schillernden Begriff Volkslied durch Reduktion genauer zu bestimmen. Durchgesetzt hat sich der Vorschlag allerdings nicht. WOLFGANG STEINITZ verteidigte den Begriff des „Arbeitervolkslieds", worunter er das „folklorisierte", also primär mündlich tradierte Arbeiterlied versteht.[9]

B. Bestimmung

Die verwirrende Buntheit und Vielfalt des Volksgesangs läßt die Suche nach dem „eigentlichen" Volkslied ebenso verständlich erscheinen wie die zahllosen Versuche, *den* Stil *des* Volksliedes zu bestimmen. Schon die andeutende Aufzählung der verschiedenen Formen und auch Stillagen macht klar, daß diese Versuche um so eher zum Scheitern verurteilt sind, je detaillierter sie sich festlegen. Lediglich einige dominante *stilistische Tendenzen* lassen sich herausstellen. Dies soll auch hier geschehen, und zwar nicht im Anschluß an ein einzelnes Volkslied, sondern an eine Volkslied*parodie*. Die Sammlung „Des Knaben Wunderhorn", die ARNIM und BRENTANO in den Jahren 1806 bis 1808 veröffentlichten, fand keineswegs ein einhellig günstiges Echo. Strengerer historischer Sinn tadelte die Eingriffe der Herausgeber; die Konturen der späteren Auseinandersetzung zwischen ARNIM und JACOB GRIMM wurden hier schon vorgezeichnet. JOHANN HEINRICH VOSS nannte das Wunderhorn in einer Rezension von 1808 einen „heillosen Mischmasch von allerlei butzigen, trutzigen, schmutzigen, nichtsnutzigen Gassenhauern, samt einigen abgestandenen Kirchenhauern"[10]; und FRIEDRICH SCHLEGEL fügte im gleichen Jahr unter seine parodistischen „Proben der neuesten Poesie" das folgende „Altdeutsche Volkslied"[11]:

> Es gehen zwey Butzemänner im Reich herum;
> Mit der kleinen Kilikeia, mit der großen Kumkum.
>
> Der eine klimpert um den Brey herum;
> Bidibum auf der Trumm, bidibu, bidibum.
>
> Der andre schaut sich nach den Fräulein um;
> Mit der kleinen Kilikeia, mit der großen Kumkum.

9 Arbeiterlied und Volkslied.
10 Morgenblatt vom 25./26. Nov. 1808. Vgl. LUTZ MACKENSENs Nachwort zu J. GÖRRES: Die teutschen Volksbücher. Berlin 1925, S. 342.
11 Sämmtliche Werke, 9. Bd. Wien 1823, S. 52 f.

Sie drehen sich beyde recht artig herum;
Bidibum, bidibum.

Gute Nacht, Butzemänner, dreht euch weiter um!
Mit der kleinen Kilikeia, mit der großen Kumkum.

Wer hat dieß feine Liedlein gemacht?
Es kamen entlang drey Enten den Bach,
Die haben dieß feine Liedlein erdacht usw.

Spätestens bei den drei letzten Verszeilen wird klar, daß es sich um
eine karikierende Parodie handelt. Daß sie jedoch gar nicht so sehr
verzerrt, wie man auf den ersten Blick glauben möchte, erweist schon
eine flüchtige Durchsicht der Sammlungen, wo man immer wieder auf
Sinnentstellungen, Fehler, *Widersprüche* stößt. Sie setzen sich zum Teil
dort fest, wo archaische Wörter oder Konstruktionen nicht mehr verstanden wurden; zum Teil handelt es sich freilich auch um das Ergebnis
simpler Hörfehler, manchmal um den nicht immer gelungenen Versuch
der Anpassung fremder Stoffe an die eigene Vorstellung und das
eigene Milieu: das oft zitierte Beispiel dafür ist die Verwandlung
der Verszeile „Auch wenn des Nachts die Elfen weben", die schließlich
endet in der Formulierung „Des Nachts, wenn ihre Eltern schliefen".[12]
Die Textänderungen werden dadurch erleichtert, daß der Text ganz
offensichtlich im Gesang keineswegs voll realisiert wird; wo der Reim
oder geläufigere Assoziationen eine Verschiebung nahelegen, tritt ihr
kein logisches Bewußtsein des Sinnes entgegen. Ja mehr noch, nicht
einmal das einzelne Wort braucht sich als Sinneinheit darzustellen —
ein Befund, der durch die Sammler meistens verwischt wird, der aber
eine gewisse Parallele zum „dirty play" bildet, das nach HOERBURGER
nicht nur den Jazz, sondern fast jegliche ‚musica vulgaris' charakterisiert.[13] Man hat diesen ganzen Vorgang im Begriff des *„Zersingens"*
zusammengefaßt, den erstmals GÖRRES 1831 in seinem Nachruf auf
ARNIM verwendete[14], und den RENATA DESSAUER zum Gegenstand einer
eingehenden Untersuchung machte.[15] Die negative Fassung dieses Merk-
mals ist freilich immer wieder kritisiert worden; Gegenbegriffe wie
„Umsingen" oder „Zurechtsingen" sollten die adaptive Kraft des
Prozesses betonen, der zwischen nur individuellen Hörfehlern und der
bewußten kunstmäßigen Variation liegt, und der gerade die Lebendig-

---

[12] Vgl. z. B. A. GÖTZE: Das deutsche Volkslied, S. 38.
[13] Musica vulgaris, S. 46—52.
[14] Vgl. LUTZ MACKENSENS Nachwort zu GÖRRES, S. 333.
[15] Das Zersingen.

keit der Überlieferung beweist: mündlich tradiertes Liedgut existiert grundsätzlich als Variante, die *„Variabilität"* — zuletzt von STEINITZ[16] und STROBACH[17] hervorgehoben — ist das positive Merkmal des Volksliedes. Man wird beide Aspekte zusammenfassen müssen. Versteht man ein Lied primär als Variante und damit als Übergangsform, so gehören zum Gesamtbild auch die anderen vorhandenen oder auch möglichen Varianten; an die Stelle der Stilbeschreibung tritt im Sinne MAX ITTENBACHS ein „Bild des Volkslieds".[18] Konzentriert man sich auf die einzelne Fassung als das je Gegebene, so wird man das Manko auch dann als solches registrieren dürfen, wenn man sich nicht auf rein ästhetische Betrachtung kapriziert. Die „Mischung heterogener Stilmomente ohne gestalterischen Ausgleich", die WALTER WIORA herausstellt[19], läßt sich am Text ebenso nachweisen wie an der Melodie.

Allerdings hängt damit ein zweites Merkmal zusammen, das fast immer in die Perspektive positiver Betrachtung gerückt wird: der schon von GOETHE in seiner Besprechung des Wunderhorns gerühmte, vom „Drang einer tiefen Anschauung" geforderte „Lakonismus"[20], der *Fragmentstil*, der auf logische Entfaltung verzichtet und in kühnen Sprüngen Bilder nebeneinanderstellt. In FRIEDRICH SCHLEGELS Parodie wird das Unstimmige, das Dekomponierte und damit Nichtssagende der einzelnen Bilder betont; aber selbst angesichts dieses karikierten Textes wäre noch die Charakteristik möglich, die der Bruder AUGUST WILHELM SCHLEGEL in der Wendung vom „ahndungsvollen Unzusammenhang" gegeben hatte.[21] Eine Reihe sinnlicher Impressionen wird hingeworfen; aber dieser andeutende Stil, die flüchtige Skizze gibt der Phantasie Spielraum und ist in gewisser Weise eo ipso ,poetischer' als jegliche diskursive Entwicklung des Sinnes.

Dabei spielt freilich ein drittes Merkmal eine ausgleichende Rolle: die Lieder enthalten eine ganze Reihe von Elementen der *Wiederholung*. In SCHLEGELS Parodie sind auch diese Elemente karikiert; die ermüdend wiederholten Klangmalereien, die vielleicht auch ganz speziell die romantische Dichtung BRENTANOS aufs Korn nehmen, wecken Assoziationen, aber führen sie ins Leere. Wiederum jedoch werden hinter der

---

[16] Arbeiterlied und Volkslied, S. 8.
[17] Variabilität.
[18] Mehrgesetzlichkeit, S. 27—30.
[19] Das echte Volkslied, S. 52.
[20] Jenaische Literaturzeitung Jg. 1806, Nr. 18, S. 137 f.; zit. in: Des Knaben Wunderhorn. dtv 1963, 3. Bd. S. 263.
[21] BÜRGER, S. 72.

Karikatur die positiven Möglichkeiten der Wiederholung sichtbar, die als Gegenprinzip der Variabilität fungiert und zugleich die Fragmente nicht auseinanderfallen läßt. Zu den Elementen der Wiederholung gehört die erstaunliche Konstanz von Motiven und Motivverknüpfungen — auch beim Lied stellt sich die Frage der „Affinität"! —, gehören stereotype Wendungen, aber auch Momente des musikalischen und textlichen Aufbaus. Die Bevorzugung der Strophe ist auffallend; nur ältere Balladen und Kinderlieder sind häufiger stichisch geformt. Der Kehrreim, der zum Teil auf den Wechselgesang zwischen Vorsänger und Chor zurückgeht[22], potenziert das Prinzip der Wiederholung. „Der Schein des Bekannten", der im 18. Jahrhundert von den Musiktheoretikern für Lieder „im Volkston" gefordert wurde[23], wird hier also nicht von außen herangetragen, sondern bildet ein strukturelles Moment innerhalb jedes einzelnen Liedes.

Was so herausgestellt wird, liefert allerdings keine ausschließenden Merkmale — weder in dem Sinn, daß sie *nur* für das Volkslied zuträfen, noch in dem Sinn, daß schlechthin *jedes* Volkslied *alle* diese Merkmale aufweisen müßte. So erübrigt diese Charakteristik nicht die Frage, was nun eigentlich unter einem ‚Volkslied‘ zu verstehen sei. Und sie taucht im allgemeinen zwangsläufig auch dort auf, wo sie zunächst abgeschnitten scheint. Wo der Rahmen bewußt weit gehalten und der gesamte ‚Volksgesang‘ zum Gegenstand gemacht wird, da erweist sich doch rasch eine genauere Lokalisierung *innerhalb* des Rahmens als notwendig; und wenn die sogenannte ‚Volkläufigkeit‘ zum wesentlichen Kriterium gemacht wird, so erledigt auch dies nicht die Fragen der Abgrenzung. Daß so auch der *Schlager* ins Blickfeld kommt, spricht nicht gegen dieses Kriterium, denn in der Tat sollte er aus der Betrachtung nicht ganz ausgeschlossen werden; daß aber vom Schlager gesprochen wird, beweist, daß die Probleme durch die liberale Kennmarke „Volkläufigkeit" lediglich in den Binnenraum verlegt werden — es geht dann eben um Gliederung im Innern und nicht um Grenzziehung nach außen.

Tatsächlich wurde das scheinbar so neutrale Kennzeichen der *Volkläufigkeit* deshalb auch fast immer stillschweigend oder ausdrücklich mit anderen Kennzeichen kombiniert. Vor allem „eine gewisse Zähigkeit,

[22] W. SUPPAN: Volkslied, S. 26.
[23] GOTTFRIED WEISSERT: Das Mildheimische Liederbuch. Studien zur volkspädagogischen Literatur der Aufklärung (= Volksleben, 15. Bd.). Tübingen 1966, S. 106 f.

eine gewisse Dauer" wurde beispielsweise durch KARL REUSCHEL vom Volkslied gefordert[24], und auch ALFRED GÖTZE und andere übernahmen dieses Merkmal der *„Langlebigkeit"* als das einzige, „das die Abgrenzung vom Gassenhauer wirklich sichert".[25] Eine Konsequenz dieser Festlegung ist, daß über einen längeren Zeitraum hinweg populäre Opernmelodien dann vorbehaltlos als Volkslied angesprochen werden müssen, und daß auch die Gattung des *Evergreen,* die man typologisch doch eher in der Nähe des Schlagers sucht, schon per definitionem zu den Volksliedern zählte. Darüber hinaus stellt sich die Frage, wie in diesem Zusammenhang die modernen Möglichkeiten der Konservierung behandelt werden sollen, und wie es sich mit Fällen verhält, bei denen man es nicht mit kontinuierlicher Langlebigkeit, sondern mit einer Erneuerung über weite Distanzen hinweg zu tun hat.

Scheinbar werden solche Einwände pariert durch eine andere Bedingung, die ebenfalls verschiedentlich hervorgehoben wird: die *Spontaneität* des Singens. Das eigentliche Volksliedsingen geht demnach „unbeeinflußt" vonstatten, es geschieht „ohne alle Organisation und alle Bewußtheit", wie FRANZ GÖTTING sagt.[26] Doch ist es auffallend, daß im Zeichen dieser Absage an das Organisierte vielfach die Pflege des Volkslieds gefördert — und man kann ebensogut sagen: *organisiert* wurde. Die oft ausgespielte Opposition zwischen dem „Organischen" und der „Organisation" verabsolutiert einen graduellen Unterschied, und zumal in unserer durchorganisierten Gegenwart — dieses Wort keineswegs eng genommen — bleibt völlige Spontaneität meistens Fiktion. Äußerlicher und eben deshalb genauer zu fassen und sicherer scheint ein anderes Zusatzmerkmal: die *Anonymität* des Volksliedes. Aber ALFRED GÖTZE bringt als legitimes Beispiel für ein neues geistliches Volkslied die präzise nachgezeichnete Entstehungsgeschichte von „Stille Nacht", in der Dichter und Komponist keineswegs namenlos bleiben — und dieses Beispiel ist zumindest für die neuere, „geschichtlich geweckte" Zeit charakteristisch.[27] So sagt GÖTZE in seiner Definition des Volksliedes auch nur, „daß, wer es singt, vom individuellen Anrecht eines Urhebers an Wort und Weise nichts empfindet".[28] Dies entspricht dem von JOHN MEIER herausgestellten *„Herrenrecht"* über das Volkslied[29],

---

[24] Volkskundliche Streifzüge, S. 54 f.

[25] A. GÖTZE: Das deutsche Volkslied, S. 26 f.

[26] Das Volkslied, S. 366.

[27] Das deutsche Volkslied, S. 110.

[28] Ebd. S. 29.

[29] Kunstlieder im Volksmunde.

und es berührt sich mit Merkmalen, die ganz allgemein für ‚Folklore‘ herausgearbeitet wurden: mündliche Tradition, die nicht durch schriftlich fixierte Fassungen, sondern durch eigene Normen kontrolliert wird. Aber wiederum trifft diese Kennzeichnung in der neuesten Zeit nur noch für wenige Lieder und Traditionswege zu, und auch schon in früheren Jahrhunderten wurde das Liedgut durch erste Sammlungen und durch Liedflugblätter häufig geprägt und beeinflußt. Und andererseits spiegeln Liedersammlungen des späten Mittelalters in den zahlreichen Änderungen, die sie von Auflage zu Auflage erfahren, den mündlichen Tradierungsprozeß auch dort, wo es sich nicht um ‚grundschichtliches‘ Liedgut handelt, wo man also nur mit beträchtlicher Unschärferelation von Volksliedern sprechen kann[30]: „Der Gestaltwandel", wie WIORA sich ausdrückt, herrschte damals also auch „noch außerhalb des Volksliedes".[31]

Mit der Bedingung der Spontaneität berührt sich die ebenfalls häufig gemachte Voraussetzung, daß das Volkslied nur in einer ‚Gemeinschaft‘ lebt, und daß es im Grunde nicht auf seinen Gehalt ankommt, sondern auf seine „zeichenhafte" *Funktion* in dieser *Gemeinschaft*. Diesen methodischen Ansatz hat JULIUS SCHWIETERING herausgearbeitet[32]; MARTHA BRINGEMEIER hat in seinem Sinn die Singgemeinschaft eines Dorfes untersucht.[33] An diesen Forschungen wurde jedoch nicht nur kritisiert, daß sie zwangsläufig etwas pädagogisch stilisiert sind — schon der Begriff Gemeinschaft spielt wiederum das Gewachsene gegen die Organisation aus —; HANS MERSMANN wies darauf hin, daß das Volkslied ja auch „als Lebensäußerung des Einzelnen" verstanden werden könne.[34] Dieser Einwand läßt sich neutralisieren durch den Hinweis, daß der Einzelne im elementaren Verband eines alten Dorfes auch noch in völliger Isolation an dessen Gemeinschaft gebunden sei; selbst das Lied, das ein Einzelner allein vor sich hinsummt, sei insofern von der Gemeinschaft getragen. Aber dieser Vorstellung von Gemeinschaft, in der sich jeglicher individuelle Zug auflöst, haftet doch möglicherweise zu viel Primitivität an, und der Begriff der *Bindung* erweist sich als besonders manipulierbar.

[30] HANNS FISCHER: Probleme und Aufgaben der Literaturforschung zum deutschen Spätmittelalter. In: GRM, 9. Bd. 1959, S. 223 f. fordert Verzicht auf die Bezeichnung „Volkslied" bei mittelalterlichen Texten.
[31] Zur Lage, S. 206.
[32] Das Volkslied als Gemeinschaftslied.
[33] Gemeinschaft und Volkslied.
[34] Volkslied und Gegenwart. Potsdam 1937, S. 74.

Ähnlich wie beim Volksschauspiel fordert insbesondere Leopold Schmidt dieses Merkmal der Bindung auch vom Volkslied. Darunter versteht er zum Teil die „funktionelle Stellung des Liedgutes im Brauchzusammenhang", seine „Einbindung ... in die brauchmäßigen Zusammenhänge".[35] Das *Brauchtumslied* steht so im Zentrum seiner Volksliedbetrachtung. Nun schließen sich tatsächlich vielen Kalenderbräuchen bestimmte Lieder an, die dem Brauch entweder schon ursprünglich zugeordnet oder ihm sekundär adaptiert wurden; das letztere wird möglicherweise bewiesen durch die kontrafaktische Beziehung zwischen „Anklopfliedern" der Adventszeit und weltlichen „Gaßlreimen", wie sie beim Kiltgang der jungen Burschen gesungen wurden. Dies ist ein zweiter Bereich des Brauchtumsliedes: die Entwicklungsstufen und vor allem die festlichen Stationen des Lebenslaufs bis hin zum Begräbnis werden ebenfalls von zahlreichen Gesängen begleitet. Aber damit ist doch nur ein kleiner Teil des gesamten Liedguts erfaßt. Leopold Schmidt schließt die Arbeitslieder an; auch hier sieht er Bindung als „unverlierbares Merkmal", und zwar „die Bindung an Handlungen".[36] Von dieser Gruppe des Volksgesangs setzt er „das weniger oder nicht gebundene Gesellschaftslied" ab[37], wobei er jedoch betont, daß darunter viel „freigewordenes" Liedgut ist, und daß insbesondere die Ballade als freigewordenes Tanzlied anzusehen ist.[38] Hier wird Bindung nicht nur lediglich als historisch-genetisches Merkmal gefaßt; es handelt sich auch wieder um eine ganz andere Art funktionaler Bindung, die entgegen den Absichten Schmidts auch den modernen Tanzschlager in den Bereich des Volksliedes rücken würde.

Hier wird deutlich, daß im Begriff der Bindung entweder schon zusätzliche Normen impliziert sind, oder daß er einer gefährlichen *Beliebigkeit* der Auslegung offensteht. Schon Bezeichnungen wie Traditionsbindung und Gemeinschaftsbindung geben dem Begriff im Grunde jene Verfügbarkeit, gegen die er sich wenden sollte; und auch mit dem *Stammlichen* oder *Nationalen* läßt sich im Sinne einer Bindung operieren. Daß gerade dies im Dritten Reich zu manchmal gewaltsamen Verbiegungen führte, liegt auf der Hand. Das Lied von der Nachtigall

---

[35] Volksliedforschung in unserer Zeit. In: Österr. Musikzeitschrift, 20. Jg. 1965, S. 509—521; hier S. 514.

[36] Der Volksliedbegriff, S. 75.

[37] Volksliedlandschaft Niederösterreich. Versuch einer kritischen Darstellung. In: Südostdt. Forschungen, 2. Bd. München 1937, S. 258—307; hier S. 261 f.

[38] Der Volksliedbegriff, S. 75.

oder vom „Schloß in Österreich" — um wenigstens ein konkretes Beispiel anzuführen — bezog seinen Text nach JOHN MEIERS Forschungen aus einem „internationalen Novellenstoff"; nunmehr aber wurde eine „sehr viel ältere Urform" konstruiert, die „ein kerndeutsches Lied" als „Ausdruck einer urdeutschen Weltanschauung" darstellte.[39] Daß solche Fabulate die Frage nach nationalen oder landschaftlichen Stilen zwar pervertierten, aber nicht erledigten, braucht kaum betont zu werden; diese Frage ist auch seither immer wieder gestellt und vor allem in ihrem musikalischen Teil verschiedentlich recht differenziert beantwortet worden. Sie drängt sich schon durch den Begriff des Volkslieds immer wieder auf; ja selbst der scheinbar so neutrale Begriff der Volkläufigkeit wurde keineswegs immer im Sinn einer undifferenzierten Popularität verstanden, sondern oft auch im Sinne nationaler Eigenheit. KURT HUBER wandte sich gegen die Definition des Volksliedes aus einem vordergründigen soziologisch-volkskundlichen Tatbestand; er forderte demgegenüber die „volksmusikalische Wesensforschung"[40] und sah in der Volkläufigkeit bestimmter Lieder lediglich den „Ausfluß, die äußere Bestätigung ihrer Volkhaftigkeit".[41] KURT HUBER erörterte dies einerseits an wohlfeiler nationalsozialistischer Marschmusik; andererseits gab er, der 1943 als Widerstandskämpfer zum Tode verurteilt wurde, aber auch genaue Einblicke in das Wechselverhältnis zwischen dem individuellen künstlerischen Schaffen großer Komponisten und dem jeweiligen landschaftlichen Stil. Jedenfalls trugen seine Arbeiten dazu bei, an die Stelle schlagwortartiger Vereinfachungen den Versuch sorgfältiger Wesensschau und die Forderung differenzierter Analyse zu rücken.

Als WALTER WIORA nach dem Kriege die vorausgegangene Forschung resümierte, wandte er sich in erster Linie gegen die „einseitigen Ansichten von einem mehrseitigen Sachverhalt".[42] Er definierte Volkslied als *„ein Eigengut des Volkes"*, gliederte aber den Rahmenbegriff „in drei Arten: 1. das im Volke selbst entstandene, genuine Volkslied, 2. das vom Volke als Eigentum behandelte und ihm vertraute, das heimische Lied, 3. das Lied, das der Eigenart der Grundschichten rechten Aus-

---

[39] SELMA HIRSCH: Das Volkslied von der Nachtigall — eine weltanschauliche Dichtung. In: Zs. f. dt. Philol. 62. Jg. 1937, S. 129—137; hier S. 133 Anm. 11.
[40] Die volkskundliche Methode, S. 271.
[41] Ebd. S. 264.
[42] Der Untergang des Volkslieds, S. 10.
[43] Das echte Volkslied, S. 39.

druck gibt".[43] Die in mancher Hinsicht freilich auch wieder verschleiernde Charakterisierung mit dem „Eigenen" schließt, da sich das Eigene wandeln kann, die Möglichkeit geschichtlicher Veränderungen und Entwicklungen ein. Für WIORA, dem der Blick in die musikalische Praxis der europäischen Frühzeit ebenso offensteht wie der in weite ethnographische Vergleichsräume, handelt es sich im wesentlichen um eine absteigende Bewegung, die eben durch die Reihe „Eigenwuchs, Eigentum, Eigenart" bezeichnet wird; die „Stufenleiter des produktiven Anteils" wird zwar überwiegend theoretisch-systematisch beschrieben, aber praktisch doch als absteigende Stufenleiter verstanden: ihr entsprechen „geschichtliche Prozesse fortschreitender Unproduktivität und Enteignung des Volkes bis zu einem Grenzstadium, wo Masse ohne Eigenart nur noch nachzusingen hat, was ihr durch Schulung und Propaganda auferlegt wird".[44] Kategorial etwas anders gefaßt, aber durchaus parallel läuft die Unterscheidung zwischen „dem heimisch-wurzelhaften Volksliede", dem geschäftsmäßig vorgetragenen „Marktlied" und dem „wurzellosen Straßenliede".[45] Diese Reihe beschwört eine vom Volkslied wegführende *Degeneration,* der zudem eine Degeneration *innerhalb* des Volksliedes zu entsprechen scheint.

C. „Verfälschung"

Ein junger Mann in einem Dorf sagte mir auf die Frage, was bei einer bestimmten Gelegenheit gesungen werde: „Volkslieder und Liebeslieder", und er erläuterte die Unterscheidung: Liebeslieder seien lustige Lieder, Volkslieder dagegen *traurig.* Diese Bemerkung läßt sich schon deshalb nicht für ein System ausschlachten, weil es viele traurige Liebeslieder gibt; aber sie ist doch auch nicht belanglos. Sie deutet die allgemeine Richtung an, in der schon geraume Zeit „Volkslied" gesucht und festgelegt wird. Im Jahr 1910 veröffentlichte der Lehrer HEINRICH WEBER einen Aufsatz über den Liederschatz seines hessischen Schulorts. Darin lobte er, daß sogar ursprüngliche Couplets „durch den Mund des Volkes geadelt" würden[46], und er belegte dies mit dem „Koloniallied" vom „Negerliebchen".[47] Dieses Lied beginnt in der dörflichen Fassung mit

---

[44] Ebd. S. 40.

[45] Ebd. S. 49.

[46] Die Storndorfer Volkslieder. Der Liederschatz eines Vogelsberger Dorfes. In: Hess. Bl. f. Vk. 9. Bd. 1910, S. 1—125; hier S. 3.

[47] Ebd. S. 120 f.

dem heiteren Bekenntnis der Liebe zu den sonngebräunten Schwarzen
in Afrika, nimmt dann aber einen schwermütigen Ton an:

> Ich sitze an Vaterlands Haine
> Und denk der Vergangenheit nach,
> Vielleicht ist mein Liebchen alleine
> Und ruft aus dem Busche mir nach.

Und es endet mit dem kehrreimartigen „Triller":

> Komm, meine liebe Laura,
> Setz dich aufs Sofa,
> Komm, meine liebe Laura,
> Laura zu mir.

Der Sammler sagt von dieser Fassung, aus dem Couplet sei „ein richtiges
Volkslied geworden, das ganz auf den Ton eines sehnsüchtigen Liebesliedes gestimmt ist"[48] — daß er dabei möglicherweise vor allem von
der Melodie ausgeht, ist seinem Urteil zugute zu halten. Dieses Urteil
ist aber nur die etwas groteske Steigerung einer fast allgemeinen Über-
einkunft, nach der gefühlvolle Partien, nach der in erster Linie Trauer
und Sehnsucht das Volkslied charakterisieren. Auf anderem, unver-
dächtigem Niveau bezeugt dies GOTTFRIED BENN, der in seiner Büchner-
rede von 1951 über das Drama „Woyzeck" sagte, es erscheine heute „wie
ein Volkslied mit dem Gram der Herzen und der Trauer aller."[49]
Diese Auffassung ist Folge und Ausdruck einer kaum zu überschätzenden
Sentimentalisierung des Volksliedes und des Volksliedbegriffs, deren
komplizierte Geschichte wohl deshalb noch nicht geschrieben ist, weil
die Volksliedforschung entweder im Banne dieser Sentimentalisierung
stand oder aber sich betont und gewissermaßen ruckartig davon zu lösen
suchte. Fest steht, daß es sich dabei um einen allmählichen Prozeß
handelte, der eng mit der geistesgeschichtlichen Gesamtentwicklung
verbunden ist, dem aber mit den allzu runden Scheidemünzen der
Geistesgeschichte — wie zum Beispiel: Gefühlskult als säkularisiertes
Erbe des Pietismus — nicht ganz beizukommen ist. Man wird zunächst
phänomenologisch vorgehen müssen. Es zeigt sich, daß die Anzeichen
für die Sentimentalisierung sich mehren im Umkreis eben jener Bestrebungen, die Lieder *im Volkston* produzieren wollten, also im
Umkreis jener Generation von Dichtern und Musikern, von der sich
HERDER und die Romantiker absetzten, obgleich beispielsweise ARNIM in

48 Ebd. S. 3.
49 Reden. München 1955, S. 61.

der Vorrede zum Wunderhorn für JOHANN ABRAHAM PETER SCHULZ Worte freundlicher Würdigung findet. In diesem Zusammenhang schreibt ARNIM sogar, SCHULZENS Lieder hätten sich wie GELLERTS Verse „gegen das damalige Streben zu Krankheit und Vernichtung" — und hier fügt er erklärend hinzu: gegen „die Sentimentalität" gewandt.[50] Ihm war nur die Stellungnahme nicht entschieden genug — und in der Tat handelte es sich für jene künstlerische Generation ja um den *Schein* der Simplizität, wobei eine klassizistische Komponente mitwirkte, um ein Rollenspiel, um die letztlich doch distanzierte Anteilnahme am Einfachen, wie sie selbst noch in SCHILLERS relativ kühlem Entwurf „sentimentalischer" Dichtung nachwirkt. Die neue Generation forderte dagegen die volle *Identifikation,* anstelle des Volkstons das Schaffen aus dem Zentrum des rastlos tätigen und in der Substanz unveränderlichen Volksgeistes. Es ist kein Zufall, daß diese Forderung von Anfang an mit dem *Genie*begriff verbunden ist: nur kraftvollste Virtuosität vermochte den Graben zu überspringen. Im Schatten des Genialen aber breitete sich ungehemmter die Sentimentalität aus; das Pathos der Schöpferkraft, die Stilisierung auf Natur und den Höhenflug des Gefühls vermochten nur wenige, und auch sie nur zeitweilig, auszuhalten. Eine genaue Untersuchung dieser Entwicklungsphase wird wohl das paradoxe Ergebnis zutage fördern, daß keine andere Bewegung der Ausbreitung des Sentimentalen stärker vorgearbeitet hat als eben die, welche den Kampf gegen falsche Sentimentalität auf ihre Fahnen geschrieben hatte.

Tatsache ist jedenfalls, daß sich im Verlauf des 19. Jahrhunderts jene gefühligen Weisen und Texte verbreiten, welche dem gängigen Volksliedbegriff fortan das Gepräge geben. Nun ist es gewiß kein Gebot für die Wissenschaft, daß sie sich solchen gängigen Begriffen unterwirft, und so wurde verschiedentlich der Versuch gemacht, die Sentimentalisierung insgesamt als einen Prozeß der *Verfälschung* zu klassifizieren und davon das *eigentliche* Volkslied abzurücken. Dieser Versuch berief sich jedoch zum großen Teil auf die Argumente und Bekenntnisse romantischer Volksliedbegeisterung; insofern stand er selber wiederum in dem beschriebenen Zirkel. Beachtlicher ist der Ansatz, der auf einen Bereich des Volksgesangs verweist, der von aller ‚falschen' Sentimentalität frei zu sein scheint: die teilweise improvisierten, meist kürzeren Lieder, in denen die Erscheinungen des menschlichen Lebens mit aggressivem

[50] Von Volksliedern. In: Des Knaben Wunderhorn. dtv 1963, 3. Bd. S. 233.

Spott oder in freundlicher Ironie besungen werden. Solche *Vierzeiler*, die zum Teil beim Tanz — möglicherweise ursprünglich als integrative Vokalbegleitung — oder in den Tanzpausen intoniert wurden, kannten viele deutsche Landschaften unter Bezeichnungen wie *Runda, Schelmenliedlein, Schandlieder, Stückl;* am bekanntesten ist das alpine *Schnaderhüpfl* [51], und im alpinen Gebiet liegt auch das eigentliche Zentrum dieser Lieder. Aktuelle Ereignisse werden darin ebenso glossiert wie die Konstanten des menschlichen Lebens; die Ortsneckerei spielt neben dem unmittelbaren persönlichen Spott eine wichtige Rolle. Die Berufung auf diese „Gstanzln" als besonders echte Volkslieder liegt schon insofern nahe, als sie — wenn auch der mittelbare Einfluß künstlerischer Scherzreime nicht unterschätzt werden darf — tatsächlich vielfach *autonome* Schöpfungen des kleinen Mannes und nicht etwa „Kunstlieder im Volksmunde" sind. Die entschiedene Abkehr vom sentimentalen Liedgut deckt sich deshalb teilweise mit der „Produktionstheorie", die der Österreicher JOSEPH POMMER der Rezeptionstheorie JOHN MEIERS entgegenstellte.

Viele landschaftliche Sammlungen vermitteln nur einen unzulänglichen Eindruck vom Ausmaß und Gewicht dieser Liedlein, da die Sammler sie vielfach vernachlässigten — wegen ihres oft recht unverblümten erotischen Inhalts, oder weil sie in sich selbst, losgelöst von der besonderen Singgelegenheit, keinen Wert zu haben schienen. Der Sinn vieler Sammler stand nach „schönen" Liedern, und so ignorierten sie oft auch eine andere Erscheinung des Volksgesangs, die auf der gleichen Linie liegt. Vielen Liedern wurden nämlich am Schluß jeder Strophe oder ganz am Ende einige Verse *angehängt*, die nur zum kleinen Teil die Stimmung des „Führungsliedes" beibehielten, im allgemeinen dagegen in ironischem Kontrast dazu standen. Der „Triller" des angeführten hessischen Beispiels bildet keineswegs eine Ausnahme; der Gebrauch solcher „*Anbinder*" war weit verbreitet, und das vorhandene Material vermittelt den Eindruck, daß solche Anbinder als Pendants und Kontraststücke zu besonders sentimentalen Liedern gehörten.[52] Nicht selten steigert sich das ‚Gegen-Stück' zur regelrechten *Parodie*, in welcher der bekannten Melodie ein neuer Text unterlegt wird; der alte Text wird dabei automatisch mitgedacht, so daß auch hier das Spannungs-

---

[51] WAYLAND D. HAND: The Schnaderhüpfel: An Alpine Folk Lyric. Diss. Chicago/Ill. 1936.

[52] HERMANN BAUSINGER: Volkskultur in der technischen Welt. Stuttgart 1961, S. 156—160.

verhältnis bewahrt wird. Allerdings kommt es auch vor, daß durch das Auftauchen einer Parodie die Vorlage verdrängt wird; JOHANNES KOEPP hat darauf am Beispiel des Großstadtliedes hingewiesen.[53]

Mit all dem könnte sich bestätigt sehen, wer in solchen Gesängen voll naiver Heiterkeit, die zudem — mit GOETHE zu reden — „so etwas Stämmiges, Tüchtiges in sich haben"[54], den Ausdruck eines wirklich gesunden Volksempfindens sieht, das sich allen schalen Gefühlen zweiter Hand entgegenstellt. Diese Auffassung läßt sich bis zu einem gewissen Umfang sogar soziologisch präzisieren: das bürgerliche, deutlich vom Kunstlied herkommende Liedgut wurde vom breiteren Volk zwar übernommen, aber gegen die Sentimentalität dieser Lieder setzte sich erfolgreich die *naive Unbefangenheit* zur Wehr, die aus den eigenen, älteren Traditionen stammte. Diese Auffassung setzt sicherlich einen wichtigen Akzent; wird sie jedoch zu einer Abgrenzung des „eigentlichen" Volksliedes verabsolutiert, so wird sie *fragwürdig*. Tatsächlich wurde ja doch auch das sentimentale Lied voll akzeptiert, und die Anbinder und Schelmenlieder stehen dazu in einem ähnlichen Verhältnis der Ergänzung, wie die Schwankspiele, die man gern auf theatralische Rührstücke folgen läßt. Dieser Vergleich hinkt um so weniger, als sich auch im Gesang dieses Wechselspiel keineswegs nur und immer im Rahmen einzelner Lieder vollzieht, es läßt sich vor allem auch beim freien zyklischen Singen beobachten, und man hat mit Recht festgestellt, daß die eigentliche Einheit des Volksgesangs nicht das Lied, sondern eben der *Zyklus* sei.[55]

Die Scherzlieder, die in einem geradezu parodistischen Kontrast zum gefühlvollen Volkslied stehen, verweisen also indirekt geradezu auf die weite Verbreitung und das große Gewicht des Sentimentalen. Dieser Zusammenhang bestätigt sich auch dadurch, daß sich Bild und Gegenbild innerhalb der gleichen musikalischen Bereiche entwickeln. Das *Theaterlied*, das Opern- und Operettenlied übten zumindest auf den städtischen Volksgesang im 19. Jahrhundert einen kaum zu überschätzenden Einfluß aus. Schon ARNIM hat auf das Verhältnis der Wiener Faschingslieder „zu den Nationalopern der dortigen Vorstädte" hingewiesen[56], und LEOPOLD SCHMIDT hat gerade am Beispiel Wiens den

[53] Das Volkslied in der Volksgemeinschaft. In: Die deutsche Volkskunde, ed. A. Spamer. 1. Bd. Berlin 1934, S. 299—308; hier S. 303.
[54] Zit. in: Des Knaben Wunderhorn. dtv 1963, 3. Bd. S. 263.
[55] F. GÖTTING: Das Volkslied, S. 373.
[56] Von Volksliedern. In: Des Knaben Wunderhorn, 3. Bd. S. 252 Anm.

Einfluß des Theaterliedes auf das volkstümliche Singen verschiedentlich untersucht.[57] HEINES amüsante Schilderung, wie ihn in Berlin wenige Monate nach der Premiere von WEBERS Freischütz auf Schritt und Tritt das Lied vom Jungfernkranz verfolgte, ist bekannt; LUKAS RICHTER hat neuerdings auch zahlreiche weitere Berliner Belege zusammengetragen.[58] Er zeigt jedoch vor allem, wie sich das *„Gassenlied"* der Melodien und Texte parodistisch bemächtigt, wobei wiederum theatralische Formen wie Humoreske und Couplet Pate stehen — kurz, das mit Gefühlsklischees angereicherte Lied entsteht im gleichen Umkreis wie seine Parodie. Ähnliches läßt sich im 20. Jahrhundert im Bereich des *Schlagers* beobachten, wo die vorfabrizierte Gefühle ausbreitende ‚Schnulze' mit dem parodistischen Schlager eigentlich weniger im Wettstreit liegt, als daß sich die beiden Formen gegenseitig stützen.

Aber auch in Liedformen älterer Tradition zeigen sich Parallelen. So läßt sich der Umschlag beispielsweise im *Bänkelsang* verfolgen, wo die rührselig-moralischen Texte allmählich fast vollständig von übertreibenden Parodien abgelöst wurden. Allerdings handelt es sich hier nicht um eine unmittelbare Dialektik, sondern um einen *Wandel,* der zudem mit soziologischen Veränderungen zusammenhängt: das Publikum des parodistischen Bänkelsangs ist fast durchweg gebildeter und ‚gehobener' als das der früheren Moritaten. Gerade diese Moritaten aber vermögen sehr deutlich zu zeigen, wie sich das Sentimentale allmählich innerhalb einer alten Gattung durchsetzt. Schon die alten Relationen waren ausgesprochen didaktisch geformt, wobei die Moral sicherlich nur zum Teil als geschickter Ausgleich zu den zuvor ausgebreiteten Schauerlichkeiten erklärt werden muß. In diesem Pochen auf Moral und Mitgefühl steckte bereits ein Ansatz zum Sentimentalen, das sich in dem Augenblick vollends in den Vordergrund schob, als Sänger und Hörer die gesungenen Geschichten immer stärker mit subjektiven Gefühlen durchsetzten. MAX ITTENBACH berichtet, wie die junge Generation in dem von ihm untersuchten Gebiet selbst in altertümlichen Balladen das „Gefühlvolle" suche, während es den Alten mehr um die „Geschicht", um „das Ereignis im Moritatensinn" gegangen sei.[59] Diese veränderte Haltung gegenüber dem alten Liedgut mußte dieses selbst aber zwangsläufig ebenfalls allmählich verändern, und in

---

[57] Das Volkslied im alten Wien. Wien 1947. Vgl. Wiener Volkskunde. Wien 1940, S. 46.

[58] Parodieverfahren, S. 69 passim.

[59] Mehrgesetzlichkeit, S. 138 f.

den meisten deutschen Landschaften war dieser Prozeß zur Zeit der Erhebungen ITTENBACHS schon abgeschlossen.

An diesem Prozeß aber — dies sei noch einmal ausdrücklich gesagt — war die Volkslied*forschung* direkt beteiligt. Gewiß setzt die Sentimentalisierung schon sehr viel früher ein; aber sie erreicht ihren Höhepunkt eben in der Zeit intensivster Bemühung um das alte Volkslied, im 19. Jahrhundert. Auf dreifache Weise kommt die Tendenz zum Sentimentalen auch in den Sammlungen zum Ausdruck: durch eine bestimmte *Auswahl*, durch eine bestimmte *Fassung* und schließlich auch durch eine entsprechende *Interpretation* der Lieder; und oft vereinigen sich diese Wege im Sinne einer entschiedenen Umbiegung. Die „Verfälschungen" aber sind primär nicht etwa das ärgerliche Ergebnis eines schludrigen Dilettantismus, sondern sie reichen bis in die ernsthaftesten philologischen Bemühungen hinein.

SPAMER bezeichnete mit vollem Recht LUDWIG UHLAND als den ersten Volkslied-Philologen.[60] Im Gegensatz zu fast allen seinen Vorgängern mühte er sich in seiner Sammlung „Alte hoch- und niederdeutsche Volkslieder" um zuverlässige Texte, die er mit exakten Quellenangaben und Erläuterungen versah, und die er in einer beigegebenen Abhandlung in die größeren Zusammenhänge stellte, wie sie sich ihm darboten. Gewiß steht er dabei noch im Banne romantischer Theorien; aber es ist doch beachtlich, daß er beispielsweise das Volkslied nicht mehr in einen Topf mit Minne- und Meistersang wirft, wenn er auch den engen Zusammenhang in dem Sinne postuliert, daß er das Volkslied als eine Unterströmung betrachtet, welche den besten der literarischen Erzeugnisse Farbe und Leben gab. Diese Auffassung von Volkspoesie als einem fortdauernden, lebendigen Strom, von dem immer nur zufällig hochgetragene Wellen über die Schwelle literarischer Fixierung dringen, legitimiert den Sammler von vornherein zu gewissen Eingriffen — und es ist UHLAND wiederum hoch anzurechnen, wie geringfügig diese bei ihm sind.

Aber sie sind doch da. Das Lied *„Ich hört ein Sichelein rauschen"*, das sich auch in vielen späteren Liederbüchern in der UHLANDschen Fassung findet, setzte er aus zwei verschiedenen gedruckten Stimmbüchern des 16. Jahrhunderts zusammen, indem er dem einen die erste Strophe entnahm, dem anderen die zweite und dritte, obwohl diese dort als selbständiger Text eines vierstimmigen Satzes erscheinen. Hinter dieser Fassung stand eine bestimmte Auffassung vom Inhalt: UHLAND verstand das

---

[60] Volkskunde. In: Germanische Philologie. Heidelberg 1934, S. 458.

Lied als „ein Gespräch der Mädchen zur Erntezeit", von denen eines „liebesfroh" und „leichtgemuth" ist, das andere dagegen unglücklich. Diesem „verlassenen Mädchen ist das Rauschen der Sichel eine Mahnung an geschwundenes Glück".[61] KURT WAGNER hat demgegenüber darauf aufmerksam gemacht, daß die „Auffassung von der Erntezeit als einer Zeit des Vergehens" sehr viel jünger ist, und daß das Klangbild von der rauschenden Sichel eher „Ausdruck einer fröhlichen Stimmung" war.[62] Diese Feststellung läßt sich auch durch wortgeschichtliche und dialektologische Hinweise erhärten; so ist „Lât umbe rûschen!" im Mittelhochdeutschen allgemeine Aufforderung zur energischen Arbeit, und im Schwäbischen galt „Rauscht's?" als aufmunternder Zuruf bei der Ernte.

Der wohlbegründete Einspruch WAGNERS änderte aber nichts daran, daß sich UHLANDS Fassung und Auffassung durchsetzte — nicht oder nicht nur infolge der Autorität des Interpreten, sondern deshalb, weil damit das Lied jenen schwermütig-unbestimmten Ton annahm, der zum Volkslied schlechthin zu gehören schien und der es dann auch zur Aufnahme ins Repertoire der Jugendbewegung empfahl. Das Gedicht ging nicht nur „als eines der schönsten deutschen Volkslieder" in Anthologien ein; es fand auch sorgfältige literarästhetische Interpretationen — zuletzt durch WALTER NAUMANN, dem die Klage des Mädchens identisch ist „mit dem Gesetz der Welt, das der Dichter als Rauschen vernimmt. Ihre Klage ist ja der Sinn dieses Rauschens selbst".[63] Ist diese Interpretation „falsch"? Und ist das Lied — durch UHLAND und seit UHLAND — „verfälscht"? Der Hinweis kann nicht schaden, daß hier kein Gedicht des 16. Jahrhunderts interpretiert wird und erst recht kein zeitloses Volkslied. Die „Verfälschung" aber ist nicht Willkür, sondern Konsequenz. Sie vollzieht sich in einem umfassenden geistigen Horizont. Sie ist nicht durch ein einfaches Subtraktionsverfahren zurückzunehmen, sondern als Phase einer geschichtlichen Entwicklung zu verstehen und zu kritisieren.

D. Bestand

Auf den Vorgang der Sentimentalisierung wird hier nicht nur um dieses Vorgangs willen hingewiesen, sondern auch deshalb, weil er beispielhaft die *Geschichtlichkeit* des Volksliedes zeigt. Noch immer

[61] Alte hoch- und niederdeutsche Volkslieder, ed. L. UHLAND. 3. Bd. Stuttgart o. J., S. 263.
[62] Zu den Grundlagen, S. 144.
[63] Traum und Tradition in der deutschen Lyrik. Stuttgart—Berlin—Köln—Mainz 1966, S. 37.

spielt die zwar seltener ausformulierte, aber oft stillschweigend vorausgesetzte Vorstellung eine Rolle, das Volkslied sei ein Stück Natur, das im Zeichen der allgemeinen Denaturierung verkümmere, und nur das ausgesprochene Bekenntnis zur Natur und eine neue Natürlichkeit des Lebensstils könnte den Boden für die Wiederbelebung des Volkslieds bereiten. In Wirklichkeit setzte sich zu allen Zeiten das Liedgut und der Singstil aus verschiedenen geschichtlichen Elementen zusammen, und wenn auch der besondere Charakter der Gegenwart — mit ihrer beträchtlichen Mobilität, ihrer Verflechtung der sozialen und ethnischen Gruppen, ihren neuartigen Möglichkeiten der Produktion, Verbreitung und Speicherung von Musik — nicht relativiert werden soll, so zeigt doch auch ein *Querschnitt* durch das volkstümliche Singen in der Gegenwart nur, was jeder Zeit als kultureller Auftrag aufgegeben ist: die ‚Synchronisation‘ heterogener Elemente.

Unter dem Titel „*Ehe sie verklingen*" veröffentlichte JOHANNES KÜNZIG eine Sammlung von Liedern, die er bei Zuwanderern von deutschen Volksgruppen aus Osteuropa aufgenommen hatte.[64] Es wäre gewiß verfehlt, diesen programmatischen Titel vorbehaltlos der immer wiederkehrenden *laus temporis acti* zuzuordnen. Gewiß erinnert er an die seit der Zeit HERDERS und der Romantiker regelmäßig erhobene Forderung, die Ernte in letzter Minute in die Scheunen zu sammeln; aber während eine weitgehend rousseauistisch geprägte Zivilisationsfeindlichkeit die negativen Einflüsse in monströser Vergrößerung sah, wird man heute die Wendung ‚in letzter Minute‘ doch sehr ernst zu nehmen haben. Die Sänger dieser Lieder sind ja nicht etwa nur alte Leute, von denen man — salopp, aber zutreffend — sagen könnte, daß sie immer wieder nachwachsen. Sie sind darüber hinaus die Vertreter von Liedlandschaften, die es künftig nicht mehr gibt. Und es ist auch nicht zufällig, daß es sich dabei um die Randbezirke des deutschen Sprachbereichs und vielfach um Landschaften handelt, die bis zu einem gewissen Grad von neueren kulturellen Einflüssen aus dem sprachlichen Mutterland ziemlich abgeschirmt waren. Weiter: es handelt sich nicht nur um einzelne Lieder, die in der Überlieferung anderer Landschaften durch andere, vielleicht ähnliche verdrängt wurden, sondern es handelt sich vielfach um die Relikte volksmusikalischer Gattungen und Stile, die insgesamt zum Aussterben verurteilt scheinen. Insbesondere Legendenlieder und gesungene Balladen gehören dazu, überhaupt viele *längere* Lieder; ähnlich wie bei den Erzählungen scheint auch im Volksgesang

[64] Freiburg 1958.

die Tatsache, daß man weniger denn je auf mündliche Überlieferung allein angewiesen ist, eine allgemeine Tendenz zur *Kürzung* mit sich zu bringen. Die Feststellung, daß sich hier offenbar eine letzte Beobachtungsmöglichkeit bietet, ist also nicht leichtfertig von der Hand zu weisen.

Auf der anderen Seite aber handelt es sich bei den so aufgenommenen Liedern auch nicht einfach schlechthin um Urgestein, das in eine späte Zeit hineinragt. Zwar sind in den Liedern sehr alte, zum Teil mittelalterliche Stilschichten greifbar; aber vielfach sind sie überlagert von oder verbunden mit späteren Bestandteilen. Im Gebiet der ehemaligen österreichisch-ungarischen Monarchie beispielsweise hat nachweislich sowohl das Wiener Couplet wie die österreichische Militärmusik auf den Stil von alten Brauchtumsliedern eingewirkt. Dazu kommt, daß auch und gerade in den östlichen Sprachinseln Ausläufer der Singbewegung eine Rolle spielten: die archaischen Lieder wurden nicht nur gesammelt, sondern auch „gepflegt" — sei es, daß sie ausdrücklich bearbeitet wurden, oder sei es auch nur, daß das Interesse an ihrer Fixierung die alten Lieder stützte. Überhaupt muß vor dem Irrtum gewarnt werden, daß die archaischen Lieder das gesamte Liedgut *aller* Sänger in einzelnen Landschaften repräsentiert hätten. In Lothringen sammelte LOUIS PINCK eine erstaunlich große Zahl insbesondere von alten Balladen und geistlichen Liedern[65]; aber mit Recht hat KURT HUBER darauf hingewiesen, es könne „keine Rede davon" sein, „daß das ganze lothringische Landvolk bis zu den Entdeckerfahrten Pincks in einem Strome alter Lieder geschwommen wäre".[66] Man ist in diesem Fall nicht auf Vermutungen angewiesen, da FRITZ SPIESER konkrete Untersuchungen über den Liedbestand anstellte.[67] Dabei zeigte sich, daß nur ein Teil der Lieder wirklich als Eigentum der ganzen „Dorfgemeinschaft" anzusprechen war, daß viele Lieder dagegen kleineren Einheiten im Dorf oder gar Einzelnen ,gehörten'. Dies galt gerade auch für die Lothringer Lieder alten Stils, die PINCK gesammelt hatte; sie wiesen geradezu erstaunlich niedrige Verbreitungswerte auf, nämlich die Indexziffern 1—8, während die jüngeren, überlandschaftlichen Volkslieder im allgemeinen Werte von 30—60 erreichten und die ausgesprochenen Modelieder und Saisonschlager mit Zahlen bis zu 180 dominierten.

[65] Verklingende Weisen. 5 Bde. Kassel 1926—1962.
[66] Die volkskundliche Methode, S. 276.
[67] Das Leben des Volksliedes.

Natürlich waren es vor allem junge Leute, die nach dem „neuen Lied" verlangten; und es ist gewiß keine neue Entwicklung, daß die Jugend in ihrem musikalischen Verhalten eigene Wege geht. Es ist sogar denkbar, daß die für ältere dörfliche Zustände meist charakteristische „minutiöse Altersklassengliederung" — INGEBORG WEBER-KELLERMANN wies darauf kürzlich anhand von Beobachtungen in einem deutsch-ungarischen Dorf hin[68] — eine noch stärkere Isolation des Liedguts der verschiedenen *Altersklassen* bewirkte. So ernst wir also in Anbetracht der spezifischen Situation der Gegenwart PINCKS Buchtitel „Verklingende Weisen" zu nehmen haben — er ist doch auch wiederum in Beziehung zu setzen zu GOETHES berühmtem Bericht, nach dem er elsäßische Lieder „aus denen Kehlen der ältesten Mütterchen aufgehascht" hat, während deren Enkel alle sangen: „Ich liebte nur Ismenen".[69] Wenigstens zum Teil scheinen Beobachtungen, die zunächst auf einen entscheidenden Wandel in der ‚historischen Generation' hindeuten, in Wirklichkeit auf Unterschiede der ‚biologischen Generationen' zurückzugehen; und an diesen Unterschieden scheint sich so sehr viel nicht geändert zu haben.

HERMANN FISCHER untersuchte vor einigen Jahren den Volksgesang in einer größeren Zahl schwäbischer Gemeinden.[70] Der Befund darf sicherlich bis zu einem gewissen Grad verallgemeinert werden, und zwar gerade deshalb, weil es FISCHER nicht um irgendwelche seltenen Lieder oder auch nur um das „eigentliche" Volkslied ging, sondern um *„das lebendige Singen"* im allgemeinen. Interessanterweise drängte sich auch hier die Einteilung nach Altersgruppen auf, denen bestimmte Liedtypen zwar nicht ausschließlich, aber doch als beachtliche Dominanten zugewiesen werden können. Bei den Schülern — untersucht wurde vor allem die Gruppe der 13- bis 14jährigen — stand neben dem Schullied das Fahrtenlied der Jugendbünde; beide aber werden noch übertroffen von den Schlagern, die von einzelnen ‚Experten' rasch gelernt, nach kurzer Zeit aber ziemlich allgemein übernommen werden. Auch bei der Generation der jungen Leute, bei den 15- bis 25jährigen, spielt der Schlager die beherrschende Rolle, wobei sich eine gewisse Differenzierung nach Geschlechtern ergibt: die Mädchen neigen mehr zur gefühlvollen

[68] Der Volksliedbestand in einem deutsch-ungarischen Dorf. Beitrag zu einer volkskundlichen Charakteristik der Donauschwaben. In: Jb. d. Österr. Volksliedwerkes, 13. Bd. 1964, S. 98—130; hier S. 124.

[69] Werke (WA), 4. Abt. 2. Bd. S. 2; vgl. A. GÖTZE: Das deutsche Volkslied, S. 111.

[70] Volkslied — Schlager — Evergreen.

„Schnulze", während die Burschen eher die parodistisch gefärbten Schlager schätzen. Diese fungieren als Trinklieder und Wirtshauslieder, und hier schließen sich die sogenannten Jäger- und Tiroler-Lieder unmittelbar an. Wesentlich breiter wird die Skala bei der „Elterngeneration", den 25- bis 60jährigen. Gegenüber der hastigen Zuwendung zu allem Neuen ist hier eine gewisse Verzögerung und gleichzeitig eine Auswahl registrierbar: alte Schlager, und nur ein kleiner Teil davon, sind hier beliebt, dazu Operettenlieder, die ungefähr auf der gleichen Linie liegen, die „Evergreens" also. Außerdem stellt FISCHER Soldatenlieder und Heimatlieder heraus, denen sich zum Teil auch die von FISCHER in einer eigenen Gruppe zusammengefaßten Lieder von HERMANN LÖNS zuordnen lassen; und schließlich sind gerade in dieser Generation erneuerte Volkslieder, also die Lieder der Jugendbewegung, von Bedeutung. Bei den Alten, in der „Großelterngeneration", dominieren sentimentale Erzähllieder, Kirchenlieder und mehr noch „Gesangvereinslieder", die im allgemeinen von den Sängern ziemlich einhellig als Volkslieder bezeichnet werden.

Die *Typenbezeichnungen*, die FISCHER in seiner Studie verwendet, hat er fast alle von den Sängern übernommen, allerdings dann etwas sorgfältiger abgegrenzt. Für die Leute haben die einzelnen Lieder im allgemeinen einen bestimmten *Stimmungs-* und damit auch *Funktionswert.* Diese wenig reflektierte, aber durchaus wirksame populäre ‚Typologie‘ ist wesentlich differenzierter, als daß ihr der oft herausgestellte Gegensatz zwischen *Volkslied* und *Schlager*[71] genügte. Zwar ist man sich dieses programmatischen Gegensatzes bewußt; aber zumindest in der Praxis wird er überlagert von jenem andeutend beschriebenen Netz von Typen, in dem sich die scharfe Frontlinie zugunsten eines breiten Übergangsfeldes verwischt. Dem entspricht es, daß auch die verschiedenen Erneuerungsbewegungen zwar mit dem Gegensatz operieren, daß sie sich aber praktisch gegen das gesamte Liedgut rekrutieren — mit Ausnahme eines relativ kleinen Ausschnitts, der dann mit dem Wertetikett Volkslied versehen wird.

Bei der jüngsten ‚*Liedbewegung*‘ ist dies ganz deutlich. Sie protestiert nicht nur und vielleicht nicht einmal primär gegen konkrete politisch-

---

[71] Vgl. HERMANN BAUSINGER: Volkslied und Schlager. In: Jb. d. Österr. Volksliedwerkes, 5. Jg. 1956, S. 59—76, sowie FRITZ BOSE: Volkslied — Schlager — Folklore. In: Zs. f. Vk. 63. Jg. 1967, S. 40—49, und den zugehörigen Diskussionsbeitrag von HEINZ SCHILLING: Zur Erforschung des Schlagers. Ebd. S. 74—78.

gesellschaftliche Mißstände; vielmehr haben die *„Protestlieder"*[72] auch eine entsprechende Funktion in der Überlieferung des Singens: sie stellen sich gegen die falschen Schnulzen, aber auch gegen die großenteils sentimentalen, auf Stimmung reduzierten, ,verfälschten' Volkslieder. Wenn von Folklore oder — was den wissenschaftlichen Sprachgebrauch weniger verwirrt — von *Folksong* die Rede ist, so beweist dies zunächst den angelsächsischen Ursprung dieser ,Singbewegung'; aber es ist auch insofern folgerichtig, als sich die neuen Lieder in Gegensatz stellen zum bisherigen ,Volkslied'. Sie stellen sich freilich auch gegen den *Schlager* mit seinem kommerziellen Hintergrund und seiner Manipulierbarkeit; und sicherlich ist diese kritische Einstellung in vieler Hinsicht angemessener als die abkürzende These, der Schlager sei das Volkslied von heute, oder die besänftigende Genese, die den Schlager gewissermaßen völlig organisch aus dem Volkstheater, dem Bänkelsang, der mechanischen Wirtshausmusik und anderem liebenswerten Ahnenerbe herauswachsen läßt. Tatsächlich ist der Schlager ja allein schon aufführungsrechtlich sehr kühl definiert als ein mindestens 20 000 mal öffentlich aufgeführtes Musikstück, und diese Zahl wird gewiß nicht immer durch eine vom mehr oder weniger ,gesunden Volksempfinden' gelenkte Nachfrage erreicht, sondern vielfach durch *„plugging"*, durch pausenlos einhämmernde Reklame, die Popularität erst *macht*. Aber auch der Folksong steht in diesem kulturellen und sozialen Horizont, und es ist zu beobachten, daß eben diese Usancen, gegen die er sich wendet, vielfach auch sein Gesicht bestimmen: die Agressionen im Text enden oft in einem resignierenden und damit meist sentimentalen „Warum" — dem nachweislich häufigsten Wort deutscher Folksongs —, die Aufführungspraxis verlagert sich schnell von harmlos jugendbewegter Geselligkeit zum öffentlichen Starkult, und die Melodie, die hier wie fast überall im Volksgesang dominiert, bedient sich der geläufigen Tonfiguren und Rhythmen modisch gewordener Musik wie des Jazz oder Beat.

Das Bemühen um den Folksong in Deutschland ist teilweise — dies beweisen auch personale und lokale Zusammenhänge — als Ausläufer der *musikalischen Jugendbewegung* zu verstehen, die sich am Anfang unseres Jahrhunderts entwickelte. Sie steht bezeichnenderweise in einem ganz ähnlichen Zirkel: Sie formierte sich gegen die manipulierte Kultur einer durchorganisierten Gesellschaft, aber sie formierte sich zwangs-

[72] WOLFGANG BRÜCKNER: Folksingers, Protester, Chansonniers 1966. Ebd. S. 68 bis 74.

läufig in — freilich als bündisch deklarierten — Organisationen; sie wandte sich gegen den „Niedergang der schaffenden Volkspoesie", wie es im Vorwort zur ersten Auflage des *„Zupfgeigenhansl"* heißt[73], und bezog ihre Lieder doch im wesentlichen aus gedruckten Sammlungen, in erster Linie derjenigen von ERK und BÖHME; sie verkündete, „das Volkslied muß leben", und Leben sei „Jugend ohne Ende"[74], und bemühte sich doch um alte Lesarten und um eine Stilisierung des „echten Liedes" auf jenes „geheimnisvolle Etwas, vergleichbar dem Goldgrund mittelalterlicher Heiligenbilder", wie WALTHER HENSEL einmal sagt[75]; sie wandte sich gegen das neuere volkstümliche Lied, „das trieft von Sentimentalität und verschwommenen Gefühlen" und suchte „das Schlichte, Innige, Liebenswürdige"[76], ohne zu bemerken, daß diese Suche nach dem Innigen in sich sentimentalisch und oft auch sentimental war. Mit diesen Bemerkungen sollen die Leistungen und Wirkungen der musikalischen Jugendbewegung nicht bagatellisiert werden. Vor allem über die nach dem ersten Weltkrieg entstandenen *Singkreise* beeinflußte sie nachhaltig die Musikerziehung der *Schule*, und sie trug auch darüber hinaus zu einem Klima bei, in dem man für die Schönheit alter Lieder und für „Volkspoesie" empfänglich war. Im gleichen Jahr 1923, in dem WALTHER HENSEL seine Finkensteiner Singkreise gründete, ließ CARL ZUCKMAYER am Kieler Theater „Volks-Texte" vortragen, die er in Anlehnung an alte Moritaten und Kinderverse geschrieben hatte, von denen er aber sagte: „Sie werden Grobianisches hören, Ungehobeltes, Unaussprechliches! Die längst verstorbenen, anonymen Verfasser bitten nicht um Entschuldigung". Man nahm ihm die Ankündigung ab, und ein Rezensent schrieb einen Essay über diese Proben „echter Volkspoesie". ZUCKMAYER berichtet dies in seinen Erinnerungen[77] verständlicherweise mit triumphierender Schadenfreude — aber die Fehlleistung des Rezensenten spiegelt doch nur jene Begeisterung für das Alte und Echte, die eine ganz allgemeine Haltung war.

Ihre Unausweichlichkeit und Totalität wird auch dadurch bestätigt, daß sich in ihr die offenkundige Feindschaft zwischen der Jugendbewegung und den älteren *Gesangvereinen* aufhebt. ALBERT GUTFLEISCH hat darauf

---

[73] A. GUTFLEISCH: Volkslied in der Jugendbewegung, S. 11.

[74] Vorwort zur 2. Auflage; ebd. S. 12.

[75] Auf den Spuren des Volksliedes. Kassel—Leipzig—Basel o. J. (1944), S. 12.

[76] A. GUTFLEISCH: Volkslied in der Jugendbewegung, S. 11.

[77] Als wär's ein Stück von mir. Frankfurt a. M. 1966, im Kapitel: Warum denn weinen (1920—1933).

aufmerksam gemacht, daß die Männerchöre sich schon vor der Singbewegung um alte Lieder, vor allem um das „klassische Volkslied" des
15. und 16. Jahrhunderts, bemühten.[78] Die sogenannten „Kaiserlieder-
bücher", Sammlungen, die auf Veranlassung Wilhelms II. herausgegeben wurden, standen weitgehend im Zeichen organisierter Volks-
liedpflege, und dies lag ganz auf der Linie, auf der die Gesangvereine
in der ersten Hälfte des 19. Jahrhunderts ihren Weg angetreten hatten.
In Norddeutschland entwickelten sie sich aus den „Liedertafeln" und
waren zunächst gehobene Institutionen, die in künstlerischer musikalischer
Übung ihr Ziel hatten; in Süddeutschland dagegen ging es um die
‚Veredelung' und Erneuerung des Volksgesangs, und dies wurde allmählich
fast überall zur beherrschenden Zielsetzung. WIORA zeigt, daß der
„harmonische Chorsatz" und der „eingeübte Wohlklang" die älteren
Formen „improvisierter Mehrstimmigkeit" verdrängten[79]; aber diese
Verdrängung geschah im Zeichen der Pflege, die sich auf die „besseren"
Dichtungen und Melodien „aus dem Munde des Volkes" berief.[80] Nicht
nur das gängige Modelied, sondern auch das landschaftliche Liedgut
wurde vom Chorwesen zurückgedrängt, sofern es nicht in neutralisierter
Fassung allen Landschaften zugänglich gemacht wurde; aber auch diese
Verdrängung berief sich auf „Volkspoesie" und ihren nationalen
Gehalt.

WALTER WIORA hat für all diese Prozesse der Erneuerung und der
Pflege die Formel vom *„zweiten Dasein"* des Volksliedes geprägt.[81]
Diese Formel wird vielfach in der Weise mißverstanden, daß jeweils
nur die jüngsten Bemühungen als sekundär aufgefaßt werden, während
die vorausgegangenen sich scheinbar mühelos dem primären Dasein
einordnen. Tatsächlich aber ist das zweite Dasein nicht nur eine dünne
Schicht an der Oberfläche, die sich mehr oder weniger zwanglos
abheben läßt, so daß dann die eigentliche Volkspoesie zum Vorschein
käme. Das Bild dieser ‚eigentlichen' Volkspoesie ist in unlösbarer
Dialektik mit dem zweiten Dasein verknüpft; der Rückgang zu den
spärlichen frühen Quellen hindert nicht, daß diese Quellen aus der
Distanz des zweiten Daseins gelesen werden. Das zweite Dasein der
Volkslieder geht schon auf das Zeitalter HERDERS zurück, und jegliche
wissenschaftliche Bemühung um das Volkslied muß dies mitbedenken

---

[78] Volkslied in der Jugendbewegung, S. 16 f.
[79] Der Untergang des Volkslieds, S. 15 f.
[80] O. ELBEN: Männergesang, S. 67.
[81] Der Untergang des Volkslieds.

und dort einsetzen, wo sich die tragenden Gedanken und Vorstellungen herausbilden: bei der Erfindung der Volkspoesie.

Literatur:

MARTHA BRINGEMEIER: Gemeinschaft und Volkslied. Ein Beitrag zur Dorfkultur des Münsterlandes. Münster 1931.

WERNER DANCKERT: Das Volkslied im Abendland. Bern und München 1966.

RENATA DESSAUER: Das Zersingen. Ein Beitrag zur Psychologie des deutschen Volksliedes (= Germanische Studien 61). Berlin 1928.

OTTO ELBEN: Der volkthümliche deutsche Männergesang, seine Geschichte, seine gesellschaftliche und nationale Bedeutung. Tübingen 1855.

HERMANN FISCHER: Volkslied — Schlager — Evergreen. Studien über das lebendige Singen auf Grund von Untersuchungen im Kreis Reutlingen (= Volksleben, Bd. 7). Tübingen 1965.

FRANZ GÖTTING: Das Volkslied. In: Hb. d. dt. Volkskunde, hg. v. W. Peßler, 2. Bd. Potsdam o. J., S. 351—374.

ALFRED GÖTZE: Das deutsche Volkslied (= Wissenschaft und Bildung 256). Leipzig 1929.

ALBERT GUTFLEISCH: Volkslied in der Jugendbewegung, betrachtet am Zupfgeigenhansl. Diss. Frankfurt 1934.

GERHARD HEILFURTH: Das Bergmannslied. Wesen, Leben, Funktion. Kassel und Basel 1954.

FELIX HOERBURGER: Musica vulgaris. Lebensgesetze der instrumentalen Volksmusik (= Erlanger Forschungen, Geisteswissenschaften, Bd. 19). Erlangen 1966.

KURT HUBER: Die volkskundliche Methode in der Volksliedforschung. In: Archiv f. Musikforschung, 3. Jg. 1938, S. 257—276.

MAX ITTENBACH: Mehrgesetzlichkeit. Studien am deutschen Volkslied in Lothringen. Frankfurt a. M., 1932.

ERNST KLUSEN: Das Volkslied im niederrheinischen Dorf. Potsdam 1941.

JOHANNES KÜNZIG: Das traditionelle Singen. Zerfall und neue Ansatzpunkte. In: Das Volkslied heute (= Musikalische Zeitfragen, Bd. 7). Kassel—Basel 1959, S. 26—29.

VÁCLAV PLETKA: Zur Methodik der Arbeiterlied-Forschung. In: Dt. Jb. für Volkskunde, 5. Bd. 1959, S. 391—412.

GERHARD POHL: Der Strophenbau im deutschen Volkslied (= Palaestra 136). Berlin 1921.

JULIAN PULIKOWSKI: Geschichte des Begriffes Volkslied im musikalischen Schrifttum. Heidelberg 1933.

LUKAS RICHTER: Parodieverfahren im Berliner Gassenlied. In: Dt. Jb. der Musikwissenschaft für 1959, Leipzig 1959, S. 48—81.

KARL VEIT RIEDEL: Der Bänkelsang. Wesen und Funktion einer volkstümlichen Kunst (= Volkskundliche Studien, Bd. 1). Hamburg 1963.

LEOPOLD SCHMIDT: Der Volksliedbegriff in der Volkskunde. In: Das deutsche Volkslied, 38. Jg. 1936, S. 73—75.

LEOOPLD SCHMIDT: Das Volkslied im alten Wien. Wien 1947.

JOSEF SCHOPP: Das deutsche Arbeitslied. Heidelberg 1935.

JULIUS SCHWIETERING: Das Volkslied als Gemeinschaftslied. In: Euphorion, 30. Bd. Stuttgart 1929, S. 236—244.

ERICH SEEMANN und WALTER WIORA: Volkslied. In: Deutsche Philologie im Aufriß, 2. Bd. ²1960, S. 349—396.

FRITZ SPIESER: Das Leben des Volksliedes im Rahmen eines Lothringerdorfes (Hambach, Kreis Saargemünd). Bühl/Baden 1934.

WOLFGANG STEINITZ: Deutsche Volkslieder demokratischen Charakters aus sechs Jahrhunderten. 2 Bde., Berlin 1954 und 1962.

WOLFGANG STEINITZ: Arbeiterlied und Volkslied. Dt. Jb. f. Volkskunde 12. Jg. 1966, S. 1—14.

HERMANN STROBACH: Variabilität. In: Jb. f. Volksliedforschung, 11. Jg. 1966, S. 1—9.

WOLFGANG SUPPAN: Volkslied (= Realienbücher für Germanisten M 52). Stuttgart 1966.

KURT WAGNER: Zu den Grundlagen und Formen des Stils der Volksdichtung und ihrer Nachbargebiete. In: Hess. Bl. für Volkskunde, 30./31. Bd. 1931/32, S. 126—202.

WALTER WIORA: Das echte Volkslied (= Musikalische Gegenwartsfragen, Heft 2). Heidelberg 1950.

WALTER WIORA: Zur Lage der deutschen Volksliedforschung. In: Zs. f. dt. Philologie, 73. Bd. 1954, S. 197—216.

WALTER WIORA: Der Untergang des Volksliedes und sein zweites Dasein. In: Das Volkslied heute (= Musikalische Zeitfragen, Bd. 7). Kassel—Basel 1959, S. 9—25.

Personenregister

Zur Vereinfachung der folgenden Register wird n i c h t unterschieden zwischen fortlaufender und getrennter Zitierung. Die Angabe 39 f. kann demnach sowohl heißen, daß von S. 39 bis S. 40 in fortlaufendem Zusammenhang von dem Stichwort die Rede ist, wie auch, daß an zwei getrennten Stellen auf den beiden Seiten darüber gesprochen wird. Auch auf die Anmerkungen wird kein gesonderter Hinweis gegeben.

Sachregister

Geographische Bezeichnungen verweisen auf außerdeutsche Überlieferungen oder Forschungen; auf entsprechende innerdeutsche Angaben wurde verzichtet, da die Frage der landschaftlichen Differenzierung der Volkspoesie vernachlässigt werden mußte. Die ausländischen Belege bilden lediglich Ergänzungen; einen ersten Einblick in die reiche internationale Forschung zur Volkspoesie vermittelt die von KURT RANKE herausgegebene Zeitschrift „Fabula" (1957 ff.), einen Einblick in die zur Volkspoesie gehörige Begriffswelt germanischer Länder das von LAURITS BØDKER zusammengestellte Wörterbuch „Folk Literature" (Copenhagen 1965).

283